GEORGES COULONGES

Romancier, Georges Coulonges a d'abord écrit pour les plus grandes figures de la chanson française, parmi lesquelles Jean Ferrat, Nana Mouskouri et Juliette Gréco. Il a également laissé son nom à *Paris populi,* une grande fresque musicale qui, sur une musique de Francis Lemarque, raconte l'histoire de la capitale de 1789 à 1944. Après avoir reçu en 1964 le grand prix de l'Humour pour son premier roman, *Le général et son train,* il signe deux essais très remarqués, *La Commune en chantant,* et *La chanson en son temps.* Véritable "baladin de l'écriture", il met ses talents au service de la télévision *(Pause-Café ; Joëlle Mazart ; La terre et le moulin)* et du théâtre, en écrivant d'après Voltaire un *Zadig* qui, mis en scène par Jean-Louis Barrault, obtient le prix Plaisir du théâtre en 1979. À partir de 1984, il se consacre au roman. Il publie, entre autres, la série des *Chemins de nos pères* (1984-1994), *Les terres gelées* (1994), *La Madelon de l'an 40* (1995), *L'enfant sous les étoiles* (1996), une autobiographie, *Ma communale avait raison* (1998), et *L'été du grand bonheur* (prix des Maisons de la Presse 2000), enrichissant d'année en année une œuvre qui invite à revivre quelques grands moments de l'histoire de la France au XXe siècle.

L'ÉTÉ DU GRAND BONHEUR

DU MÊME AUTEUR
CHEZ POCKET

LES BLÉS DEVIENNENT PAILLE
LA FÊTE DES ÉCOLES
LA MADELON DE L'AN 40
L'ENFANT SOUS LES ÉTOILES
LES FLAMMES DE LA LIBERTÉ
MA COMMUNALE AVAIT RAISON
DES AMANTS DE PORCELAINE
LE PAYS DES TOMATES PLATES

GEORGES COULONGES

L'ÉTÉ DU GRAND BONHEUR

PRESSES DE LA CITÉ

ISBN 2-266-10832-8

De tous les ministres de nos Républiques, il fut sans doute celui qui, le plus, voulut l'amélioration du sort matériel, moral, intellectuel des Français ; celui qui, le plus, œuvra pour cette amélioration.

Avec beaucoup d'humilité, je dédie ce roman

à Léo Lagrange
G. C.

« Moi qui l'ai connu, c'est-à-dire estimé et aimé. »

Charles de Gaulle

Avertissement

Ce livre est un roman, c'est-à-dire une fiction.

Quelques rares personnages historiques en traversent furtivement les pages. Les propos qu'ils tiennent, les actes qu'ils accomplissent sont conformes aux propos qu'ils ont réellement tenus, aux actes qu'ils ont réellement accomplis.

G. C.

1

Un faubourg, c'est une ville qui habite la campagne.

Ainsi était, à Toulouse, le faubourg Marengo. Ville vraiment parce que, entre de plates habitations, s'étaient bâties quelques maisons à étages dont certaines, longues, hautes, montraient à leurs fenêtres les visages de vingt ou vingt-cinq familles, les chaussettes et les tabliers, les culottes et les jupettes de ribambelles de mouflets. Campagne parce que, entre ces maisons, fleurissaient des potagers, subsistait une étable en paillebard[1] dans laquelle entrait un chemin bouseux. Là-haut, sur le versant de Jolimont, chantonnait une source que la tradition, qui a bon goût, avait baptisée « la fontaine d'amour » : seraient toujours amoureux ceux qui, éternellement, boiraient son eau. Ville surtout parce que, en son ouest, le faubourg Marengo arrêtait ses rues de terre et de pavés de Garonne devant le tracé rectiligne de la gare Matabiau ; des voies du chemin de fer ; du canal du Midi somnolent sous ses éternels platanes.

La gare Matabiau, c'était le poumon de la cité : il soufflait au rythme épais de ses machines à vapeur. Les murs, les rideaux noircissaient, jaunissaient sous ses

1. Argile dans laquelle — toutes proportions gardées — des morceaux de paille tenaient un peu le rôle du fer dans le béton.

exhalaisons de charbon. Les appartements et les cours se remplissaient et se vidaient au son des sirènes appelant ou libérant les ouvriers. D'aucuns affirmaient même que si tant de gosses pullulaient dans les impasses et les venelles, c'est que, la nuit, le sifflet des locomotives réveillait les couples…

Les gosses de Marengo étaient à coup sûr enfants de ville. De parents travaillant. De mères au foyer exigu ne pouvant, dans leur deux-pièces-cuisine, retenir éternellement leur marmaille. Le jeudi après-midi, aux jours de vacances, dans les soirées d'été, elles finissaient par dire :

— Descendez. Mais surtout ne vous éloignez pas. Je veux vous voir de la fenêtre. Et ne traversez pas.

Cela signifiait : « Ne prenez pas le pont, n'allez pas à la gare. »

Les gosses promettaient.

Pendant quelques minutes, ils jouaient sagement dans le caniveau où se déversaient les eaux grasses de la vaisselle, les eaux mousseuses des bains de pieds. En « luge à roulettes », ils dévalaient la rue Homère, la rue du 10-Avril.

Bientôt, levant la tête, Raoul criait :

— Maman, je vais chez Adrien !

La mère consentait.

Dans le même temps, Adrien lançait :

— Maman, je vais chez Raoul !

Adrien et Raoul partaient de compagnie. Entraînant au passage Yves Souleil qu'on appelait Titou. Le diminutif lui allait bien : sous sa casquette trop large pour lui, il ressemblait à un champignon. Une antique casquette des chemins de fer à toile défraîchie, à visière de cuir cassée en son milieu. Marquée P.O. Le *peilharot* ou, si l'on préfère, le chiffonnier qui, chaque vendredi, annonçait son arrivée à son de trompe lui en avait fait cadeau en affirmant : « Avec ça, tu auras l'air d'un chef de gare. » Depuis, Titou ne la quittait pas. Malgré les rieurs. Son père lui disait : « Heureusement que tu as les oreilles pour l'arrêter : sans ça, on ne te verrait plus les yeux ! »

Ce jeudi-là, se joignit à la bande Léonce Rovira, un gars solide qui, ayant pris de l'avance dans sa croissance et du retard dans ses études, se trouvait encore à quatorze ans dans la classe du certificat. Avec ceux qu'il dépassait d'une tête et qui, par temps nuageux, ne manquaient pas de lui dire : « Tu nous préviendras quand tu verras passer la première pluie. »

Certains voyageurs arrivaient en taxi. Ils étaient rares. En fiacre. Encore plus rares. La plupart descendaient du tramway. Pliant sous le poids de leurs valises, ils traversaient la cour avec, sur le visage, la crainte d'arriver lorsque les coins seraient pris.

Indifférents à tous les va-et-vient tourniquant autour d'eux, Titou, Raoul et Adrien étaient, dans le hall, comme dans un musée. Plantés devant les affiches des stations balnéaires et des stations thermales, des villes d'été s'affirmant aussi villes d'hiver, ils semblaient des amateurs de peinture comblés par le bleu des ciels, les couleurs émouvantes des lavandes, des mimosas ; Nice, Antibes, Arcachon…

Insensible à leurs rêves de sable et de neige, Léonce leva les yeux :

— C'est l'heure.

Les autres vérifièrent le fait sur la grande horloge et le quatuor gagna la verrière en traversant le magasin des bagages.

— Vous savez qu'il est interdit de passer par là ! Je vous l'ai déjà dit ! gronda l'employé.

Pour toute réponse, les gosses prirent le pas de course, accueillis sur le quai n° 2 par la grosse voix de Cazalbou, le porteur :

— Je vous ai à l'œil, les morveux : tâchez voir à pas

monter les valises, sinon ça pourrait barder pour votre matricule !

Les gosses haussèrent les épaules : ce n'est pas parce qu'une fois ou deux ils avaient aidé un presque impotent à embarquer qu'ils prétendaient détourner les pourboires d'un honnête travailleur.

Pour montrer leurs intentions pacifistes, ils s'assirent sur un banc : pieds sur le siège, cul sur le dossier.

Un mécanicien et son chauffeur passèrent devant eux, balançant chacun leur caisse noire au bout de leur bras :

— À Tours[1], Blum vous l'a dit : « Vous serez les valets de Moscou ! »… C'est ce que vous êtes, ni plus ni moins !

— C'est Cachin, oui, qui avait raison quand il vous a balancé que vous, les socialistes, vous seriez toujours les valets du capitalisme !

Ils se dirigèrent vers les douches. Leurs caisses, indignées par l'accusation, s'agitaient. De plus en plus désordonnées : prêtes à se taper.

Au bout des voies, la loco apparut, poussant en avant son ventre majestueux, noir, barré de rouge à hauteur des tampons. Puis, s'allongeant devant le quai, elle exhiba son profil de cuivre et d'acier, son piston lubrifié activant quatre grandes roues ; précédées de deux petites. La fumée grise se coucha au-dessus des voitures, soumise. Dans les couloirs, les voyageurs se préparaient à la descente.

Les gosses les regardèrent faire leurs acrobaties sur le marchepied avec des façons liées à l'âge, au volume de leur encombrement.

Ce n'étaient pas ces voyageurs-là qui les intéressaient : l'arrivée est la fin du rêve. Le départ en est la promesse.

1. Au congrès de Tours, en 1920, qui marqua la désunion des socialistes, entraînant la création du Parti communiste.

Un haut-parleur à l'accent toulousain annonça les prochaines stations. La voix était incompréhensible mais les gosses n'avaient pas besoin d'entendre les noms pour imaginer la cité de Carcassonne, le canal du Midi promenant ses péniches calmes ; remplacé bientôt par l'étang de Thau ; Sète où l'express du P.O.-Midi entrerait alors sur le réseau au nom magique. P.L.M. : Paris-Lyon-Méditerranée. Bientôt, Marseille, Nice seraient des réalités...

Le train démarra. Trois marins parvinrent à s'accrocher à une voiture, à ouvrir la portière, à hisser leur long sac de toile ; protégeant sur leur tête le béret à pompon rouge que le déplacement d'air prétendait leur enlever.

C'est nous, les gars de la marine,
Quand on est dans les cols bleus,
On n'a jamais froid aux yeux.

Les gosses chantaient en marchant puis en courant le long du convoi.

Ils arrivèrent au bout du quai.

Sans se donner la peine de revenir à la sortie, ils traversèrent les voies et, escaladant le talus charbonneux, ils se retrouvèrent sur le pont.

Loulette venait de la ville. Boucles blondes. Jambes fermes. Sous le pull : deux tétons s'efforçant de prouver qu'ils avaient quatorze ans.

Ses grands yeux verts n'étaient pas faits pour la sévérité. Surtout quand ils regardaient Titou :

— Tu étais encore à la gare ! Maman le sait ?

— T'as qu'à pas lui dire !

— Pourquoi je ne lui dirais pas ?

Le petit frère proposa un marché :

— Si tu lui dis pas, je dirais pas que tu étais avec Luigi.

La sœur s'offusqua : elle n'était pas avec Luigi.

Titou en convint sans peine. Il n'empêche :

— Si je lui dis que tu étais avec lui, elle me croira !

Prononçant ces mots, le garçon rougit. Loulette trouva que la honte lui allait bien. Elle sourit. Posa sa main sur son cou.

Il murmura :

— Toi aussi, tu aimerais voir des mers et des montagnes, je le sais bien.

En bons amis, ils se dirigèrent vers leur appartement. Dans ce qu'on appelait « la grande maison ». Leur entrée était enviée de tous : Cesare Veraldi, le maçon du deuxième, avait cimenté le trottoir. Les Souleil, Albert et Amélia, l'en avaient bien remercié. Les autres locataires de l'escalier aussi. Ceux des escaliers voisins avaient râlé :

— Pendant que vous y étiez, vous auriez pu faire notre porte.

Heureuse d'être privilégiée, Loulette avait dit à Luigi :

— Il est gentil, ton père.

— Oui. Il est gentil.

C'est à partir de cette conversation qu'ils s'étaient vus tous les deux. Pas souvent. Pas longtemps. Le soir, en remplissant leur seau à la fontaine d'amour. Et surtout en se méfiant des bonnes langues prêtes à venir dire à la famille : « Votre Loulette est superbe maintenant. Je l'ai aperçue avec le drôle de l'Italien, superbe vraiment. »

Chez les Souleil, ces racontars, il est vrai, n'avaient pas une grande portée : Albert et Amélia avaient confiance dans leur fille. Cela était venu il y a trois ans lorsque Amélia avait dit :

— Le chat fait pipi partout. Tu devrais le porter à l'École vétérinaire pour qu'ils s'occupent de lui. C'est jour de visite.

Loulette était partie, fière de la confiance qu'on lui montrait.

Dans la cour, des étudiants en blouse blanche adoptaient de doctes attitudes pour écouter leur maître.

Prenant la bête, l'un d'eux avait demandé :

— Qu'est-ce qu'il a, ton raminagrobis ?

— Il... il fait pipi, avait soufflé Loulette.

— On va s'occuper de lui.

Déjà, le garçon posait sur le museau du chat un masque, rembourré de coton blanc. Le chat se débattit puis il se raidit avant de s'immobiliser complètement. « Ils l'ont tué ! » pensa la fillette qui, au comble de l'horreur, découvrit un carabin s'approchant avec une lame fine, terminée par un crochet. Elle ne voulut pas voir, se tourna face à un mur et resta ainsi de longues minutes, au bout desquelles le grand patron lui tapa sur l'épaule :

— Tiens, ton Mistigri. Il est châtré.

Souriant, il lui tendait le chaton lymphatique dont le derrière était enveloppé d'une bande Velpeau.

Loulette l'avait mis dans son panier d'osier. Elle avait couru chez elle où, en sanglots, elle avait jeté sa révolte à la face de sa mère :

— On ne *châtie* pas un chat pour un pipi !

Amélia et Albert s'étaient regardés, n'osant pas sourire.

Pensant que l'ignorance est une protection, ils n'avaient pas jugé bon d'informer.

Ravi, Albert racontait l'anecdote au « Dépôt » :

— Tu te rends compte : elle a douze ans et elle ne sait rien de la vie !

Cela ne pouvait pas surprendre les pères de famille qui l'entouraient :

— La mienne a dix-sept ans et je suis sûr qu'aucun garçon ne l'a jamais embrassée, affirmait le gros Gustave, qu'on appelait Piston : il était mécanicien. Et communiste.

Le « Dépôt » était un bistro, une buvette plutôt où se retrouvaient les cheminots. Leurs lourds sabots, leurs grosses godasses noires, un peu graisseuses, piétinaient le plancher éternellement couvert de sciure : devant le comptoir où trônait Rouquette, un Aveyronnais à moustache drue qui avait toujours sur son zinc une assiette de charcuterie. Au moment propice, il la glissait vers le chaland :

— Boire sans manger n'est pas meilleur que manger sans boire.

Un cantonnier, un ouvrier de « la bricole [1] » dépliaient leur Opinel. Ils se coupaient une tranche de pâté.

Albert Souleil ne travaillait pas à la Compagnie. Il venait ici au titre d'ancien. Reçu avec déférence par quelques-uns. Les syndiqués. À la suite de la grande grève de 1920, dix-huit mille cheminots avaient été mis à la porte. Les uns pour absence répétée au travail. D'autres pour complot contre la sûreté de l'État. Albert avait été du nombre. On ne l'oubliait pas. Surtout Piston, le communiste, et la Vapeur, le socialiste que la Compagnie avait eu l'idée de mettre sur la même loco. L'un nourrissant son foyer de charbon pendant que l'autre ne lâchait pas d'un œil le manomètre de pression, ils passaient leur voyage à se fâcher, à se réconcilier avant de s'insulter, jurant en sautant sur le quai qu'ils ne s'adresseraient plus jamais la parole... Là, Albert leur disait :

— Vous avez tort de vous chamailler pour savoir si, à Tours, c'est Blum ou Cachin qui avait raison puisque, en vérité, ils avaient raison tous les deux : vous, les communistes, vous êtes les larbins de Moscou et vous les socialos, vous êtes les larbins de la bourgeoisie.

1. Au chemin de fer : les petits travaux.

Entendant ces perfidies, Piston et la Vapeur unissaient leurs voix pour conspuer Albert. Qu'ils traitaient d'anarchiste. En attendant, devant le zinc du « Dépôt », de l'appeler camarade.

Un soir de 1934, le fricot de la mère Rouquette fleurait bon les tripoux.

Se léchant déjà les babines, le patron gagna discrètement la cuisine.

Il en revint presque aussitôt.

À sa tête, on comprit que l'affaire était grave :

— Venez.

Albert, Gustave — dit Piston —, Ernest — dit la Vapeur —, quelques autres répondirent à l'invitation.

Madame Rouquette avait l'oreille collée au poste de T.S.F. Les hommes s'approchèrent, essayant d'entendre.

Rouquette, bientôt, laissa tomber :

— Il y a des morts.

C'était le 6 février.

Croyant le moment venu de suivre les exemples d'Hitler et de Mussolini, les ligues factieuses avaient assiégé le Palais-Bourbon. Les Croix-de-feu du colonel de La Rocque conspuaient les députés : « Tous pourris ! » Les Camelots du roi criaient : « À bas la gueuse[1] ! » L'Action française de Charles Maurras : « Mort aux Juifs ! » Tous : « La France aux Français ! » Cependant que, équipés de lames de rasoir, les plus excités tranchaient les jarrets des chevaux de la garde. L'un des manifestants avait tiré. La police avait riposté : douze morts. D'autres disaient vingt. Et six cents blessés.

C'est ce soir-là qu'Albert murmura :

— Il faut faire quelque chose.

Et comme les copains le regardaient, plus haut il ajouta :

1. La République.

— Ce qu'il faut en premier, c'est cesser nos chamailleries.

Elles cessèrent dès le lendemain. Au « Dépôt » et dans toute la France. Les jours suivants, Albert, Piston, la Vapeur, des cheminots et des instituteurs, des charpentiers et des plombiers-zingueurs, quarante mille personnes se retrouvèrent sur le terre-plein cimenté de l'hôtel de ville. Entre les quatre vespasiennes de la place du Capitole, ils scandèrent : « Halte aux deux cents familles[1] ! » « Le fascisme ne passera pas ! » Le cortège se forma dans la rue d'Alsace, se déployant vers la rue de Metz. Aux fenêtres du Grand Hôtel, des jeunesses patriotiques crièrent : « Vive la France ! », « C'est Pétain qu'il nous faut ! » Des manifestants voulurent leur donner l'assaut. Les gardes mobiles entrèrent en action. Albert se retrouva rue d'Astorg. Des copains apportaient des caisses, ils roulaient des tonneaux. Ce fut le début d'une barricade ; consolidée bientôt par une charrette de maraîcher couchée sur la chaussée. On arracha des pavés. Les plus petits servaient de projectiles. Un officier fit donner l'assaut : les chevaux foncèrent, se cabrèrent. Un sabre s'abattit sur la Vapeur. Le sang gicla de l'oreille, du cou. Fous de rage, Albert et Piston tentèrent de déséquilibrer le cavalier. Celui-ci parvint à se dégager. Il s'enfuit sous les huées inutiles des rebelles. Albert avait pris le chauffeur dans ses bras. Il le porta dans une cour. Un jeune homme quitta la barricade :

— Je suis médecin.

Tout le quartier Saint-Georges fut bientôt privé de lumière. Cela permit de mieux voir les incendies se déclarant rue du Rempart-Saint-Étienne où un camion-

1. Un économiste avait estimé que deux cents grandes familles se partageaient la fortune de la France. « Les deux cents familles » devinrent la cible des organisations ouvrières.

citerne avait explosé ; à l'hôtel des Pins, rue Antonin-Mercié où roulaient des tonneaux d'essence en feu.

Albert rentra chez lui au petit matin. Il était plus noir, plus transpirant que si, pendant huit jours sans arrêt, il avait piloté une machine à vapeur.

Ayant devant les yeux la lame s'empalant sur le cou de la Vapeur, il fut de tous les défilés. De toutes les banderoles. Les voix et les calicots demandaient la Paix, la République. Mais aussi, de plus en plus fort, de plus en plus souvent : du pain, du travail.

Venue d'Amérique, la crise de 1929 avait mis du temps à atteindre l'Europe. Aujourd'hui, elle était là. Frappant l'agriculture, les industries que l'on croyait les plus prospères. Un grand nombre d'entre elles licenciaient. Beaucoup imposaient le chômage partiel : Citroën travaillait quatre jours par semaine. Et même trois.

Toulouse n'était pas plus frappée que les autres grandes villes. Elle l'était plutôt moins. Et, avec ses nombreux cheminots, le faubourg Marengo l'était moins que d'autres faubourgs. Mais le blocage des salaires conduisait aux loyers impayés. Aux dettes chez l'épicier. À la nourriture refusée tant que la note ne serait pas réglée. Des petits commerçants fermaient leur boutique. Des artisans cherchaient un emploi. La mairie, les sociétés de bienfaisance organisaient des fourneaux économiques. Des soupes populaires.

Désignant à Loulette les gens qui attendaient leur tour, une femme murmura :

— C'est malheureux de voir ça.

Un vieux s'adressa à elle, montrant sa gamelle :

— On n'est pas des mendiants pourtant !

Loulette partit en courant. Honteuse de la honte du vieux.

Au coin de la rue des Cheminots, elle buta dans Luigi. Elle ne l'avait pas vu. S'était retrouvée contre lui.

Elle s'écarta aussitôt mais elle avait sur sa robe, et même dessous, senti sa chaleur douce.

Il lui demanda :

— Je t'ai fait peur ?

Non. Il ne lui faisait jamais peur. Au contraire. Elle ne le dit pas.

Elle finit par parler de ces gens défaits, pitoyables, tendant leurs bras maigres vers un ragoût de pommes de terre.

Luigi comprit cela. Il évoqua sa propre misère. Celle qu'il avait vue, là-bas, de l'autre côté des Alpes. Dans un pays de terre rude et de ciel bleu dont il parlait avec des mots qui chantent. Un pays que Loulette connaissait pour en avoir cherché, dans le dictionnaire, les noms des pierres et des eaux : Venise, Florence, Naples, le Tibre, l'Arno, le détroit de Messine... Un pays où Luigi reviendrait, il en était sûr, puisqu'il suivrait l'exemple du seul Italien dont il connaissait l'aventure : Marco Polo...

— ... Je ferai le tour du monde et tu viendras avec moi.

Loulette eut l'impression que, à nouveau, il allait la prendre dans ses bras.

Elle le quitta vite, lui aussi. Arriva chez elle, le cœur battant. Heureuse maintenant.

Sa mère l'embrassa :

— Ma pauvre petite... je ne voudrais pas être jeune aujourd'hui.

Albert se voulut rassurant :

— Ne t'inquiète pas. Tout va s'arranger. Les gens ne se laisseront pas faire.

La regardant dans les yeux, il montra une grande conviction :

— Les Français construiront un monde meilleur. C'est vous qui en profiterez. Je te le promets.

À cet instant, Loulette sentit que la promesse se posait au plus profond d'elle-même.

Son père était un chevalier Bayard. Peut-être même un Marco Polo.

Loin de ces fabuleux destins, Albert s'agitait devant les réalités du temps. Il parlait du nouveau chef du gouvernement, ce Pierre Laval qui avait quitté l'extrême gauche : pour être indépendant, affirmait-il ; pour être ministre, estimait Albert.

Monsieur Laval avait annoncé son programme : « Il y a en France cinq cent mille chômeurs. Il y a cinq cent mille étrangers. Je mets les étrangers à la porte : il n'y a plus de chômeurs en France. »

Cette simplicité plaisait à beaucoup.

Cesare Veraldi reçut sa notification le 12 septembre 1935 : il avait deux jours pour quitter le territoire.

Apprenant la nouvelle, Albert se rua au deuxième étage :

— Tu ne vas pas partir ?

— Qu'est-ce que je peux faire ?

Ce qu'il fallait faire, Albert le savait depuis longtemps : la révolution. Il reconnaissait que quarante-huit heures ne suffiraient pas à l'organiser.

Il chercha des solutions. En trouva. Extravagantes. Devant lesquelles Cesare secouait la tête :

— Où veux-tu que je me cache ? Avec ma femme ? Quatre enfants ! Et quand je serai caché, où trouver du travail ? Sans permis de séjour !

Bruna fit les valises. Facilement : la famille n'avait droit qu'à trente kilos de bagages.

Heureusement, les meubles appartenaient au propriétaire de l'immeuble, petit homme bedonnant dont les locataires avaient transformé le nom de G. Déchartres en « j'ai des charges » : son expression favorite lorsque, le 1er de chaque mois, il venait encaisser ses loyers.

— Il y a tout de même la couette et la couverture de laine, dit l'Italienne dont les yeux déjà portaient le deuil de ce qu'il faudrait laisser.

— Nous allons vous les acheter, dit Albert.

Amélia observa qu'ils n'en avaient pas besoin.

— On en a toujours besoin, coupa Albert.

Amélia partit chercher ses économies. Cela lui permit de prendre aussi trois casseroles et un broc en fer-blanc.

D'autres voisins firent de même, les uns payant sans barguigner, certains discutant le prix d'un chaudron ou réclamant une remise s'ils prenaient deux vases au lieu d'un.

Mains sur les hanches, madame Portal, du n° 12, regarda Cesare. Posant une question dont elle semblait connaître la réponse :

— Alors... vous ne cimenterez pas notre devant de porte ?

Cela n'était pas tout à fait un reproche. C'était, tout de même, un gros regret. Ou alors, une douce invitation : si, avant d'embarquer, le maçon avait un peu de temps devant lui...

La petite troupe partit vers la gare. Cesare ouvrait la marche, portant une valise gonflée, serrée au milieu de son ventre par une ceinture de raphia. Amélia aidait Bruna, lui prenant le bébé des bras pendant que Catarina s'accrochait à la jupe de sa mère.

Le train était en gare, réservant son dernier wagon au transport des expulsés. À chaque extrémité, un gendarme répétait la consigne :

— Posez vos bagages sur la bascule. Jusqu'à la frontière, vous pourrez descendre pour vous procurer de la nourriture et des boissons mais vous ne pourrez rien apporter d'autre dans vos compartiments.

Cesare mit la valise, les deux musettes, un sac de toile de jute sur le plateau.

Le douanier annonça :

— Trente-trois kilos. Retirez trois kilos.

Albert le regarda dans les yeux :

— Vous ne croyez pas qu'ils sont assez emmerdés ?

— J'obéis à la consigne, répondit sobrement le gabelou.

— Elle est belle, la consigne ! grommela Albert.

Et, plus fort :

— Elle est belle, la France !

Un couple passait près d'eux. La dame crut devoir renchérir :

— Ah ! oui, elle est belle !... Il est temps qu'on se débarrasse de ces métèques !

Le monsieur approuva :

— Vive Laval !

Amélia plaqua une main ferme sur les lèvres de son mari. Étouffant les insultes.

Bruna avait ouvert la valise, dénoué un balluchon. Elle cherchait des vêtements des enfants, murmurait : « La petite a grandi. Ça, je n'en aurai plus besoin. » Elle ajoutait le plan de Toulouse que lui avait offert madame Cazalis chez laquelle elle faisait des ménages : cela non plus elle n'en aurait pas besoin.

Cesare plongea une main décidée au fond du grand sac. Il en retira un pantalon de velours. Le tendit à Albert :

— Tiens. C'est pour toi.

Albert repoussa l'objet.

Cesare ne céda pas :

— Prends. Le velours, ça fait du poids.

On ajouta le moulin à café, divers petits objets dont un cochon de plâtre rose que Francesca avait gagné à la baraque de la pêche à la ligne, « après Riquet » : à la foire des allées Jean-Jaurès.

Les mâchoires d'Albert se crispèrent.

Il serra les poings. Ne pouvant s'en prendre au douanier, au gendarme, il cria à l'adresse du couple s'éloignant :

— Voyous !

Il en aurait peut-être dit davantage, mais ce qu'il vit alors le stupéfia : Loulette faisait ses adieux à Luigi. Deux lèvres effleurant deux lèvres. Le temps d'un petit bonheur. Dans les larmes.

Albert chercha le regard d'Amélia. Il ne le trouva pas. Entouré par ceux qui partaient, ceux qui passaient, il était seul. Devant une découverte : sa fille avait grandi.

2

Lorsque, en 1920, Albert avait été renvoyé des chemins de fer, il avait trouvé un emploi périodique à la halle aux grains. Puis un emploi stable à l'Aéropostale. Qui avait montré son instabilité : en 1932 elle avait fait faillite. Albert avait participé aux moissons sur les bords de la Saune, aux vendanges à Fronton. Il avait déchargé des camions pour le Prisunic — l'un de ces magasins nouveaux qui tuaient les petits commerces — avant de devenir cocher aux omnibus Frédéric Blanc : transport pour les familles de leur domicile à la gare et réciproquement. « 4,50 F pour un à quatre voyageurs. » La fonction lui plaisait.

En ce novembre 35, le patron le fit venir dans son bureau :

— Le cheval a perdu la partie. Je remplace mes bêtes par des taxis automobiles. Je n'ai plus besoin de vous.

Albert objecta qu'il pouvait apprendre à conduire.

— Il y a des risques d'accident : je préfère des conducteurs expérimentés. Et puis j'aurai moins de taxis que de voitures hippomobiles. Non, je ne peux pas vous garder.

Albert se mit à hurler :

— Ce n'était pas la peine de renvoyer Cesare chez lui !... Hein ? C'est pour faire quoi qu'on les a renvoyés, les étrangers, si personne ne trouve plus de boulot !

Il était sorti dans la rue Bayard, s'était arrêté devant *La Dépêche* d'où, d'une voix de stentor, il avait apostrophé les journalistes… qui, derrière les grosses pierres de l'immeuble, ne l'entendaient pas :

— Les prolétaires, pour vivre, ils dépensent tout ce qu'ils gagnent. Forcément ! Alors quand vous renvoyez d'un pays ceux qui dépensent tout, qui reste dans le pays ? Ceux qui mettent leur argent à la banque ! Et ça fait quoi ça, pour le commerce, l'argent qui dort à la banque ?

Il criait :

— Halte aux profiteurs ! À la porte, les deux cents familles !

Il marchait, il gesticulait. Il montrait la gare, les jardins en direction de Jolimont.

Il apostropha la statue de Paul Riquet :

— Hé ! Paul ! L'auto tue le cheval ! Et le rail tue ton canal ! Et la route tue le rail ! Et la conserve tue le légume ! Et le spectacle en boîte tuera le théâtre ! Et pourtant, on voyage toujours, on mange toujours, on sort toujours !

Arrivant chez lui, avant de dire bonsoir il demanda :

— Alors ? Qui c'est qui travaille ? Où faut-il aller pour travailler ? Tu le sais, toi ?

Amélia ne le reconnaissait pas :

— Avant, il riait de tout. Maintenant, il crie sur tout.

Il cria de plus en plus.

Cela peinait Loulette. Pas pour le bruit : pour le malheur qu'il traînait dans sa voix.

Un jour, revenant du cours complémentaire, elle découvrit Titou et ses copains qui, devant la maison, faisaient cercle autour d'une voiture blanche décapotée. Une Chrysler Airflow dont les trois gros phares, les roues à rayons croisés, la roue de secours verticale sur le marchepied suffisaient à impressionner. On la voyait parfois dans le quartier.

Un chauffeur veillait sur elle. Habillé comme dans les films américains : avec une casquette et une livrée descendant sur ses chevilles.

Les gosses étaient en admiration devant sa tenue :

— On dirait Henri Garat dans *Un mauvais garçon*, s'émerveilla Raoul dont le père avait été projectionniste au Bonnefoy, route de Lavaur.

Ils admiraient encore plus la voiture :

— Avec ça, tu peux aller sur la Côte d'Azur, affirma Léonce qui, dans le hall surchargé de harpes et d'oiseaux plus ou moins exotiques du Royal, avait vu les photos de Jean Murat dans *L'Homme à l'Hispano.*

Titou aurait bien voulu dire, lui aussi, quelque rêverie sur grand écran mais ses connaissances se limitaient aux films projetés à l'intention des cinéphiles en culottes courtes par l'American-Ciné de la rue Montardy. Qu'on appelait aussi le Cinéma Poulain : les enfants payaient demi-tarif grâce aux vignettes trouvées dans l'emballage des tablettes de chocolat.

Soudain, au-dessus des têtes, la fenêtre des Souleil sembla exploser :

— J'en veux pas de vos secours ! Je préfère crever ! C'est pas des paquets de nouilles qu'il nous faut : c'est du travail !

Deux dames sortaient de l'immeuble.

Albert se pencha au-dessus de leurs chapeaux à plumes, à voilette :

— Du boulot ! Vous comprenez ?

Les deux dames hâtèrent le pas. Pressées de rejoindre l'auto dont le chauffeur, se décoiffant, leur ouvrit la portière arrière.

Assez fort pour être entendue, la plus âgée laissa tomber :

— Je me demande pourquoi je m'occupe encore de ces sauvages !

Titou se sentit rougir, pâlir. Son père : un sauvage ? Des larmes s'approchèrent de ses cils. Surtout que le grand Léonce crut devoir ajouter :

— Ma mère a dit que si on recevait mal les bienfaitrices, après elles ne viendraient plus : on n'aurait plus de secours.

Devant l'esclandre, Loulette s'était cachée derrière la porte à damier multicolore du peintre en bâtiment.

Elle avait déjà vu ces deux femmes ; la vieille, raide, avec toujours l'air de dire : « Ôtez-vous de là, les gosses, pour que je fasse mon devoir » ; l'autre, douce, élégante, qui, pour atténuer la rudesse de sa compagne, trouvait un sourire pâle.

Loulette l'appelait « la dame triste ».

Là-haut, Albert se donnait une voix de stentor :

— La vraie charité, c'est la fin de la misère !

La voiture démarra.

Albert la poursuivit de ses hurlements :

— Ce n'est pas moi qui le dis ! C'est Victor Hugo !... Vous connaissez Victor Hugo ?

La Chrysler avait disparu.

Loulette sortit de sa cachette.

Elle ne voulait plus rentrer : son père aurait honte. D'avoir crié. Qu'elle l'ait entendu. Honte éternellement de ne pas avoir de travail.

Elle partit pour la fontaine d'amour. Depuis le départ de Luigi, elle y venait souvent. Elle se demandait où il était. Ce qu'il faisait. Et surtout s'il reviendrait. Pensait-il à elle ? Elle sortit de son cartable une timbale en fer-blanc. La remplit. La vida d'un trait. Trempa encore ses lèvres dans l'eau fraîche. Rêvant.

Il y avait, à Marengo, un couple que tout le monde connaissait. Deux vieux qu'on appelait monsieur et madame Philémon. Ils semblaient avoir toujours été là.

Avoir toujours été vieux. Lui, habillé de noir et portant cravate, conservait, sous sa ceinture de flanelle, un large pantalon de velours d'où émergeait encore un mètre de charpentier ; elle, égayant sa tenue stricte d'une fleur ou d'une pochette, ne sortait jamais sans son haut chapeau à large ruban mauve et, surtout, sans avoir glissé sa main ridée dans la main ridée de son mari.

Ils arrivèrent ainsi. Comme toujours :

— Tu as raison de boire l'eau d'amour, Loulette. C'est elle qui rend heureuse.

La vieille dame tira, elle aussi, une timbale de son sac. Disant ce que, à Loulette, à d'autres, elle avait déjà dit :

— Il y a plus d'un demi-siècle que nous sommes venus ici pour la première fois. Tous les deux. L'eau était claire comme aujourd'hui. Depuis, nous ne nous sommes jamais quittés. Nous n'avons jamais quitté le pays. La ville. Même pas Marengo. Et chaque jour, nous sommes revenus à la fontaine.

Elle tendit la timbale à son mari. Il but. Emplit la timbale. La tendit à sa femme. Elle sembla déguster un élixir. À petites gorgées.

Elle essuya le godet. Le replaça dans son sac :

— Au revoir, Loulette. Aie confiance.

La jeune fille regarda s'éloigner ces amants d'un autre âge.

Elle pensait : « Quelle chance de conserver toujours son même amour ! »

Il en allait autrement pour la fidélité au pays. Ne jamais quitter Marengo ? Parme, disait-on, sentait la violette, Tivoli avait des affiches aux parfums de jardin. Sur les eaux de Venise, Marco Polo baissait la voile et ouvrait ses bras.

Titou était devant elle. Sa casquette plus enfoncée que jamais.

Contrit :

— On s'est tapés.

— Tu t'es tapé ? Avec qui ?

— Avec Léonce.

— Ce grand ? Mais tu es fou !

Elle fit sauter le couvre-chef. Titou demanda :

— J'ai un *macal*[1] ?

— Tu peux le dire que tu as un *macal* ! Et un beau !... Viens ici.

Elle trempa son mouchoir à la fontaine. Le posa sur l'œil.

Titou fanfaronna :

— Si tu voyais son coquard à lui ! Comme un œuf ! Et tout bleu !

Loulette n'avait pas besoin de constater d'autres dégâts. Ceux de la famille lui suffisaient !

Le combattant avança une explication. À voix basse :

— Léonce... il se moquait des malheureux.

Il regarda ses godasses. Ne voulant pas en dire plus.

Un cycliste passait en dessous d'eux, sur le chemin de terre. Il les aperçut, bifurqua, escalada prestement la grimpette.

C'était un grand jeune homme. Allure sportive, visage en pleine santé. Son pull à col roulé descendait dans un pantalon de golf qu'il n'avait pas retourné au-dessus des bas. Serré à la cheville, il laissait voir des souliers cyclistes un peu usagés :

— Salut, Titou ! Tu viens à la fontaine, toi aussi ? Tu veux être amoureux ?

— C'est ma sœur qui boit, répondit Titou.

Loulette fronça les sourcils.

Le garçon la regarda :

— Ah ! C'est vous, mademoiselle, qui attendez le Prince charmant ?

1. De l'occitan *maqué* : « mâché », « marqué ». Une pomme tombée à terre est *maquée*. Un gosse marqué par un coup de poing l'est aussi.

— Je n'attends personne.
Le ton était sec. Le cycliste s'amusa :
— Avec les yeux que vous avez, vous ne l'attendrez pas longtemps.
Loulette se sentit rougir.
D'autant que, serviable, Titou tenait à son rôle d'agent de renseignement :
— Elle n'a pas besoin de l'attendre ! Le Prince charmant… elle l'a déjà !
Loulette sursauta. Rougissant plus encore.
S'en prenant à son frère :
— Mais… Tu es vraiment un imbécile !… Qu'est-ce qu'on te demande ?
Le nouvel arrivant éclata de rire.
Titou était content de son succès :
— Elle l'a ! Elle l'a !
Furieuse, cramoisie, Loulette s'en alla :
— Deux imbéciles !… Voilà ce que vous êtes : deux imbéciles !
Elle escalada le plateau. Disparut derrière la crête. Dévala vers la place Arago. En pestant contre son frère. Un indiscret. Et l'autre aussi.
Titou finit par la rejoindre. Essoufflé :
— Hé ! Tu es fâchée ?
Il se justifiait :
— Je ne pouvais pas savoir que ça te déplairait que j'en parle ! Moi, je trouve très beau que tu viennes à la fontaine… que tu penses à Luigi… C'est de ton âge.
Le pire c'est qu'il semblait sincère.
Loulette se rabattit sur le grand dadais à cheveux blonds qui était avec lui : il porte des pinces à bicyclette sur un pantalon de golf et il se permet de se moquer des gens !
Elle était furieuse :
— Est-ce que tu le connais seulement ?
Titou consentit : il le connaissait.

Il en fallait plus pour tranquilliser la sœur :

— Il a au moins dix ans de plus que toi ! Tu n'as pas à le fréquenter !

— Je suis bien obligé ! fit Titou.

Il expliqua :

— C'est mon instituteur !

Loulette s'arrêta. Net. Elle s'étrangla. Muette. Indignée. Abattue. Ne pouvant pas croire :

— Ton instituteur ? Et tu m'as laissée le traiter d'imbécile ?

Titou ne voyait pas comment il aurait pu l'empêcher. Il le dit. Elle lui tourna le dos. Monta les marches quatre à quatre. Il s'élança derrière elle. La rattrapa sur le palier. Accrocha sa manche.

Elle se retourna :

— Qu'est-ce qu'il y a encore ?

Titou baissa la tête. La voix surtout :

— Le malheureux… c'était papa.

— Quel malheureux ?

Il se dandina. Expliqua : lorsque Léonce et lui s'étaient tapés, c'est parce que Léonce se moquait du père… qui criait à la fenêtre au lieu de chercher du boulot :

— Il disait que c'est un fainéant. Il disait même : un chômeur professionnel.

Loulette en fut outragée. Elle se ressaisit :

— Papa ne sera pas malheureux longtemps. Il va bâtir un monde meilleur. Il me l'a promis.

Elle se rendit compte que, depuis quelques instants, elle avait un peu oublié la bagarre avec Léonce.

Une question emplissait son esprit : comment un garçon qui avait le sourire de Jean-Pierre Aumont, la tête blonde de Pierre-Richard Wilm, la souplesse musclée de Johnny Weissmuller, universel Tarzan, oui comment un type qui, comme Mermoz, semblait poser son regard au-delà des cimes, pouvait-il être instituteur dans son quartier ?

Elle garda pour elle son interrogation.

Pendant le repas, personne ne parla des cris d'Albert à la fenêtre.

Le chômage, c'est une épidémie qui vous frappe avant d'être là. La crainte c'est déjà le mal. Elle suffit à vous affaiblir. À ruiner la santé des hommes, des femmes, des bistros.

Il y avait moins de monde au « Dépôt ».

Le coude sur le comptoir, Gustave, dit Piston, tenta d'ironiser :

— À la Compagnie, on est des vernis. Ailleurs, c'est le chômage. Chez nous, ça s'appelle une compression de personnel.

— On est dans le privé et ils nous appliquent le régime du service public : dix pour cent, ils m'ont fait tomber sur mon mois.

Bessière, le magasinier qui était natif de Cransac, près de Decazeville, affichait des traits rancuniers, lui aussi. Il repoussa son assiette :

— C'est la saucisse des cousins que tu nous sers maintenant ?

Le patron ne pouvait que comprendre ce langage aveyronnais. Au pays, les mauvaises langues affirment que, dans la salle de ferme, la charcuterie qui reste apparente est la charcuterie de deuxième qualité : destinée aux cousins s'invitant à l'improviste ; à tous les cure-toupines habiles à se présenter à l'heure de la soupe. L'autre, la bonne, reste cachée dans un obscur garde-manger. Réservée aux bedaines familiales.

— Ma saucisse est toujours la même, rétorqua Rouquette : c'est ta bouche qui a changé. L'inquiétude, ça déforme le goût.

Assis dans un coin, Albert pensa que l'affirmation n'était peut-être pas fausse. La pascade [1] qu'Amélia lui avait servie ce soir lui avait semblé moins savoureuse que celles d'autrefois.

La Vapeur entra. Important malgré sa moitié d'oreille ; soucieux. À cause de la nouvelle :

— Ça a saigné, hier, à Limoges... Les copains, les porcelainiers, les chausseurs... Tout le monde s'y est mis... contre les Croix-de-feu.

Des manifs maintenant, il y en avait partout. Les fonctionnaires se joignaient aux ouvriers. À Toulon, à Brest, plusieurs étaient restés sur le pavé.

Albert soupira :

— Les fascistes, faudra les descendre un à un, sans ça, ils vont nous trouver un Mussolini... ou un Adolf.

À son habitude, Bessière crut devoir faire son intéressant :

— Les Croix-de-feu, c'est pas des fascistes, c'est des anciens combattants qui en ont marre de s'être fait casser la gueule pour rien. Comme moi : marre de la misère et des politiciens pourris.

— Tous les gars qui défilent en melon avec des cannes plombées ne connaissent pas la misère et tous les politiciens ne sont pas pourris, répondit sèchement Albert.

Comme le mangeur de saucisses avait le don de lui taper sur les nerfs, il jugea le moment venu de rentrer chez lui.

Les enfants abandonnèrent livres et cahiers, courant vers la porte pour annoncer eux-mêmes la bonne nouvelle à leur père :

— Papa ! Tu as du travail !

Titou voulait parler le premier. Il tentait de faire taire

1. Crêpe épaisse garnie de persil, blettes, céleri hachés finement avec éventuellement des lardons.

Loulette, Amélia. Il se pendait au cou d'Albert, l'embrassait sur sa barbe dure :

— C'est la dame triste qui est revenue. Elle a dit qu'elle comprenait ta rédaction.

— Ta réaction, rectifia la mère.

— ... Ce qu'il te faut c'est du travail. Elle t'en a trouvé. Chez elle. Tu vas préparer le jardin.

— Et aussi, tu apprendras à conduire.

— C'est ça qu'elle veut : un chauffeur. Elle dit qu'avec un seul, elle n'en a pas assez.

— Le monsieur en prend un pour lui tout seul, tu comprends...

— Il est rentré des colonies et il faut que les dames aient une bagnole pour aller aux bains de mer.

C'était une suite de mots, de rires, de mains qui battent avant de se joindre à d'autres mains pour improviser une ronde autour du héros :

— Tu as du travail, papa ! Tu as du travail !

Amélia était émue par ce bonheur enfantin. Un peu réticente, se demandant si son mari accepterait d'aller se présenter devant la pimbêche qu'il avait mise à la porte.

Lorsque Loulette et Titou furent couchés, elle alla chercher une carte de visite. La posa devant Albert.

— C'est la dame qui l'a laissée.

Il lut. Resta sans parler.

Amélia savait que cela se passerait ainsi.

Mille idées en lui se battaient.

Elle demanda :

— Tu vas y aller ?

Albert se taisait toujours.

La carte mentionnait : Jules-Grégoire Deslandes-Wincker, administrateur de sociétés.

On n'en précisait pas les noms. Pour l'une d'elles, pour Albert, c'était inutile : monsieur Deslandes-Wincker appartenait au conseil d'administration des Chemins de fer du Midi…

— En 1920, si ses confrères l'avaient écouté, ils auraient mis tout le monde à la porte.

Il serra les dents :

— Et au Tonkin, son père n'avait même pas besoin de renvoyer les ouvriers : ils crevaient sur place. En construisant les ponts, les voies ferrées.

Il alla se coucher.

Amélia le rejoignit dans le noir de la chambre. De son débat.

Elle le caressa :

— Tu apprendrais à conduire…

— Je ne pourrai pas.

Elle voulut lui donner confiance.

Il précisa :

— La casquette… Je ne pourrai pas.

Elle hésitait à comprendre.

— Au chemin de fer, tu la portais…

Il s'agita. Au chemin de fer, la casquette disait : « Nous sommes au service des voyageurs. » De tous. Du peuple.

— Là, elle dirait : « Je suis la propriété de monsieur Jules-Grégoire Deslandes-Wincker, un homme que je méprise. » Et quand je la lèverais en ouvrant la portière de sa voiture, je penserais : « Je m'incline devant un saligaud. C'est la première fois de ma vie. »

En d'autres circonstances déjà, Amélia avait pensé que son mari lui rappelait son père auquel quarante années passées dans la fournaise de Carmaux n'étaient pas parvenues à faire l'échine souple : « Courbé sur le verre : toujours. Devant le patron : jamais. »

Elle finit par murmurer :

— N'y va pas.

Il pensa qu'elle disait cela à contrecœur. Pour le laisser libre. Comme toujours.

Il s'endormit très tard.

Au matin, il ne parla de rien.

Elle ne posa pas de question.

Sauf lorsque, depuis la fenêtre, elle l'aperçut gonflant sa bicyclette :

— Tu sors ?

— Oui. J'ai à faire.

Au sud de la ville, sur sa colline, « la Tolosane », une chartreuse du XVIe siècle, tournait ses deux portes, ses vingt-trois fenêtres, sa terrasse vers le Lauragais aux champs infinis. Le canal du Midi se cachait sous ses platanes. La vieille madame Deslandes-Wincker affirmait que, par temps clair, on suivait la ligne des arbres jusqu'à Castelnaudary. Mademoiselle Benoîte, sa petite-fille, ajoutait *mezzo voce* que, ces jours-là, on pouvait même compter le nombre de haricots servis dans les assiettes de cassoulet.

Mademoiselle Benoîte avait un charme remarquable : ses beaux traits bruns étaient rehaussés par deux yeux d'un bleu magnifique. Rare. Le « bleu Bugatti », lui avait dit son père une quinzaine d'années auparavant. À une époque où elle ne savait pas que monsieur Ettore Bugatti construisait des automobiles. Et que les automobiles construites par monsieur Ettore Bugatti montraient toutes le même bleu. Qui n'appartenait qu'à lui. Elle ignorait cela mais elle n'avait pas oublié le mot. Prononcé dans l'un de ces moments d'exception où son père semblait s'intéresser à elle. Il est vrai qu'il n'était jamais là. « Heureusement ! » murmurait parfois mademoiselle Benoîte Deslandes-Wincker. Qui n'était pas une impertinente. Ni une révoltée. Un zeste d'humour lui était venu lorsqu'elle avait compris que, si elle ne voulait pas s'enfermer dans la neurasthénie où s'étiolait sa mère, elle devait se défendre au plus tôt contre les traditions pesantes de la famille, l'indifférence du père, les diktats imbéciles de la grand-mère. Dite : Mère-grand. Et, en catimini : Madame Mère.

C'est Madame Mère qui avait accueilli Albert.

Debout sur la terrasse, raide, immobile, faisant penser bien à tort à quelque statue de la Liberté, elle l'avait regardé gravir l'allée de pierres ceinturant le gazon, entre la haie de buis et les rosiers sur leurs arceaux attendant la floraison.

— Monsieur, nous ne nous sommes vus qu'une fois mais cela a suffi pour me donner la plus mauvaise opinion de vous, c'est vous dire que je ne vous aurais jamais convié à prendre un service sous mon toit. C'est vous dire aussi que le moindre écart de langage, de conduite de votre part entraînera votre licenciement immédiat. Car, jusqu'à preuve du contraire, je suis ici chez moi.

Ayant prononcé ces mots, Madame Mère avait tourné les talons. Elle était entrée dans la maison.

Albert, seul devant la terrasse, s'était demandé s'il devait rester ou s'enfuir sur-le-champ. Le visage rayonnant de son fils, de sa fille à laquelle il avait promis le bonheur lui fit adopter la première solution.

Depuis, il préparait la terre pour le printemps, il apprenait à tailler les rosiers, à faire des semis sous serre, à les entretenir.

Louis, le chauffeur, mit du temps avant de lui adresser la parole.

Un jour, il vint lui dire :

— Je dois vous apprendre à conduire.

Albert remarqua qu'il ne le tutoyait pas.

— Ici, personne ne tutoie personne. Les patrons, la demoiselle, tout le monde se dit « vous ».

Les leçons eurent lieu dans le parc. Pour ne pas prendre de risques. Avec une auto qui, elle, semblait ne plus pouvoir en prendre. Née en 1905, sans portière pour le conducteur, elle était, avec sa puissance de 30 CV, la plus grosse voiture jamais produite par Peugeot. On ne la sortait du garage que pour la faire tourniquer dans les allées du jardin.

— On n'en fabriqua que trente-deux exemplaires, déclara fièrement le chauffeur.

Comme s'il était propriétaire de l'engin.

Un matin, comme il allait donner sa leçon, mademoiselle Benoîte arriva.

Elle considéra l'ancêtre avec attendrissement :

— Moi aussi c'est sur cette mémère que j'ai appris à conduire.

En toute simplicité, elle fit descendre le chauffeur et, s'installant sur le siège de droite, elle se tourna vers Albert :

— Montez. Aujourd'hui, c'est moi qui suis le professeur.

Albert, un peu gêné, prit le volant, soucieux de montrer son savoir. Dont mademoiselle Benoîte le félicita.

— Comment se fait-il que, à votre âge, vous ne sachiez pas conduire ?

— Je n'ai jamais pensé avoir une voiture.

— À la fac, je fais droit. Si je réussis ma licence, j'aurai une bagnole à moi.

Elle se tourna vers lui.

— C'est injuste, non ?

Albert ne répondit pas. Surpris. Craignant vaguement un piège.

La jeune fille décida de conduire.

Ils changèrent de place.

Elle pilotait la lourde voiture avec beaucoup d'assurance.

Cela ne l'empêchait pas de parler. De poser des questions. Insolites. Indiscrètes. De se lancer dans des confidences. Imprévues :

— Vous êtes communiste ? Socialiste ? Moi, à votre

place, je le serais. D'ailleurs, je le suis. Je regrette que les femmes ne votent pas. Êtes-vous pour le vote des femmes ? Il faut l'être. Les progressistes français sont trop timorés. Vous ne trouvez pas ?

Elle n'attendait aucune réponse. Sa conversation tournait aussi facilement que la voiture. Effleurant. Sans rien accrocher. Ne s'attardant pas.

Madame Mère se dressa au milieu d'une allée. Écartant les bras. La Peugeot s'arrêta à quelques centimètres d'elle.

Regardant sa petite-fille, l'aïeule prit un ton de procureur ne pouvant s'habituer à la déchéance des accusés :

— Vous promenez les domestiques maintenant ? Décidément, vous ne saurez jamais tenir votre rang.

Elle rappela à Albert qu'elle ne tolérerait pas le moindre écart de sa part.

Benoîte s'en fut vers la maison.

Madame Mère la rattrapa de la voix :

— Je vous interdis de renouveler une telle incongruité.

Elle haussa le ton :

— Vous m'entendez, mademoiselle Benoîte ?

— Je vous entends, Mère-grand, répondit Benoîte, continuant sa marche.

Puis, s'arrêtant et se tournant vers ceux qu'elle venait de quitter :

— À demain, monsieur Albert !

La grand-mère reçut l'affront avec un pincement de narines qui lui fit rejeter la tête en arrière. Elle sembla manquer d'air. Voulut le cacher. Elle tourna les talons et escalada les marches de la terrasse. Montrant une combativité sans vieillissement.

Madame Léonor Deslandes-Wincker était dans le salon, alternant travail manuel et plaisir de l'esprit : lorsqu'elle était fatiguée de broder les napperons roses qu'elle préparait pour la kermesse de l'Immaculée-Conception, elle reprenait la lecture de *L'Atlantide* de monsieur Pierre Benoit.

Sa belle-mère ne se donna pas la peine de la regarder, même pas la peine de s'arrêter devant elle.

— Les parents sans autorité font les enfants sans éducation... Vous paierez vos fautes... comme tout le monde. Et malheureusement, mon fils les paiera avec vous.

Elle poussa la porte du couloir, disant encore :

— Nous les paierons tous.

Benoîte eut envie d'aller embrasser sa mère. De passer ses bras autour de son cou. De lui dire de lutter...

Pour avoir cent fois fait ces gestes, prononcé ces mots, elle en connaissait l'inutilité.

Elle y alla pourtant.

Madame Deslandes-Wincker la regarda. Puis elle détourna ses yeux tristes, les posa, comme elle le faisait souvent, sur sa vie, sa situation, les maux qui la rongeaient.

Bientôt, elle murmura :

— Je n'ai que toi.

C'était le secret de cette maison où le vouvoiement était de règle : lorsqu'elles étaient seules, la mère et la fille se tutoyaient. Spontanément. Reprenant le « vous » dès que quelqu'un paraissait. Ne se laissant jamais surprendre en flagrant délit d'affection.

— Je t'ai entendue dire au nouveau chauffeur que tu reviendrais le voir demain. Il ne faut pas y aller.

Madame Deslandes-Wincker se tordait les mains :

— Si tu y vas, tu sais bien ce qui se passera.

— Madame Mère reviendra me faire son sermon.

— Non. Tu l'as outragée devant ce garçon : elle ne renouvellera pas l'expérience.

Madame Deslandes-Wincker eut de la peine à parler :

— Elle m'enverra, moi, pour te faire la leçon.

— Tu n'as qu'à refuser !

Le dialogue était presque mécanique. Comme ayant déjà été répété. Mettant madame Deslandes-Wincker dans le plus grand tourment :

— Je refuserai... jusqu'à ce qu'elle me l'ordonne.

La mère et la fille voyaient cette faiblesse. L'une se sachant incapable de la surmonter et en ayant honte ; l'autre cherchant les raisons d'une telle soumission et en ayant pitié.

Benoîte se rendait compte qu'elle ne connaissait pas ses parents. Elle ne savait pas la vérité profonde de cette maison dont les tentures étaient aussi lourdes que les silences. Comme les mots perfides de la grand-mère, les vases en céramique émaillée, les porte-chandelles en bronze, les coffrets laqués, les deux ou trois photos de famille prises sur les rives du fleuve rouge procédaient par insinuation.

Benoîte était sur l'une des photos. Elle avait vécu les trois premières années de sa vie au Tonkin. N'en gardait aucun souvenir. Venue passer des vacances en France avec sa mère, elles n'en étaient plus reparties. L'humidité de la mousson était néfaste à la santé de madame Deslandes-Wincker, disait-on. Était-ce la véritable raison de cette séparation ? La sœur aînée de Benoîte, Marie-Rolande, que l'on ne voyait plus à la Tolosane, avait un jour laissé entendre que le père avait là-bas une liaison. Officialisée par une vie commune. Dans les phrases à demi-mot de la grand-mère perçaient au contraire des accusations sourdes. Rancunières. Où était la vérité ?

Celle de madame Léonor Deslandes-Wincker était, semblait-il, contenue dans la constatation plaintive qu'elle répéta :

— Je n'ai que toi.

Elle répéta aussi sa recommandation :

— Ne provoque pas Mère-grand : si tu roules dans la voiture avec le chauffeur, je serai obligée de venir te réprimander et nous serons malheureuses… toutes les deux.

Brusquement, elle demanda :

— C'est toi qui as pris le livre ?

Benoîte ne sourcilla pas :

— Quel livre ?

Elle pouvait nier, madame Deslandes-Wincker n'était pas dupe : un rayon de la bibliothèque était condamné. Par la grand-mère. Qui en gardait la clé. Veillant aux bonnes lectures de la maisonnée. Seul un habitué des lieux avait pu…

Monsieur Jules-Grégoire Deslandes-Wincker entra. Trop absorbé pour saluer. Il posa sa serviette sur la bergère tapissée de Jouy, accrocha son melon au dossier, appela la bonne :

— Marthe, faites-moi couler un bain. Préparez ma valise. Deux chemises, un pyjama, un caleçon long, un caleçon court. Non : deux caleçons courts. Ma cravate club. Avec l'épingle. Je pars pour Paris.

Il se tourna vers les femmes :

— Il y a eu un attentat contre monsieur Léon Blum.

Benoîte jeta spontanément :

— Alors, vous êtes content ?

— À moitié seulement : le youtre n'est pas au cimetière. Pour cette fois, nous nous contenterons de l'hôpital.

Le ton se voulait sans réplique. Monsieur Deslandes-Wincker avait employé « le youtre » à dessein. Pour choquer sa fille. Qui, pendant ses longues absences, avait pris de mauvaises habitudes. De mauvaises idées. Au contact de mauvaises fréquentations. Cette Sarah Zimmenstein, devenue son amie de faculté ; avec quelques autres écervelées, filles de négociants juifs, de fonctionnaires francs-maçons, de politiciens se disant porteurs de théories nouvelles alors qu'elles représentaient seulement le « Ôte-toi de là que je m'y mette », vieux comme le monde.

Benoîte ne voulut pas répondre. Elle s'opposait à sa grand-mère : elle ne se sentait pas encore la force d'affronter son père.

Tout viendrait en son temps.

Pour ne pas chagriner sa mère, elle n'alla pas rejoindre Albert.

Il le regretta. Cette demoiselle de grande bourgeoisie s'adressant librement à lui, exprimant des idées qu'elle disait voisines des siennes l'avait intrigué. Il aurait voulu reprendre la conversation. La poursuivre. Poser à son tour des questions. Donner des arguments, citer des faits que, sûrement, elle ignorait.

Mademoiselle Deslandes-Wincker trouvait que les progressistes n'allaient pas assez vite en besogne.

Il sourit : les fils à papa brandissent le drapeau de la révolution parce que leur maman les a privés de confiture.

Titou avait dit à Loulette :

— Monsieur Chabrol te passe le bonjour.

Loulette ne connaissait pas monsieur Chabrol.

Titou haussa les épaules :

— Mon instituteur !... Tu ne te rappelles pas que, à la fontaine d'amour, nous avons parlé à mon instituteur ?

Loulette se souvenait, oui. Mais elle ignorait le nom de l'instituteur. Et elle ne pouvait pas croire qu'un aussi important personnage se souvînt d'elle :

— Tu me racontes des craques.

Le garçon se défendit :

— Il te passe le bonjour et il m'a dit qu'il était content de te connaître.

Loulette était perplexe. Elle s'interrogeait sur l'attitude à prendre.

Elle finit par dire :

— Tu lui passeras le mien.

Titou refusa. Net. Rembruni : il ne voulait pas se trouver dans des histoires.

— Quelles histoires ?

Il faisait de grands gestes :

— Tu comprends : si Luigi revient... moi, je ne veux pas être au milieu... Responsable.

Loulette sentit qu'elle s'étranglait. Responsable ? De quoi ? Et que venait faire Luigi dans une question de bonne éducation ?

Elle était pourpre :

— C'est vrai que tu es idiot !... Complètement idiot !

— Peut-être, mais tes commissions, tu les feras toi-même !

Il s'enferma dans sa chambre.

Loulette descendit.

Coiffé de son képi cabossé, portant sur sa veste de drap bleu sa caisse de correspondance, le facteur des Postes que quelques femmes, par constat ou par ouï-dire, appelaient Beaux-Mollets terminait sa troisième tournée de la journée. Il aperçut monsieur Lasvenes avec qui il avait souvent à faire : homme respectable, monsieur Lasvenes exerçait les fonctions bénévoles de dizenier. Connaissant tous les habitants du quartier, il était habilité à délivrer certificats de vie, de propriété, de domicile et même de bonnes mœurs.

Le facteur roulait les *r* comme galets de Garonne :

— Vous avez vu, monsieur Pierrre, les Crrroix-de-Rrrifle[1] ont encore frrrappé ?

Monsieur Lasvenes avait une distinction naturelle. De tenue. De ton. Peut-être de pensée :

1. Les Croix-de-feu du colonel de La Rocque.

— Monsieur Castagnède, je ne fais pas de politique, vous le savez, mais quand je vois trente hommes s'en prendre à un seul, qui, de plus, est un personnage éminent, pour le rouer de coups, je me dis que ce n'est pas avec ces hommes-là que la France trouvera son salut.

Loulette ne prêta pas attention à ces mots. À dire le vrai, elle ne les entendit pas : madame Lajute avait laissé sa fenêtre ouverte et les auditeurs de Radio-Toulouse passaient une demi-heure en compagnie de Tino Rossi :

Vieni, Vieni, Vieni
Tu sei bella, bella, bella
A canto a me...

Loulette ferma les yeux. En voyage. À Venise, un gondolier chantait pour elle... À Naples, un prince jouait de la guitare...

Marinella
Ah! Reste encore dans mes bras.
Avec toi, je veux jusqu'au jour
Danser cette rumba d'amour.

Loulette n'était jamais allée au bal. Pourtant, son corps imagina cette rumba l'emportant loin de Marengo. Loin du facteur, du dizenier, de Paula la laitière qui vidait l'eau de ses cartons dans le caniveau. Le liquide sembla s'évaporer. Il devint un nuage brumeux dans lequel Loulette crut voir l'instituteur... Elle se pinça. Ce n'était pas une hallucination : monsieur Chabrol était là, au milieu de la chaussée, parlant avec deux messieurs plus âgés que lui. Loulette décida de les suivre. Lorsque l'instituteur l'apercevrait, elle verrait bien s'il la reconnaissait ou non. Si elle devait lui remettre son bonjour.

Elle se rendit à peine compte que d'autres hommes arrivaient de la rue Félix-Lavit, de la rue Périole, allant tous vers le dépôt des locomotives.

Des cheminots étaient là. Rejoints par ceux qui, à la sirène, sortirent des ateliers. Et même des bureaux : les faux-culs en faux cols, comme disaient les roulants, les ouvriers de l'entretien : ceux qui accusaient les gratte-papier d'être plus portés sur la trêve que sur la grève.

Devant la plaque tournante, un wagon plat était arrêté. Encadré de deux voitures anciennes. Celles qui n'avaient pas de couloir intérieur, montrant sur chacune de leurs portières les I, II, III désignant les trois classes de voyageurs. D'un toit de voiture à l'autre, on avait tendu un calicot : « Le fascisme ne passera pas. »

Loulette ne voyait plus monsieur Chabrol.

Des ouvriers arrivaient de l'extérieur. De la briqueterie, surtout. De l'imprimerie Sirven. Les « hommes de fer » de chez Madal, qui fabriquait de la literie métallique, retrouvaient ceux de chez Gontier, le producteur de bascules.

L'instituteur reparut, aussitôt accaparé par deux étudiants de l'École vétérinaire : ils étaient en blouse blanche. Avec d'autres, plus âgés.

Quelques hommes étaient montés sur le wagon plat. Gustave, dit Piston, prit la parole. Une voix de stentor sortant d'un ventre de locomotive. Malheureusement, il disait des choses auxquelles Loulette n'entendait rien : Hitler, dont elle connaissait à peine le nom, avait annexé la Sarre dont elle ignorait l'existence ; il avait rétabli le service militaire en Allemagne en dépit du traité de Versailles qui était, pour elle, une révélation ; il avait exclu les Juifs dont elle ne savait rien de la Communauté nationale dont elle ne savait pas davantage, et le Duce, qui lui était inconnu, s'était emparé de l'Éthiopie dont elle n'avait jamais lu le nom ; ceci en chassant le négus dont elle se demandait s'il s'agissait d'un poisson rouge ou d'un oiseau des îles.

L'orateur s'insurgeait à la pensée que la France, pays pacifiste, républicain, laissât faire cela à des aventuriers conduisant le monde à la dictature, à la guerre : à la ruine.

Loulette pensa s'en aller.

Oui, mais il y avait cette question de politesse envers l'instituteur…

Et voilà que l'instituteur soudain était sur le wagon. Droit, sa silhouette sportive se découpant sur le ciel, il annonçait une grande nouvelle :

— Le gouvernement vient de dissoudre l'Action française, les Camelots du roi, les Croix-de-feu…

Des vivats saluèrent cette décision, mêlés à des sifflets, à des cris conspuant ces ligueurs fauteurs de désordre, escamotant les responsabilités des spéculateurs de tout poil, de toutes confessions, pour détourner la colère du peuple contre les seuls affairistes juifs.

Près de Loulette, Bessière — celui qui voulait toujours faire l'intéressant — déclara *mezzo voce* :

— N'empêche que les youpins, ils sont partout !

— Eh oui ! Puisque je suis là ! répondit Garcin que dans le quartier tout le monde connaissait : chaque matin, il installait sa caisse marquée Lion Noir sur le pont Riquet où il exerçait ses talents de cireur de godasses.

Le magasinier n'en revenait pas :

— Toi… tu es juif ?

— Eh oui ! fit Garcin, modeste.

Alors, à la pensée que le décrotteur de Marengo appartenait à la juiverie internationale dénoncée par les défileurs en béret basque, les hommes d'équipe, les cantonniers, le bourrelier éclatèrent de rire.

Loulette n'avait d'yeux que pour l'instituteur. Aussi ferme dans ses gestes que dans ses propos, il rappelait que cette victoire était venue grâce à l'union de tous. Il lançait aux ovations de la foule les noms d'intellectuels antifascistes. Une bonne partie des auditeurs pensaient sans doute que, dans le combat de rue, le manche de pioche ou la barre à mine ont plus d'impact que le porte-plume. Ils n'en soufflaient mot, ragaillardis d'avoir près d'eux un Henri Barbusse, « prix Goncourt des Poilus », un professeur Langevin, une Irène Joliot-Curie, André Malraux, André Gide, Romain Rolland, prix Nobel de Littérature.

Loulette était gagnée par l'enthousiasme. Heureuse d'éprouver soudain cette fraternité des grands et des petits, elle applaudissait à tout rompre.

La stupéfaction arrêta ses mains : hissé sur le wagon par des cheminots, Albert prenait la place de monsieur Chabrol. Le mécanicien Gustave le présentait comme le jeune pacifiste qui, jadis, suivait Jaurès ; le « héros de 1920 » payant son courage et son dévouement de son emploi à la Compagnie.

Loulette était bouleversée : son père, un héros ! Reconnu par tous. Un chevalier Bayard. Un Marco Polo.

Ne s'attendant pas à parler, Albert se tut un instant. Il se concentra.

Un silence se fit.

Il pinçait les lèvres. Regardait tout le monde.

Il raconta comment, jeune militant, il avait été éprouvé par l'assassinat de Jean Jaurès et surtout par les appels au meurtre qui avaient armé le bras de l'assassin, venant des écrits de monsieur Charles Maurras, de l'Action française, d'autres qui lui ressemblaient.

Il ouvrit son portefeuille. En tira quelques coupures de journaux.

Il parla lentement :

— Voici ce que, vingt ans après, c'est-à-dire ces derniers mois, monsieur Charles Maurras et les siens écrivent à propos de Léon Blum.

Il cita : « un monstre », « l'ennemi public n° 1 », « la chamelle Blum », « un détritus humain à traiter comme tel », « un homme à fusiller mais dans le dos », « Vous avez quelque part un pistolet automatique, un revolver ou même un couteau de cuisine ? Cette arme fera l'affaire »... « La France sera débarrassée comme on le fait d'un tas d'immondices ou d'un paquet de pourriture ».

Les plus avertis des ouvriers n'étaient pas surpris par ces injures : elles venaient de journaux qui, à longueur de colonnes, ne les désignaient pas autrement que par la canaille, la racaille, la lie et surtout par cette expression qui avait fait florès : « les salopards en casquette ». Mais les autres, ceux qui ne militaient pas, ne lisaient pas, ne se tenaient pas au courant — les plus nombreux peut-être —, ceux-là paraissaient navrés, abasourdis, écœurés de constater que ces gens de la haute pour lesquels on avait une considération naturelle valaient moins que les copains de la menuiserie, du marteau-pilon, élevant leurs enfants dans la splendeur du respect d'autrui.

Avec une force que Loulette ne lui connaissait pas, Albert s'écria :

— Ne soyons pas dupes, Jaurès n'était pas juif : il était républicain. Et ce n'est pas parce que Blum est juif que ces messieurs cherchent pour lui un nouveau tueur : c'est parce qu'il est républicain.

Percevant à ses pieds toutes les approbations, enflant encore la voix, il martela :

— Parce que ce n'est ni Blum ni Jaurès que l'on veut exécuter : c'est la république. Pour cela, royalistes et fascistes unissent leurs assauts, mettant en avant l'argument qui fut toujours le leur : le meurtre.

Appuyé au mur de la lampisterie, Rouquette, qui d'ordinaire ne se mêlait pas à ce genre de réunion, cria :

— Vive la république !

Tous les visages se tournèrent vers lui. Avec, sous les fronts, une même pensée : si Rouquette a fermé son troquet pour venir ici un jour de pareille affluence, c'est que la France entière se réveille.

Ce ne fut qu'une voix. Un chœur :

— Vive la république !

L'Internationale jaillit de toutes les poitrines, suivie aussitôt de *La Marseillaise* qui en désarçonna quelques-uns : depuis des décennies, on avait laissé s'enfuir le chant républicain chez ceux d'en face : les patriotards qui n'avaient pas tous le cœur tricolore :

Aux armes, citoyens !
Formez vos bataillons !

Impressionnée par ce « Debout, les damnés de la Terre » qu'elle ne connaissait pas, hésitante, un peu perdue, Loulette maintenant s'était retrouvée : *La Marseillaise* était au programme de l'école primaire ; le jour du certificat d'études, elle l'avait chantée devant son examinateur. Elle la chantait encore aujourd'hui. À pleine voix. Avec son père, Gustave, la Vapeur, monsieur Chabrol…

Albert l'avait vue. Il sauta de la tribune :

— Tu étais là…

Il la prit dans ses bras :

— Si tu savais comme je suis content que tu t'intéresses à ces choses !

Loulette baissa les yeux. Il était inutile de dire qu'elle était arrivée ici par hasard. Suivant l'instituteur. Au reste, elle l'avait oublié. Transportée par l'ambiance. Ce coude-à-coude prolongé maintenant dans la rue, alors que chacun prenait le chemin du retour.

C'est l'instituteur qui vint vers elle. Il lui tendit la main. Regarda ses yeux :

— La passion vous va bien.

Loulette se demanda de quelle passion il voulait parler. Elle remarqua qu'il ne la tutoyait plus. Cela n'avait pas d'importance. Son père marchait près d'elle. Il chuchotait :

— On ne parle pas aux enfants des choses de la vie. On a tort.

Bessière les avait rattrapés.

Il tapa sur l'épaule du cireur.

Il n'en était toujours pas revenu :

— Hé ! Garcin ! Comment ça se fait que tu es juif ?... T'as pas un nom juif !

Le cireur le regarda. Surpris :

— Lazare ? Tu trouves que c'est pas un nom juif ?

Le magasinier ne savait plus où il en était :

— Tu t'appelles Lazare ?... Ou Garcin ?

Tapotant la caisse qui lui pendait à l'épaule — son fonds de commerce —, le petit homme éclata de rire :

— C'est l'inspecteur de la voie... Tu sais : le grand... qui fait toujours des calembours. C'est lui qui un jour m'a appelé Garcin... Depuis... ça m'est resté...

Bessière n'était pas habitué à jouer sur les mots.

L'autre cligna un œil malin. Logique :

— Garcin... Lazare !

L'explication n'avança pas l'affaire : le magasinier conservait un visage hébété. Cela doubla l'hilarité du petit cireur juif. Il partit, sa caisse dansant sur son dos :

— Garcin-Lazare ! C'est marrant, non ? Surtout dans les chemins de fer !

Loulette n'entendait pas. C'est elle qui tenait son père. Deux doigts serrés autour de son poignet.

C'est lorsque les enfants vous embrassent que l'on pense à ce que l'on n'a pas fait pour eux. Le père se pencha à l'oreille de sa fille :

— Un jour, je te dirai des choses... sur le passé.

Elle serra plus fort :

— Tu m'en as déjà dit… sur l'avenir. Tu bâtis un monde meilleur. Jusqu'à ce soir, je ne savais pas ce que cela voulait dire. Maintenant, je le sais.

Une nouvelle parcourut les rangs : à Paris, cinq cent mille personnes s'étaient rassemblées au Quartier latin pour dire : le fascisme ne passera pas.

Loulette chuchota :

— Ce monde va venir… grâce à toi.

Elle lâcha le poignet. Prit son bras.

Dédaignant la conversation d'un gars du tri postal, Martin Chabrol les regardait à la dérobée. Il pensait : « Elle est vraiment très jolie… Mais si jeune ! »

Et même : « Elle pourrait presque être mon élève. »

3

Le fascisme ne passa pas.

Le 3 mai 1936, les urnes envoyèrent au Parlement une majorité décidée à lui faire barrage.

La joie éclata à Marengo. À Matabiau. On la voyait dans la gare, sur les quais, plus encore dans les ateliers. On l'entendit sur la voie où, s'il ne s'était maîtrisé, le « protecteur[1] » aurait envoyé tous les cantonniers en vacances : pour le plaisir de souffler dans sa trompe de laiton.

Aucun bonheur pourtant ne pouvait se comparer à celui qui régnait sur la 212.385. Entre foyer et tender. Tirant leur convoi mi-postal, mi-messagerie, l'un égaillant son charbon sur toute la braise afin que le feu ait partout la même force, l'autre n'arrêtant pas de tirer sur la chaîne du sifflet pour saluer toutes les gardes-barrière du parcours, Gustave, dit Piston, et Ernest, dit la Vapeur, ne cessaient de s'extasier :

— Trois cent quatre-vingt-six députés pour nous ! Tu te rends compte : c'est la première fois qu'on voit ça !

1. Lorsque les ouvriers travaillent sur la voie, l'un d'eux est chargé d'avertir ses camarades de l'arrivée des trains : c'est le protecteur. Entendant sa trompe, les cantonniers évacuent la voie.

Le mécanicien mettait un bémol à l'affaire :

— N'oublie pas que sur les trois cent quatre-vingt-six, il y a cent onze radis.

Les radis, c'étaient les radicaux. Le mécanicien préférait dire les radis : blancs d'un côté, rouges de l'autre. Prêts à s'allier « avec l'endive ou avec la tomate » ! Pour éviter de choquer l'œil. Il disait même : rouges à l'extérieur mais, intérieurement, blancs. Très blancs.

— T'inquiète pas. Si nous restons rouges, ils le resteront aussi. C'est à nous de jouer.

Pour comble de bonheur, la maison Byrrh avait laissé six bouteilles dans leur casier.

Ils en ouvrirent une, puis une deuxième pour les copains qui apportaient leur godet.

Bessière tendit le sien mais il ne put s'empêcher de titiller les deux acolytes :

— Vous voulez changer le monde et vous vous faites rincer par le premier capitaliste venu !

— On ne demande rien ! répliqua Piston.

Vertueux, la Vapeur expliqua :

— Simplement… quand les expéditeurs ont du savoir-vivre, à la manœuvre, on tamponne moins fort !

Ayant mis les rieurs de son côté, il cligna de l'œil en direction de son copain et tous deux décidèrent d'aller s'amuser loin des pisse-vinaigre.

Pas très loin : en ces premières semaines de mai, la foire roulait tambour sur les allées Jean-Jaurès. Elle tapait de la caisse à l'Arène sportive, frappait des cymbales sur l'estrade de la ménagerie Pezon, de la ménagerie Laurens où Marfa la Corse, tignasse rousse et cuisses musclées se dégageant de grandes bottes rouges, multipliait des coups de fouet augurant du plus intrépide numéro de dresseur de fauves.

Au stand du « Tireur de portraits » où, sur les étagères, vingt appareils-photo regardaient la foule, Albert avait pris une carabine. Il l'arma et en cala la crosse contre l'épaule de Loulette :

— Serre bien... Vise le point rouge. C'est le déclic.

Placé derrière elle, il visa lui aussi.

Elle se sentait prisonnière. En confiance. Au chaud...

Jugeant le moment venu, Albert appuya sur le doigt de sa fille. Qui écrasa la détente. Il y eut un clac. Une lampe s'alluma.

— Gagné !... Dans trois minutes, vous l'aurez.

Tout le monde s'assit sur les chaises pliantes aux lamelles manquantes mises à disposition des promeneurs par Célestin, l'inamovible marchand de chichis. Titou était content parce que le gaz de la limonade lui sortait par le nez.

Le patron du « Tireur » s'approcha, secouant la photo pour la faire sécher.

Lorsqu'elle se vit dans les bras de son père, canon braqué, appliquée à bien faire, Loulette se jeta à son cou.

Amélia était contente pour elle.

— Moi aussi, papa, je veux une photo... avec toi, dit Titou.

— Tu es trop petit. C'est dangereux.

La phrase aggrava la bouderie du garçon.

Pour le consoler, Piston lui tendit une pièce de un franc :

— Je te paye un tour de jeu de massacre. À une condition : tu tires toujours sur la gueule du milieu.

Les caricatures rougeaudes, poilues, bigleuses de gendarme, prêtre, cantatrice, de l'adjudant Flick et même de l'innocente Bécassine encadraient la tête hargneuse d'Adolf Hitler.

Titou prit une balle de son, la serra dans sa main, l'expédia avec toute la volonté qu'il mettait à plaire à son mécène : il abattit le dictateur. Qui bientôt se redressa. Fut touché à nouveau. Disparut. Reparut. Titou armait sa main : Poum. Hitler chavirait : Pam !

— Bravo, Titou !

— Vas-y, mon drôle !

Bientôt, il y eut cercle autour du champion.

— Gagné !

— À bas Hitler !

— Vive le Front populaire ! renchérirent des jeunes qui sortaient du train fantôme.

Titou était tellement heureux, fêté, transporté que, la nuit, ces cris entrèrent dans son rêve. Amplifiés. Revenant sans cesse : « Halte au fascisme ! Pain ! Paix ! Liberté ! »

Les jours suivants, il se rendit compte que l'enthousiasme des allées Jean-Jaurès avait gagné la ville. On chantait et on jouait de l'accordéon derrière les murs des entreprises.

Latécoère avait renvoyé trois ouvriers ayant refusé de travailler le 1er mai : la grève avait éclaté. On avait réintégré les ouvriers mais Dewoitine avait imité son confrère de l'Aéronautique. Suivi par Amouroux et ses machines agricoles ; la briqueterie de Ginestou ; les charpentiers du Grand Rond, le Capitole, Monoprix, Printafix...

Les rues n'avaient plus de tramway. Plus de vitrines. Rue de Metz, rue d'Alsace, les robes et les complets, le linge de maison et les parfums apparaissaient derrière les losanges de fer des rideaux à glissière.

Loulette et Titou demandèrent leur mère. Un planton à brassard consentit à aller la chercher. Il laissa passer les gosses.

Une affiche fraîchement imprimée s'adressait à tous :

> « Camarade,
>
> « La machine est ton outil de travail. Protège-le. Montre que tu le respectes mieux que, à ce jour, ne t'a respecté son propriétaire.

« Ta dignité est en jeu. Celle qu'on t'a toujours refusée.
« Justifie-la. C'est ainsi que tu obtiendras sa reconnaissance. »

Ici, la machine, c'est-à-dire les comptoirs, étaient paralysés. Habillés d'une même toile grège sous laquelle attendaient les foulards et les casquettes, les pulls, les brosses à dents et les cartons à chapeaux.

Le silence était impressionnant.

— Venez ! dit Amélia.

La porte de la cour à peine ouverte, les enfants furent saisis par le bruit, la gaieté, les applaudissements de tous les employés assis en rond sur le ciment ; d'autres s'entassaient sur un banc ; les plus jeunes, postés sur le bord du toit de la réserve, jambes pendantes, faisaient fête à l'accordéoniste :

— Une autre, Jo ! Une autre !

Le vendeur de layette ne se fit pas prier. Il étira les soufflets du piano à bretelle, les replia, fit un signe de la tête. Grand admirateur de Georgius, monsieur Bourgarel (du rayon literie) attaqua, révélant au public que :

L'grand julot et Nana
Sur un air de java
S'connurent au bal musette
Sur un air de javette
... Ell'lui dit : « J'ai l'béguin »
Sur un air de javin
Il répondit : « Tant mieux ! »
Sur un air déjà vieux !

Comblé, l'auditoire soutint joyeusement l'artiste :

Ah ! Ah ! Ah ! Ah ! Écoutez ça si c'est chouette !
Ah ! Ah ! Ah ! Ah ! C'est la plus bath des javas !

Ça l'était tellement que, gardant le rythme à trois temps, l'accordéon passa à la plus bath des valses :

On l'appelait le dénicheur
Il était rusé comme une fouine
C'était un gars qui avait du cœur
Et qui dénichait des combines.

Tout le monde s'était levé. Tout le monde tournait.
Dernier embauché dans le magasin, le petit Fred, des brosses et balais, se pencha devant Loulette :
— Mademoiselle, voulez-vous…
Loulette baissa les yeux. Gênée. Rougissante :
— Je ne sais pas danser.
Le garçon s'éloigna. Déçu.
Au bout d'un instant, Amélia se plaça devant sa fille :
— Il faut que tu apprennes. Tu as l'âge.
Elle glissa sa main droite sur la taille de l'adolescente, tendit son bras gauche à la manière du cavalier…

… C'est la valse brune
Des chevaliers de la lune.

Loulette se tordit un peu les pieds, elle monta sur ceux de sa mère…
Au bout d'un instant, entre elles, tout tournait rond :
— Tu vois : ça vient vite.
Amélia avait cet air heureux de toutes les mères qui, ayant décidé, quinze années auparavant, de faire de leur enfant une femme, vivent à présent la grande étape de la mutation. Bientôt, Loulette valserait seule. C'est-à-dire : avec un autre. Un homme…

C'est un mauvais garçon
Il a des façons
Pas très catholiques
On a peur de lui
Quand on le rencontre la nuit.

Le petit Fred, des balais-brosses, n'était pas un mauvais garçon. Lorsqu'il vit que Loulette quittait la piste, il s'approcha d'elle. Sur les lèvres, une petite rancune :

— Vous m'avez dit que vous ne saviez pas danser...

— Maintenant, je sais, coupa Loulette.

Elle ouvrit ses bras.

Il prit sa taille avec un plaisir plus grand que son assurance. Au couplet, il fredonna à l'oreille de sa cavalière :

— *Nous, les paumés,*
Nous ne sommes pas aimés
Des bons bourgeois
Qui nagent dans la joie

— Je sais, répéta Loulette.

Titou la regardait, désolé. D'abord, Luigi ; ensuite, l'instituteur ; maintenant, ce type qu'elle ne connaissait pas...

C'était l'heure du déjeuner. Des planches sur des tréteaux remplacèrent l'accordéon. Dans la rue, des épouses, des maris, des adolescents accrochèrent des paniers de victuailles à une chaînette lancée depuis le toit de la remise.

— Ça va ?

— On tiendra.

— Le petit ?... Sa fièvre ?

— Elle est tombée. T'inquiète pas.

Loulette et Titou s'en allèrent. Comblés.

La ville était ensoleillée.

Un champ à la moisson métallique, une forêt au feuillage d'acier, de chrome, de caoutchouc s'étendaient devant la Bourse du travail : il y avait tellement de vélos que les derniers arrivants avaient dû pendre les leurs aux branches des platanes.

Place Wilson, des badauds faisaient cercle devant un café. Réjouis par le spectacle. Devant chaque table : un consommateur. Ou plutôt, en regardant de plus près : un homme qui ne consommait pas. Pour tout dire : un garçon de café.

Un badaud bien informé expliqua la situation : le patron avait prétendu ouvrir sa brasserie malgré les grévistes. Ceux-ci avaient appelé les confrères des bistros voisins.

Un promeneur en complet prince-de-galles, melon gris, guêtres à boutons brandit sa canne à pommeau d'argent :

— C'est de l'atteinte à la liberté de travail ! Nous ne sommes plus en France !... Voilà les bolcheviks !

Placidement, deux « bolcheviks » s'emparèrent d'un jeu de cartes. Ils battirent, coupèrent, distribuèrent.

Les gens se mirent à chanter :

On fait un'petite belote
Et puis, ça va !

C'était cela qui, semblait-il, désarçonnait les Princes de l'Ordre, trembleurs de bien-fonds : ils étaient devant une grève gaie.

— Ça leur fout la jaunisse ! disait Piston sur sa locomotive.

En son *Action française*, monsieur Maurras s'indignait : « Dans les usines, les salopards en casquette jouent de l'accordéon *comme dans les films soviétiques.* » Pour *Gringoire*, l'affaire était plus grave encore : l'accordéon était un instrument russe !

À la Tolosane, monsieur Jules-Grégoire Deslandes-Wincker explosa :

— Non seulement ces fainéants chantent et dansent au lieu de travailler, mais des saltimbanques viennent leur donner le spectacle !

Léonor voulut le calmer : il s'agissait d'artistes mineurs. Sans talent, sans avenir : Maurice Baquet, Agnès Capri, Jean-Louis Barrault, les frères Mouloudji, Raymond Bussières, Jacques Prévert, Gilles Margaritis…

La grand-mère n'aimait pas donner raison à sa bru. Elle agita *L'Express du Midi* comme s'il était responsable de ces horreurs :

— Et Mistinguett ? Hein ? Est-ce une traîne-savates, Mistinguett ?

Or, Mistinguett chantait pour les demoiselles de magasins ! Pour les tourneurs, les ajusteurs, les carrossiers !

S'emparant d'une petite tapette tue-mouches, monsieur Deslandes-Wincker frappa et refrappa le piano crapaud. Il hurla :

— Des jours ! Peut-être des mois sans production ! Et en plus, nous offririons à ces messieurs la semaine des deux dimanches !

Il fallait entendre la semaine de quarante heures que venait de voter le gouvernement de monsieur Léon Blum.

— Avec quinze jours de congés payés, en plus ! Et ils n'étaient même pas dans le programme électoral de ces messieurs : c'est un cadeau du youtre ! s'exclama monsieur Deslandes-Wincker.

Pointant un doigt en direction des dames, il menaça :

— Nous ne nous laisserons pas faire ! Je vous le dis : je vais agir.

Il expédia la tapette à l'autre bout de la pièce et sortit. Claquant la porte.

Jamais monsieur Deslandes-Wincker ne perdait son self-control. Madame Mère se crut au bout de l'horreur.

Elle ne l'était pas. Passe que Mistinguett berçât la racaille de ses refrains : ils n'étaient pas toujours du meilleur goût. Mais le journal, qu'elle venait de reprendre, lui révélait maintenant que, parmi les histrions allant chanter dans les cours d'usine, on trouvait cet élégant Jean Sablon qui, si délicatement, chantait *Le Petit Chemin qui sent la noisette.*

Au garage, monsieur Deslandes-Wincker s'adressa au chauffeur :

— J'ai besoin de vous mardi soir. Tenez-vous prêt.

— Bien monsieur.

— Votre compère Roux ne sera pas là : dites à monsieur Albert de venir avec vous.

— Bien monsieur.

C'était l'un des traits de monsieur Deslandes-Wincker : il donnait ses ordres à une personne, à charge pour elle de les transmettre. Ainsi n'avait-il jamais adressé la parole à Albert.

Monsieur Louis lui fit part du message.

Albert s'étonna :

— On travaille de nuit ?... C'est pour quoi faire ?

Monsieur Louis n'était pas plus loquace que le patron :

— Vous le verrez bien.

Albert n'insista pas. Il avait en tête une autre préoccupation. Loulette était reçue au brevet. Il voulait la récompenser. Mais comment ? Le magasin avait accordé une augmentation à Amélia mais il n'avait pas accepté de payer les jours de grève. Cela faisait un trou dans le budget de la famille.

— Où voudrais-tu aller ?

Loulette n'avait pas osé prononcer les noms magiques : Venise... Gênes... Naples...

Elle avait fait une réponse à voix basse :

— Là où il y a de l'eau.

— T'as qu'à aller à la fontaine d'amour ! avait lancé Titou en se tapant sur les cuisses.

Il la titillait :

— C'est vrai : t'y vas plus à la fontaine d'amour !

Loulette avait haussé les épaules : les grandes filles n'ont rien à faire des pitreries d'un babouin.

C'est le babouin qui se rendit à la fontaine. En compagnie du maître, monsieur Chabrol, y conduisant sa classe, pour faire, devant la Colonne, courses et sauts, mouvements d'ensemble.

Il avait belle allure, le maître. Un vrai moniteur qui donnait l'exemple. On disait qu'il avait fait son service militaire au Bataillon de Joinville. Avec les champions :

— J'espère que pendant les vacances vous continuerez à faire de l'exercice... Où vas-tu en vacances, Titou ?

— Dans le Tarn, chez mon pépé... Il m'emmène à la pêche... Une fois, j'ai tiré un brochet de cinq livres.

— C'est bien. Et... ta sœur ?

Titou fronça les sourcils : qu'est-ce que ça pouvait lui faire à l'instituteur de savoir où allait sa sœur ?

— Elle voudrait voir la mer... Ce qui nous manque c'est les sous.

Martin Chabrol s'intéressa aux villégiatures de quelques autres élèves.

Il revint à Titou :

— Ta sœur... ce qu'il lui faudrait, c'est une auberge de jeunesse.

Titou ne connaissait pas.

— Je passerai en parler à tes parents... un de ces jours.

Le soir même, il frappa chez les Souleil.

Il animait une auberge de jeunesse à Biscarrosse,

dans les Landes. L'auberge fournissait le gîte et le couvert à des jeunes peu fortunés avides de grand air. Les conditions matérielles étaient des plus douces. On achetait la carte d'usager : dix francs. L'hébergement était alors de quatre francs par jour. Les participants devaient apporter un sac de couchage, une tenue sportive…

— Qu'entendez-vous par une tenue sportive ?

— Un maillot de bain, des vêtements dans lesquels vous soyez à l'aise pour faire des efforts : un short, par exemple. Et surtout des souliers de marche : c'est indispensable.

Amélia ne parlait pas : jamais elle ne pourrait acheter tout ça. Et puis… il y avait le voyage :

— C'est loin, Biscarrosse ?

Albert remuait toutes ces idées dans sa tête lorsque le mardi soir il monta l'allée qui menait au garage.

Monsieur Louis était déjà là, occupé à équilibrer le contenu de deux grands pots de colle.

De lourds pinceaux attendaient sur un vieil établi. Avec des affiches à l'encre fraîche.

Albert s'en approcha.

Il lut.

Sa figure se figea. Il relut. Il n'en revenait pas :

— Vous allez placarder ces horreurs dans la ville ?

— Je vais faire mon travail.

— Votre travail ?

Depuis quelque temps se vendait un appareil, appelé le *bloom* : sorte de vérin que l'on plaçait dans l'encoignure des portes pour les fermer automatiquement. À côté de chaque poignée, au lieu du traditionnel « Tirez » ou « Poussez », on trouvait une inscription : « Ne fermez pas la porte, le bloom s'en chargera. » S'emparant de la formule, le rédacteur de l'affiche avait ainsi composé son texte :

« Ne donnez pas votre épargne aux banquiers juifs,
LE BLUM S'EN CHARGERA.
Ne faites plus de nos administrations des repaires maçonniques,
LE BLUM S'EN CHARGERA.
Ne livrez pas nos secrets militaires à Moscou,
LE BLUM S'EN CHARGERA… »
Suivaient cinq ou six autres commandements de même style pour arriver à la conclusion exposée en grosses lettres tachées de sang :
« Plantez votre couteau dans le dos du Blum,
Sinon… NOUS NOUS EN CHARGERONS. »

Sans trop savoir ce qu'il faisait, Albert saisit le chauffeur au revers de son blouson. Il le plaqua contre le mur :

— Crapule ! C'est ça, ton travail ?

— J'exécute les ordres.

— Et tu comptes que je te suive dans ta tournée ?

L'autre voulut répondre. Il ne le pouvait pas. Bien maintenu au col, il suivait avec terreur le gros pinceau gluant qu'Albert promenait sous son nez. Il parvint à répéter qu'il avait un patron et que… il obéissait.

La colère d'Albert rebondit : il se lança dans une tirade de laquelle il ressortait que, en rétribuant son chauffeur, monsieur Deslandes-Wincker achetait le droit de se faire conduire à la gare, à la banque, au théâtre. Rien d'autre :

— C'est ton travail qu'il achète : ce n'est pas toi. Ta journée terminée, il ne peut rien te demander. Surtout pas d'assassiner à sa place.

Le pauvre type étouffait :

— Je… n'assassine personne.

— Tu t'assassines, toi !… Et tu assassines les copains. Ceux d'aujourd'hui et ceux d'hier… qui se sont battus pour la dignité de tous.

Une voix se fit entendre :

— Répandre la chienlit pour obtenir quelques sous d'augmentation, c'est cela que vous appelez la dignité ?

Monsieur Deslandes-Wincker était heureux de la surprise qu'il provoquait :

— Occuper une usine pour que désormais dans cette usine se promène quelque délégué que les patrons paieront à ne rien faire, c'est cela que vous appelez la dignité ?

Albert s'était ressaisi :

— Détrompez-vous, monsieur : ce délégué aura beaucoup de travail.

Il ne laissa pas au maître des lieux le loisir de répondre : dans le magasin employant sa femme, une jeune fille s'était présentée comme vendeuse. Lorsque le directeur lui avait tendu le contrat, elle avait demandé : « Où signe-t-on ? » Le directeur avait répondu : « Sur le canapé »...

Albert se déchaînait :

— À une autre, toute jeune, qui se plaignait de la modicité de son salaire, il avait dit : « Tu feras le complément avec ton cul. »

Il s'enflamma :

— Oui, monsieur, nous avons une dignité. Nos femmes, nos filles ont une dignité : nous la ferons respecter.

Monsieur Deslandes-Wincker le regarda.

Il rassembla toute sa condescendance :

— Pauvre type ! Votre dignité, c'est de vous faire offrir des vacances dont vous ne saurez même pas quoi faire !

Sous l'affront, Albert sentit que son sang se formait en boule ; en caillot ; il tapait son cœur, sa peau. Il avança d'un pas :

— Comme loisirs, j'ai jadis pratiqué la boxe française. Je compte m'y remettre.

L'autre blêmit :

— Attention à ce que vous allez faire !... Si vous me touchez...

Albert s'arrêta.

À son tour, il rassembla son insolence :

— Rassurez-vous, monsieur : nous ne tuons pas, nous.

Monsieur Deslandes-Wincker cria :

— Vous ne faites plus partie de mon personnel !

— ... Mais si je devais vous fracasser le crâne, je ne chercherais pas un tueur par voie d'affiche : je le ferais moi-même.

Monsieur Deslandes-Wincker tourna les talons.

On l'entendit crier :

— Vous passerez demain. Ma femme vous réglera votre compte.

À cet instant seulement, Albert comprit que, à nouveau, il était sans emploi. Que Loulette n'aurait pas de maillot de bain, pas de souliers, pas d'argent pour l'auberge, le train.

Il se saisit de l'un des pots de colle.

Croyant qu'il allait l'expédier sur lui, le chauffeur, qui, jusque-là, n'avait pas bronché, se réfugia derrière la voiture.

Placidement, Albert vida le pot sur le sol. Puis le deuxième. Il mit le feu aux affiches.

Il pédala vers la maison, pensant à son copain électricien, trente années de pratique, auquel son patron avait donné un ordre imbécile. Poliment, le copain avait dit : « Excusez-moi, monsieur, je pense que... » Le patron lui avait coupé la parole. Péremptoire : « Vous n'êtes pas là pour penser : vous êtes là pour obéir ! »

Ah ! oui, il aurait pu lui en dire au père Deslandes-Wincker ! À lui et à sa fille ! Il aurait pu leur conseiller d'aller voir Charlie Chaplin dans *Les Temps modernes...*

Il cria :

— Nous ne sommes pas que des serre-boulons.

En attendant, il ne raconta rien à Amélia. À Loulette. À personne. Sauf aux copains. Au Dépôt, Ernest, dit la Vapeur, éclata de rire :

— Tu seras toujours le même !

Venu entraîner les jeunes cheminots aux barres parallèles et au cheval-d'arçons, Martin Chabrol se réjouit lui aussi. Se demandant pourtant si ce nouveau chômage n'allait pas remettre en cause les vacances de Loulette à Biscarrosse.

Le lendemain, faisant mille efforts pour monter à la Tolosane, Albert se jurait bien que sa fille ne paierait pas les pots cassés.

Madame Mère l'attendait en haut de l'allée :

— Ma belle-fille a dû s'absenter. Et je suis vraiment surprise de ce que vous me dites : nous payons le petit personnel le 28 de chaque mois.

— Oui, mais…

— Revenez le 28.

Comme elle l'avait fait lors de leur première rencontre, elle lui tourna le dos et rentra chez elle.

Albert était sûr que madame Deslandes-Wincker était là. Il lui semblait même l'avoir aperçue derrière un rideau.

Il dévala le petit chemin, maintenant avec peine son guidon. Le vélo, coléreux, sautait sur les cailloux.

Heureusement, Titou avait eu une idée de génie : les souliers laissés par Luigi.

— C'était pour moi, mais je t'en fais cadeau. Et pour être costauds, ils le sont ! Tu pourras faire des kilomètres !

De son côté, Amélia avait coupé un short dans un bleu de travail :

— J'ai réussi l'ourlet. Il te va très bien.

Loulette aurait voulu s'en convaincre… Mais le

short, le maillot rouge et noir du Stade toulousain prêté par la mère d'un jeune rugbyman et surtout ces godasses qui lui paraissaient énormes ne constituaient pas à ses yeux la tenue rêvée pour se pavaner sur les bords de la Riviera. Danser dans des jardins parfumés. Comme dans *Une nuit à Monte-Carlo.*

Titou pourtant l'encourageait :

— Tu es très belle... D'ailleurs, je l'avais déjà remarqué : tu as de petits pieds mais les grandes chaussures te vont bien !

Loulette parvint à rire. Et Amélia. Albert. Tout le quartier.

Partout s'entendait la joie de projets qu'on mènerait à leur terme. Toutes difficultés vaincues.

Une femme à sa fenêtre lançait à la voisine :

— Heureusement, l'été on s'habille d'un rien.

Tout au long de sa tournée, Beaux-Mollets avertissait ses clients :

— Le fiston va venir. Ça fait trois ans qu'on n'a pas vu le petit.

L'ambiance montait dans les maisons et les jardins, les bistros et les ateliers : dans tout Marengo. Elle éclata dans Toulouse au matin du 14 juillet : avec la clique du 14ᵉ R.I., les soldats du 153ᵉ partant pour un défilé magistral sur le boulevard Carnot, le boulevard de Strasbourg, cannes de tambours-majors voltigeant devant les gymnastes du Coquelicot, les petits Faucons rouges, cent drapeaux d'Anciens Combattants, le Cercle laïque de Lalande, les confréries des charpentiers, des plombiers-zingueurs, les syndicats des employés d'hôtels-restaurants, des grands magasins qui avaient pris goût à la lutte et, pour l'heure, regardaient le ciel : pour admirer les avions envolés de Francazal.

— C'est le plus beau 14 Juillet que j'aie jamais vu ! s'émerveilla Piston.

Le cortège s'arrêta devant la statue de Jaurès. Le

grand homme avait bien mérité la gerbe qu'on lui offrit, le serment de bien servir la république martelé d'une même voix par les participants.

Il aurait bien mérité d'entendre la belle nouvelle qui agitait toutes les conversations :

— Quarante pour cent de réduction sur les billets de chemin de fer, tu te rends compte ?

— Si je me rends compte ? Avec Antoinette, on devait aller à Perpignan : on va à Nice !

— C'est Léo Lagrange qui a obtenu ça !

Occupé à vider son cornet à pistons de son trop-plein de salive, un musicien de l'Harmonie socialiste se mit à donner des détails : le secrétaire d'État aux Loisirs avait convoqué les directeurs de toutes les compagnies et il leur avait dit : « Il faut que les Français partent en vacances. Vous devez vous associer à cette cause. » Les patrons du Nord et du Midi, du P.L.M. et des Chemins de fer de l'Est n'étaient pas des spécialistes des œuvres humanitaires : ils avaient offert cinq pour cent de réduction. Au bout d'une heure de tergiversations, ils seraient allés à dix pour cent. « Je vous demande quarante pour cent », avait tranché le ministre. Plusieurs actionnaires avaient paru s'étouffer : « Vous nous demandez de transporter des voyageurs à perte ? » disait l'un. « C'est anti-ferroviaire ! » s'exclamait l'autre. Un troisième accusait : « Vous allez tuer le tourisme ! »

Il n'empêche : le ministre avait gagné.

Les gens s'embrassaient. Le matin. L'après-midi le long de la Garonne : au spectacle nautique offert par l'Hélice Club toulousain. Applaudissant les concurrents du mât de cocagne ou de la course à la godille, chacun exposait ses rêves, ses prudences :

— Tu comprends : les congés, le « billet Lagrange », en cas qu'ils ne nous les donnent plus l'année prochaine, il faut en profiter cette année : avec la bourgeoise, on n'a jamais vu Paris. On y va !

Garcin-Lazare leva la tête vers son interlocuteur :

— À Paris ? Mais... avec le voyage, l'hôtel, le manger...

— On a fait nos comptes. Ça ira : on va vendre la chambre à coucher.

Le cireur était sidéré :

— Mais alors... t'auras plus de lit... d'armoire...

— Eh non !...

Le voyageur était en extase :

— Mais j'aurai vu Paris !

Titou voulait assister à l'arrivée du Critérium cycliste du Midi.

Loulette consentit à le suivre.

Elle ne le regretta pas. En attendant les coureurs, le Toulouse Cheminots Marengo Sports se livrait à une démonstration de gymnastique : crinière au vent, pantalon blanc, ventre plat, muscles bronzés se détachant du maillot gonflé par les pectoraux, Martin Chabrol voltigeait aux barres parallèles. On l'acclamait.

Sans regarder sa sœur, Titou murmura :

— C'est chouette que, à Biscarrosse, tu amènes les godasses de Luigi : ça te fera penser à lui.

Dérangée dans son admiration pour le gymnaste, Loulette rembarra l'intrus :

— Toi, je ne te demande rien.

Ayant dit ce qu'il avait à dire, Titou ne jugea pas utile de poursuivre la conversation.

Loulette savait que Martin l'avait vue.

Lorsque le T.C. Marengo Sports eut terminé son exhibition, il vint s'asseoir près d'elle :

— Pour le chemin de fer, j'ai trouvé un moyen de payer encore moins cher : je viendrai te chercher à Langon, ça te fait un tiers de trajet en moins.

À la Tolosane, Marthe, la servante, faisait du repassage dans la lingerie. Elle montra la maison aux volets clos :

— Monsieur et Madame sont partis en vacances, chaque année, ils veulent être au Moulleau avant le 14 juillet... Ils ne vous l'ont pas dit ?

Albert sentit qu'il perdait patience : dans moins de deux heures, Loulette prendrait son train.

Marthe s'en rendit compte.

Elle soupira :

— Vous savez, monsieur, la haute situation ce n'est pas la haute éducation. Je suis bien placée pour le voir.

Il pointa son doigt en avant.

— Qu'est-ce que c'est que ça ?

— C'est le maillot de bain de Mademoiselle.

— Elle va... sur les plages sans son maillot ?

— Ne vous inquiétez pas, elle en a d'autres. Deux ou trois... Celui-là c'est le bleu dont elle se sert ici.

Une vraie colère s'empara d'Albert. Qui tout de suite devint une décision. Une satisfaction. Il se précipita sur la servante, prit le maillot, le fourra sous son blouson.

La repasseuse était désemparée :

— Mais... qu'est-ce que je vais dire ?

Albert était soudain tellement content qu'il lança :

— Vous direz à vos patrons qu'ils ne me doivent plus rien. Ça va ! Je suis payé !

— Ah bon ?... fit Marthe, surprise.

Puis, l'appelant, elle se mit à courir derrière le vélo, agitant dans sa main un objet souple, blanc :

— Hé ! Attendez ! Vous n'avez pas pris la ceinture !

Albert s'en saisit.

Il partit, maîtrisant une bicyclette qui, cette fois, frétillait de bonheur.

Il arriva à la gare au moment où le haut-parleur crachotant annonçait le départ pour Bordeaux. Il ne perdit pas son temps avec le préposé qui lui demandait un ticket.

Loulette l'attendait sur le quai. Mécontente de ce retard qu'elle ne s'expliquait pas.

Albert ne dit qu'un mot :

— Tiens.

Il lui avait mis son butin dans les mains. Il la poussa vers le wagon.

Les roues grincèrent.

Loulette embarqua. Elle déplia le maillot. Elle l'appliqua à la vitre pour bien le montrer. Elle était rayonnante.

Les voyageurs l'étaient aussi.

Tout va très bien, madame la Marquise était en train de devenir un hymne. Logique : non seulement tout allait bien, mais ceux pour qui d'ordinaire tout allait mal l'annonçaient eux-mêmes à la marquise. Une super-bourge ! Dans le genre de celle qui, flanquée de son aristo, longeait le couloir pour se rendre au wagon-restaurant. Ils tordirent le nez avec ensemble devant l'accordéon vulgaire, le répertoire trivial et surtout l'odeur de charcuterie qui s'échappait de toutes les tartines.

— Ce n'est pas possible : ils doivent faire leurs ablutions au pâté de campagne !

— Savez-vous, cher ami, que les touristes anglais ne veulent plus venir sur la Côte d'Azur ?

— La France court à sa ruine, chère amie.

Apparemment, les jeunes n'en avaient cure :

L'un d'eux chantait :

Pour promener Mimi,
Ma p'tite amie Mimi
Et son jeune frère Toto,
J'ai une auto.

Son copain préférait les voies de l'eau :

Partir sur une péniche
Aux îles Sandwich
Quand on n'est pas riche !

Ce qui conduisait tout le monde à reprendre en chœur cette autre chanson, elle aussi venue à son heure :

Y a d'la joie
Bonjour, bonjour les hirondelles.

Loulette écoutait, ravie. Et voilà que lorsque la chanson de Trenet en vint à :

Miracle sans nom à la station Javel
On voit le métro qui sort de son tunnel

pour ces apprentis, ces jeunes ouvriers sortant de leur tunnel, le miracle s'accomplit vraiment : à Agen, une péniche traversait la Garonne sur un pont !

Dans cette féerie, Loulette se demanda quel serait le moyen choisi par Martin Chabrol pour l'enlever : viendrait-il à Langon en péniche, en ballon, en Hispano ?

Martin Chabrol arriva avec un vieux side-car.

— C'est mon père qui m'a prêté sa machine. Tu vas te caser là-dedans.

Elle se casa. Son sac sur le ventre. Les godasses de Luigi pendues à son cou. Avec l'impression d'être assise à terre. Dominée par le chevalier maître de la mécanique.

La mécanique pétarada.

La voyageuse s'envola. Près de la route et près du ciel. De la Liberté. Les vignes et les forêts emplissaient ses yeux. Le petit village de Villandraut lui apparut comme un éden de verdure. Auquel succéda une lande grise. Noire bientôt. Calcinée par un incendie récent.

On passa Saint-Symphorien, Sore, Parentis-en-Born.

Après Biscarrosse, Martin arrêta la moto.

Loulette demanda :

— Qu'est-ce qu'on entend ?

— L'Océan, bien sûr… Dans cinq minutes, tu le verras. Nous irons à l'auberge après.

La forêt les abandonna.

À droite et à gauche, la dune courait sous le ciel. Blanche. Dorée.

— Déchausse-toi. Ce sera plus pratique.

Lorsqu'ils furent au sommet, Loulette s'arrêta. Figée devant cet infini de soleil et de sable. D'eau calme rejoignant le soleil et l'infini. De vagues, brillantes. Argentées. Insatiables.

— Elles ne s'arrêtent jamais ?

— Jamais.

Les vagues et leur grondement entraient dans son corps. Par jets successifs.

— Je ne croyais pas que c'était si fort.

Elle recula d'un pas, s'appuya à la poitrine de Martin. Sans le savoir.

Elle sentit les mains du garçon sur ses épaules. Pas longtemps.

Il la détachait de lui. Doucement.

Ils restèrent ainsi.

Regardant l'océan.

L'inconnu.

À cet instant, dans l'un des jardins ouvriers de Marengo, Lassale, le vieux chauffeur de la briqueterie, posait ses outils dans la cabane de rangement.

Sa femme l'attendait, ses doigts noirs de terre pour avoir désherbé les pieds de tomates.

Il lui dit :

— Demain matin, j'irai encore à la fabrique… pour voir si elle est toujours fermée.

Pour s'en assurer plutôt.

C'était si bizarre cette histoire de congés...

Sa crainte, c'était que, en son absence, un autre rallume les feux.

Que quelqu'un prenne son emploi.

4

La Tolosane avait été achetée par monsieur Jules-Grégoire Deslandes-Wincker au sortir de la guerre de 14. Au fil des retours d'Indochine, on l'avait parsemée de laques et de petits meubles en bambou, d'un paravent incrusté de nacre, d'éventails colorés et de tapisseries, d'un bouddha de bronze, de nattes de paille, de peignes qui jamais n'entreraient dans une chevelure.

La villa du Moulleau avait été bâtie avant le siècle par monsieur Alexandre, père de Jules-Grégoire, que l'on pouvait considérer comme le fondateur de la dynastie. Elle avait pour mission de proclamer la réussite de monsieur Alexandre : au monde et, pour le moins, aux Bordelais qui l'avaient vu partir les poches vides, revenir avec deux bagues à chaque doigt et une fortune bien en main. Avec son belvédère au toit oriental, ses balcons aux lambrequins blancs, ses fenêtres ornées de cabochons de céramique, protégée par son portail de fer forgé, aux initiales D-W, entourée d'un gazon chargé de coolies en plâtre, de geishas en kimono sculptées dans la pierre, de lieux de repos aménagés d'un hamac ou d'un accueillant pousse-pousse, la résidence dominait la ville et surtout le Bassin, les passes qui, devant Cap-Ferret, gagnent l'Océan. Elle avait nom la Tonkinoise. Même si, sous le manteau, quelques

Girondins de bonne mémoire l'appelaient la Villa des piastres.

C'était la résidence préférée de Madame Mère. Celle que — comme elle le disait parfois — les Deslandes-Wincker ne devaient qu'à leur travail. C'est-à-dire — comme les opulents ne le disent jamais : au travail des autres. Port aux quais bordés de façades négrières, Bordeaux n'avait, en matière de langage, de leçons à recevoir de personne.

Et voilà que, en cet été 36, Madame Mère se voyait assiégée dans son éden !... Certes, en 1915, les gens de bien avaient dû déjà se battre contre la scandaleuse implantation d'un tramway en ouvrant l'accès aux voyageurs à cinq sous. Cela n'était rien au regard de ce qui se passait aujourd'hui.

Pour la dixième fois, Madame Mère demanda à son fils comment des administrateurs de chemin de fer — des gens sérieux — avaient pu accorder de telles facilités de déplacement à des hommes et des femmes se pavanant dans les stations balnéaires les plus respectables sans un costume en alpaga, une robe en crêpe Georgette, une capeline en organdi.

Monsieur Jules-Grégoire Deslandes-Wincker haussa les épaules en signe d'impuissance. Ses confrères actionnaires n'étaient pas tous très courageux : ils n'avaient pas su résister à un ministre... Et puis... il ne fallait rien exagérer ; à défaut d'éducation, les rustres des congés payés jouissaient d'un certain bon sens : ils sentaient bien que, ici, ils n'étaient pas chez eux. À l'exception de quelques intrépides voulant escalader la dune du Pilat, ils restaient à l'est du bassin, à Andernos, Arès ou alors à Lacanau, Carcans où, entre eux, ils mangeaient du saucisson à l'ail et buvaient du Pernod.

Comme pour le démentir, un clairon sonna la charge. Entendons que, au milieu d'un camion découvert où vingt personnes avaient pris place sur des bancs de bois, un costaud de style lutteur de foire dont la toison noire débordait du maillot de corps se tenait debout, jouant sur son instrument au cuivre cabossé *Tout va très bien, madame la Marquise.*

— Ce n'est pas possible : ils ne savent que celle-là ! grinça Madame Mère.

Sur les ridelles du camion, une longue banderole : « Les salopards en casquette vous souhaitent de bonnes vacances. »

Madame Mère pâlit. Elle parut s'étouffer :

— Ils vont nous assassiner.

Faces rigolardes tournées vers la maison, les turbulents entonnèrent :

Je l'appelle ma p'tit' bourgeoise
Ma Tonkiki, ma Tonkiki, ma Tonkinoise !

Madame Mère rectifia. Pincée :

— J'oubliais : ils ont celle-là aussi à leur répertoire !

Benoîte entra. De charmante humeur :

— Avec une villa pareille, il serait surprenant qu'ils attaquent *J'irai revoir ma Normandie* !

La bonne humeur ne dura pas : Benoîte venait d'apercevoir sa mère. Muette comme elle l'avait souvent vue. Et même prostrée comme, depuis quelque temps, cela lui arrivait. Frottant deux doigts l'un sur l'autre. Lentement. Machinalement. Devant un cendrier débordant.

La jeune fille alla vers elle :

— Maman !... Ça ne va pas ?

Madame Deslandes-Wincker se tourna quelque peu. Comme si cela lui demandait un gros effort. Son sourire était un remerciement : « Tu es la seule à t'occuper de moi. »

Pour qu'on n'entende ni son tutoiement ni sa proposition, Benoîte chuchota :

— Veux-tu que nous allions nous promener ?

Madame Deslandes-Wincker finit par accepter.
— J'appelle Louis, dit Madame Mère.
— Je sais conduire, coupa Benoîte.
C'était cela, la Tonkinoise en cet été 36 : un temps d'orage. Permanent. Un mot pouvait déclencher la foudre.
On ne le prononçait pas.
La mère et la fille longèrent le Bassin en même temps que trois chameaux qui, ancestralement amateurs de sable, promenaient les enfants sur la plage.
Benoîte prit la direction d'Arcachon où, sans rien dire de ses intentions, elle monta vers la ville d'hiver, roulant entre pins aux fûts élégants et villas basques, chalets suisses, résidences de bonne fortune. En bonne santé. Au grand air.
Des voitures étaient rangées sous les arbres.
Benoîte arrêta la sienne près d'un palmier nain, touffu.
Madame Deslandes-Wincker descendit, regardant presque avec attendrissement le Casino mauresque, à l'architecture inspirée sans doute de la mosquée de Cordoue. Ou alors de l'Alhambra de Grenade.
— Il y a bien longtemps que je n'y suis pas venue.
— C'est ce qui te manque : te promener, voir du monde.
Madame Deslandes-Wincker pensa que bien des choses lui manquaient. Elle ne le dit pas.
Deux messieurs sortaient des jeux, montrant une satisfaction de bon aloi : les cartes avaient été clémentes. Ils saluèrent ces dames dans le grand escalier.
Elles prirent place près de la baie vitrée. Des enfants dansaient au son d'un pick-up. Ils faisaient la ronde, la farandole. On leur avait servi du chocolat au lait.
Madame Deslandes-Wincker les regardait. Ses lèvres retrouvaient un petit sourire :
— Rien n'a changé… Sauf moi… Tu te rappelles

lorsque je vous amenais ici… avec ta sœur. Comme elle s'occupait bien de toi !…

Elle se tut.

Benoîte respecta ce silence. Elle savait où étaient les pensées de sa mère.

De son doigt ganté de fil, madame Deslandes-Wincker écrasa une larme et, pour éviter le sujet interdit, elle mit la conversation sur ce monsieur Albert qu'elle avait rencontré dans le quartier Marengo :

— Lorsque ton père l'a renvoyé, je devais le payer, j'aurais voulu lui parler. Lui demander s'il avait autre chose en vue. Mère-grand me l'a interdit.

Le mot énervait toujours la jeune fille :

— Pourquoi te laisses-tu interdire ceci ou cela ?

Madame Deslandes-Wincker n'aurait pas su expliquer sa soumission. Elle savait seulement qu'elle avait commencé le jour de son mariage. À Bordeaux :

— Lorsque nous sommes sortis de Notre-Dame, des photographes ont demandé, et les gens avec eux : « Un baiser ! Un baiser ! » Je me suis hissée sur la pointe des pieds et au moment où mes lèvres allaient frôler la joue de ton père, je me suis sentie tirée en arrière. En même temps j'entendis : « Une épouse digne n'embrasse pas son mari dans la rue ! » Le lendemain, lorsque nous avons ouvert *La Petite Gironde*, Mère-grand m'a montré la photo sans reproche. Elle m'a dit : « Vous auriez été fière d'avoir l'air d'une gourgandine ? »

Léonor Deslandes-Wincker se tut.

Les enfants étaient partis. Chaperonnés par leur nurse. Quelques mamans. Une grand-mère à fume-cigarette.

Un musicien s'assit devant le piano à queue. Bientôt rejoint par un autre. C'était l'heure de l'apéritif dansant.

Madame Deslandes-Wincker se demandait pourquoi elle s'était confiée.

Ce qui l'y avait poussée.

Sûre que cela lui avait été salutaire, Benoîte voulut poursuivre. La brutalité du père, de la grand-mère ne s'expliquait que par les renoncements de la mère.

Elle savait qu'elle entrait dans un domaine interdit :

— Père était riche, mais… tu l'étais aussi… au moins autant que lui, non ?

— Plus que lui, je crois, acquiesça madame Deslandes-Wincker.

— Alors ?

C'était ainsi :

— À l'Assomption, les sœurs nous enseignaient la soumission au mari. Les bons pères qui furent mes directeurs de conscience disaient qu'une faute envers l'époux est une faute envers Dieu.

Benoîte n'osa pas aller plus loin. Elle se demandait si cette faute envers le mari n'avait pas eu lieu. Dans le désarroi d'une jeune femme délaissée. Elle se demandait si ce n'était pas cela que le mari et la mère faisaient payer à l'épouse.

L'orchestre jouait un slow.

Madame Deslandes-Wincker allait commander un porto.

Un jeune garçon s'approcha : blazer bleu à boutons dorés, pantalon de flanelle grise, cravate de soie, pochette assortie. C'était Julien Pascaud. « Le fils des morues », comme on disait. Cela signifiait que le père possédait une sècherie en bordure de Garonne. Ce qui ne l'empêchait pas de gérer au mieux son commerce d'huile. Pour accompagner la morue. « L'huile Pascaud : l'huile qu'il vous faut. »

— Voulez-vous m'accorder cette danse ?

Benoîte se leva. Le garçon la voyait déjà dans ses bras mais, désignant madame Deslandes-Wincker, la jeune fille déclara :

— Ma mère est un peu souffrante. Nous devons rentrer. Excusez-moi.

Madame Deslandes-Wincker suivit le mouvement.

Arrivant à la haute galerie du Casino, elle murmura :

— Tu refuses le fils Pascaud ?

— Oui.

— Mais… sais-tu que les Pascaud…

— Il a les mains moites, trancha mademoiselle Deslandes-Wincker.

Entamant la descente de l'escalier, elle ajouta :

— Il doit les tremper dans l'huile.

Léonor admirait sa fille. Cet esprit de liberté dont, devant les autres à haute voix, elle proclamait qu'il la choquait.

Au moment où Benoîte allait démarrer, elle sentit, sur son bras, la main de sa mère :

— Tu as du caractère. Ta sœur aussi a du caractère. C'est ce qui m'a manqué.

Benoîte sut faire la part des choses :

— On ne t'a pas aidée.

Elle était décidée :

— Moi, je t'aiderai.

La main alors serra fort, très fort.

Madame Deslandes-Wincker voulut parler. Elle ne le put pas, éclata en sanglots :

— Je voudrais voir Marie-Rolande. Cela fait cinq ans que je ne l'ai pas vue.

Elle s'était jetée sur l'épaule de sa fille. Elle cachait ses larmes.

Benoîte était bouleversée.

— Tu ne sais pas ce que c'est, cinq ans sans sa fille !

Benoîte caressait la nuque de sa mère. Elle entortillait une boucle autour de son doigt. Attentionnée mais décidant d'un coup de ne pas rester la confidente inutile :

— Et toi ?… Ma grand-mère, mon père, oui : toi… pensez-vous à Marie-Rolande ? Vous demandez-vous ce que représentent cinq années sans parler à ses parents, sans…

— Ce n'est pas pareil.

Benoîte eut une énorme conviction :

— Oh ! Si ! C'est pareil !

Très bas :

— … c'est pour cela que je ne suis pas partie.

Ce fut au tour de madame Deslandes-Wincker de se redresser :

— Tu veux me quitter, toi ? Hein ? Tu penses me quitter ?

Benoîte avoua : elle l'avait envisagé. Comment en serait-il autrement ? Tous les prisonniers pensent à l'évasion. Sa prison à elle, c'était le malheur de sa mère. Elle aurait voulu abattre la prison. Au moins en scier les barreaux.

Non, elle ne partirait pas.

Elle répéta :

— Je veux t'aider.

Madame Deslandes-Wincker l'attira à elle.

— Tu vas demander à Marie-Rolande de venir ? Oh ! Oui ! Qu'elle vienne… Un jour seulement si elle veut mais que je la voie… que je l'embrasse…

Elle s'agitait. Pleine d'espoir. Benoîte devait la calmer : on ne pouvait pas exposer sa sœur à un affront.

— Il n'y aura pas d'affront, affirmait la mère. Quel affront pourrait-il y avoir ? Dès l'instant où elle vient seule…

Benoîte lâcha les mains maternelles : seule, Marie-Rolande ne viendrait pas.

Elle entra dans une grande véhémence : du moment où quelqu'un décide de former avec une autre personne une seule et même personne, nul n'a le droit de lui dire : « Venez chez moi. Mais venez seule. » Parce que dire cela c'est couper une personne en deux : c'est l'assassiner.

Elle s'efforça de se calmer. Elle voulait convaincre. Pudique. Persuasive :

— … Marie-Rolande est heureuse… Si tu refuses de la recevoir, entière dans son bonheur… c'est que tu refuses son bonheur.

Elle durcit le ton. Pour ébranler l'adversaire. Avec un faux argument. Qui fit mouche :

— C'est que… à son bonheur, tu préfères le tien.

Madame Deslandes-Wincker ferma les yeux. Blessée, Benoîte le savait. Elle avait gagné. Tout gagné. Sauf le combat que la mère devait livrer à la grand-mère, au père. Ce combat qu'elle ne gagnerait jamais. Parce qu'elle n'aurait jamais la force de l'entreprendre. D'affronter les colères cinglantes et les répliques venimeuses, la morgue, les outrages, sa soumission de trente années, les leçons, les principes : une famille, une société qu'il ne fallait pas déranger dans leurs convictions, leurs pratiques puisque ces convictions et ces pratiques étaient les meilleures. Pour la grande raison qu'elles étaient les leurs.

— Tu te rends compte… dans notre situation… ce que diraient les gens ?…

La voiture avait pris la route du Moulleau.

Madame Deslandes-Wincker retrouva un pâle sourire.

Elle regarda sa fille :

— Tu es si gentille… Tu as toujours été gentille… Tu te rappelles comme autrefois tu t'occupais bien de ta petite sœur ?

Elle se rendit compte qu'elle parlait à Benoîte. Se reprit. Expliqua, accentua son sourire :

— C'est la joie qui me trouble. Je me croyais déjà avec…

Et, heureuse vraiment :

— Je crois que toi et moi nous n'avons jamais été aussi amies.

Monsieur Louis, dans la livrée blanche, attendait au portail. Il se tourna vers la maison :

— Les voilà !

Monsieur Jules-Grégoire Deslandes-Wincker parut aussitôt, nœud papillon et chapeau feutre, trench-coat sur le bras :

— Je dois partir immédiatement pour Paris. Franco vient de soulever la garnison du Maroc contre le Frente crapular. Nous devons le soutenir.

Dans la verve des Maurras et des Daudet, de Brasillach et de monsieur de Kérilis, inventeur de la formule, le « Frente crapular » était le Front populaire de la République espagnole. Monsieur Jules-Grégoire Deslandes-Wincker avait sans peine adopté leur langage.

Madame Mère sortit, chapeautée elle aussi :

— Je vous accompagne.

— Ne prenez pas cette peine, mère. Vous allez vous fatiguer.

— Cela me fait plaisir.

Casquette haut levée, monsieur Louis ouvrit la portière. La referma.

La voiture démarra.

Léonor Deslandes-Wincker la regarda partir.

Benoîte se précipita vers le téléphone. Elle tourna la manivelle. La demoiselle des P.T.T. obtint très vite la communication :

— Allô ! C'est toi, Marie-Rolande ?... Ah ? Non... Cela ne fait rien. Dites-lui que je la rappellerai... Oui. Moi aussi.

Lorsqu'elle revint, madame Deslandes-Wincker se servait un porto :

— Tu en veux un ?

— Oui, mais un seul.

Elles levèrent leur verre :

— À notre affection, dit la mère.

— À ton bonheur, répondit Benoîte.

Madame Deslandes-Wincker alluma une cigarette.

Dans la fumée où elle avait vu tant de chagrin, il lui sembla voir un peu d'espoir. Léger. Imprécis. Bleu. Comme les volutes qui montaient au plafond.

À cette minute, monsieur Jules-Grégoire ne fumait pas. Mais, à l'arrière de la voiture découverte, savourant cet air si pur, vivifiant, qui avait fait la réputation d'Arcachon, il avait, lui aussi, de l'espoir... La République espagnole n'avait que cinq ans d'existence. Dans l'armée du nouveau régime, bien des officiers avaient dû conserver leurs convictions monarchistes : le général Franco trouverait des appuis. Sans doute en avait-il déjà. Et le Frente crapular, lui, n'était en place que depuis cinq mois. Un pays catholique comme l'Espagne saurait vite soutenir la croisade de la civilisation chrétienne.

Sur le quai de la gare, Madame Mère demanda :

— Qu'allez-vous faire ?

— Je vais retrouver quelques amis... avec lesquels nous nous sommes déjà réunis. Nous allons étudier la question en fonction des événements nouveaux.

Embrassant son fils, Madame Mère déjà revivait :

— Agissez vite... Et bien.

Lorsque le train ne fut plus que l'arrière d'un fourgon sautant sur les aiguillages, Madame Mère avait, elle aussi, repris confiance. La peste rouge n'aurait duré qu'un temps :

— Il n'est pas tard, monsieur Louis. Nous allons faire un tour au Pilat. Là, nous sommes encore un peu chez nous.

Elle dut déchanter.

Certes, la plage n'était pas envahie d'estivants braillards, de donzelles parfumées au Prisunic, de gosses sans éducation vous expédiant leur ballon dans les jambes, mais il y avait, sur la dune, une bonne vingtaine de jeunes qui montaient, descendaient en roulebarrique, remontaient en essayant de chanter *Sur la route de Louviers.*

Madame Mère le comprit : il s'agissait de l'une de ces associations de perdition où garçons et filles passent ensemble leurs jours et sans doute leurs nuits. La décence leur est inconnue : ces effrontés à demi nus avaient laissé leurs vêtements à droite, à gauche :

— Hein, monsieur Louis ? Vous trouvez que cela est un spectacle ?

Monsieur Louis apparemment n'avait pas d'avis.

— Vous trouvez que ces débraillés donnent une bonne idée de la France ?

Pressé, il finit par consentir que ces jupes en plein air, ces pantalons éparpillés sur le sable n'étaient pas dignes de notre beau pays.

Le plus extraordinaire était que, là-haut, cette meute de dévergondées montrant leurs cuisses, d'apprentis marlous les tirant par les pieds ne se rendaient pas compte du tort causé à la patrie.

Madame Mère n'y tint plus. Elle désigna, à quelques mètres de là, un maillot rouge et noir, un short de toile bleu, une paire de godillots :

— Monsieur Louis, enlevez-moi ces hardes de là.

Le chauffeur était interloqué.

— Vous entendez ce que je vous dis, monsieur Louis ?

— Mais, madame…

La vieille dame s'énerva. Depuis que monsieur Louis était à son service, elle ne nourrissait qu'un grief à son égard : il n'était pas anglais. Cela la mettait en état d'infériorité devant les voisins du Moulleau ayant à leur service un monsieur Jack, un monsieur John. Hormis cela, il n'y avait qu'à se louer des services du chauffeur à la tenue stricte, à l'obéissance parfaite. Sa souplesse devant les maîtres était si grande que, avec quelque vulgarité, mademoiselle Benoîte ne désespérait pas de le voir un jour lever sa casquette en même temps qu'il baisserait son pantalon.

Madame Mère éprouva une idée. Tragique :

— Monsieur Louis ! Vous êtes contaminé par les rouges !

Montrant à nouveau les vêtements, elle prit le ton de celui qui ne compte pas répéter les choses :

— Je vous ordonne de les emporter !

Elle partit vers le chemin paillé d'aiguilles de pin, vérifiant par-dessus son épaule que les ordres étaient exécutés :

— Personnellement, monsieur Louis, je n'ai jamais laissé traîner ma culotte sur une plage !

La voiture démarra.

À la Tonkinoise, lorsque Benoîte l'entendit arriver, elle coiffa la carafe de porto de son bouchon de cristal et la remit dans le bar à rosaces de nacre. Elle passa les deux verres sous le robinet, les rangea eux aussi.

— Je suis un peu fatiguée, dit Madame Mère. Je monte me reposer. Vous m'appellerez pour le dîner.

Benoîte sortit.

Elle aperçut le short, les souliers sur le siège de la voiture :

— Qu'est-ce que c'est que ça ?

Monsieur Louis expliqua l'aventure. Gêné, semblait-il, d'y avoir participé, mais pas mécontent peut-être de montrer à la petite-fille les méfaits de la grand-mère.

Benoîte prit les vêtements, enfourcha son vélo et partit vers la dune.

Personne.

La forêt chantait :

Auprès de ma blonde
Qu'il fait bon, fait bon, fait bon !

Benoîte pédala.
Un grand garçon marchait en serre-file.

La caille, la tourterelle et la jolie perdrix...

Elle l'aborda, son trésor à la main :
— Hé ! C'est à vous, ça ?
— Oui. C'est à la petite. Elle n'est pas là. Comme elle n'avait pas de souliers pour marcher, un type lui a prêté sa bicyclette.
Benoîte livra son lot :
— Vous le lui remettrez ?
— Évidemment, je le lui remettrai. Je ne vais pas le garder pour moi.
Martin souriait. Benoîte regardait cette figure avenante.
Décidée.
Elle partit.
Deux minutes après, elle revint :
— Vous faites du camping ?
— Pas vraiment du camping. Une auberge de jeunesse : « Marianne sur ses flotteurs » à Biscarrosse.
Benoîte montra un étonnement gai :
— Marianne sur ses flotteurs ? Tu parles d'un nom !
Martin ne commenta pas : c'est son père qui avait baptisé la baraque.
Benoîte fit demi-tour.
À nouveau, elle revint :
— Dites... Chez votre Marianne... je peux y venir, moi ?
— Tu peux.
Benoîte, surprise, demanda :
— Vous me tutoyez ?... On se connaît ?
— À l'auberge, tout le monde se tutoie.
— Ah ?... Je viendrai peut-être.

— C'est à côté de l'étang. Pas l'étang de Biscarrosse : l'étang de Cazaux. À Ispe. Tu nous demandes.

Comme elle s'éloignait, il cria :

— Si tu viens, tu as intérêt à changer de corsage.

Elle était sidérée :

— Pourquoi ? Tu ne le trouves pas beau ?

— Si. Si. Il est très beau. Seulement... pour chez nous, il vaudrait mieux qu'il fasse moins chochotte !

Benoîte aurait dû être vexée : elle se contentait d'être surprise. Marianne sur ses flotteurs !

Elle pédalait en se disant que les pins le soir sentaient le chaud.

Elle allait rappeler sa sœur.

Soigner sa mère.

Elle s'acheta une chemisette. Sans broderies. Sans festons. En toile d'avion.

Tous les oiseaux du monde viennent y faire leur nid.

Martin pensait que cela serait bien si cette fille venait. Elle était sympathique.

Enluminant le bois clair où pleurait la résine, le soleil descendait vers les dunes. Derrière elles, bientôt il prendrait sa nuit.

Le père allait maugréer : « C'est bien de faire faire de l'exercice aux jeunes mais tu ne te rends pas compte que la plupart d'entre eux n'en ont jamais fait. Tu es un athlète : tout le monde ne l'est pas... » Martin ne répondrait pas. Il avait pour l'auteur de ses jours une admiration sans bornes.

Pour sa mère une affection de tous les instants : naturellement moins active que son mari, elle avait le mérite de suivre les tourbillons que sans cesse il créait autour de lui. Hier, dans l'école primaire dont il était directeur. Aujourd'hui à la retraite, dans cette grande maison que, de ses mains, peu à peu il agençait en auberge.

— Pour les jeunes, disait-il.

Si on l'en félicitait, il répondait :

— Je n'ai aucun mérite : les gosses, je ne peux pas me passer d'eux.

Sauf que, pour leur laisser la place, il vivait à l'écart avec sa femme : dans une ancienne cabane de résinier qu'il appelait sa guitoune.

À la claire fontaine
M'en allant promener...

Pour l'heure, Élie Chabrol accrochait au mur un panneau confectionné par lui :

AUX JEUNES, IL NE FAUT PAS TRACER UN CHEMIN, IL FAUT OUVRIR TOUTES LES ROUTES.

LÉO LAGRANGE

Il se recula. Apprécia d'un œil la bonne disposition du tableau puis, avec les mêmes soins, il en placarda un second près de l'entrée :

UNE AUBERGE DE JEUNESSE EST UNE PORTE OUVERTE. ON NE SAIT PAS D'OÙ TU VIENS ; ON NE SAIT PAS OÙ TU VAS ; ON NE SAIT PAS QUI TU ES MAIS TU ES L'AMI.

MARC SANGNIER

À haute voix, persuadé, presque ému, il répéta :

— On ne sait pas qui tu es mais tu es l'ami.

Assise sous l'auvent, Loulette ne l'écoutait pas.

Perdue.

Se demandant si elle devrait passer toutes ses vacances en maillot de bain. Rentrer ainsi à la maison.

Depuis son départ de Toulouse, elle avait peu pensé à ses parents.

Ce soir, elle ne pensait qu'à eux.

Chantant sur la plage avec les autres, marchant dans la forêt, elle s'était sentie emportée dans le monde de la jeunesse forte. Maintenant, si elle l'avait osé, elle aurait crié : « Maman, viens me chercher. » Ou : « Papa, il y avait mes sous dans la poche du short ! Je suis sans rien. »

Sans souliers, comment irait-elle en randonnée ? Les balades, c'était l'essentiel de la distraction. On découvrait l'eau, le bois, la résine. Les mules à grandes oreilles. Le goudron odorant chauffant sur la plage où le pêcheur communal calfeutrait sa pinasse. Cela n'était pas de vains mots : on vivait le cœur en fête. Les garçons et les filles étaient des habitués. Ils ne prenaient pas l'auberge pour un hôtel à bas prix. Ils en connaissaient les règles, les ambitions. Solides. Fraternelles.

Il y a longtemps que je t'aime
Jamais je ne t'oublierai.

La petite bande arrivait par les Hautes Rives, ayant quitté le chemin de la forêt pour suivre le bord de l'étang.

Un garçon se mit à courir devant les autres, agitant son trophée :

— Regarde ce que je te rapporte !

Loulette crut défaillir de bonheur.

— Tu disais qu'on te les avait volés !

Elle haussa les épaules :

— Je disais qu'on me les avait volés parce qu'on me les avait volés !

Le garçon, c'était Clément Chassagne. Le fils de la sœur de Martin. Plus jeune que lui de quelques années. Même silhouette. Mêmes cheveux. Moins grand. Aussi sportif. Semblable gentillesse avec ce soir le tort de contrarier Loulette dans ses certitudes :

— Tu ne savais plus où tu les avais mis : ça arrive !

Il était inutile de discuter.

Prenant les vêtements, elle passa dans le dortoir des filles, revint avec son maillot de rugbyman rouge et noir, son short ancien pantalon. Pieds nus.

Sous l'auvent, la longue table avait été prestement parée d'assiettes à la faïence lourde que, contactés par le père Chabrol, les timbres Super-Or lui avaient offertes. Évidemment, elles étaient un peu ébréchées...

— Celles qui sont en bon état... Je les réserve pour la clientèle, vous le comprenez ? avait dit le directeur.

Le père Chabrol l'avait compris et, ce soir, pour les pensionnaires de « Marianne sur ses flotteurs » qui avaient marché, sauté, couru, plongé, nagé toute la journée, le principal était que l'assiette fût pleine. Le plaisir était de la vider côte à côte, assis sur ces longs bancs de bois, filles sans fard, sans rouge à lèvres, garçons percevant que cette absence de maquillage, les corvées d'eau, de bois, de pluches assurées ensemble, sans distinction de sexe, créaient entre eux un rapprochement nouveau. Fraternel. Irremplaçable.

Clément Chassagne était chargé du feu.

Un trou dans le sable tenait lieu de foyer. Sur les braises, chantaient les saucisses coupées équitablement, piquées, piquetées d'une fourchette sûre par le cuisinier du jour. La graisse s'en évadant avertissait le palais du plaisir prochain.

Consciencieusement balancé par Popaul, un canotier tenait lieu de soufflet. Il appartenait à Justin Ségala, un ouvrier chapelier de Caussade auquel son *capel*, comme il disait, avait valu son surnom de Bada.

Juliette, venue de Limoges, avait — c'était une réalité — un profil, un teint, une fragilité de porcelaine. Elle remplissait les cruches dans le seau qu'elle avait elle-même tiré du puits. Lorsque Bada avait voulu l'aider à le porter, elle lui avait dit :

— Si tu m'aides parce que je ne suis pas très forte, j'accepte. Si tu m'aides parce que je suis une fille, je refuse.

Mélanie distribua une portion de Vache qui rit à chacun des convives :

— Ce soir : pas de veillée. Il est trop tard.

On ajouta seulement quelques branchettes. Pour un petit feu d'adieu accompagnant la dernière chanson. Celle que l'on chantait dans les bois au rythme de la marche et que, à cet instant, d'un commun accord, on attaqua avec la douceur de la nuit.

À la claire fontaine, m'en allant promener
J'ai trouvé l'eau si claire
Que je m'y suis baigné.

Les yeux de Loulette tombèrent sur Clément.

Il la regardait. Ne bougeait pas. Il riait.

Elle pensa qu'il chantait pour elle :

Il y a longtemps que je t'aime
Jamais, je ne t'oublierai.

Loulette se détourna. Elle regarda les autres. Se demandant si Martin s'était aperçu du manège.

Soudain, elle pensa à Luigi.

Chantait-il des chansons, le soir, à la veillée ?

Au matin, il n'était pas utile de faire sonner le clairon.

Il y avait toujours un amateur de chants d'oiseaux pour se réveiller et réveiller les autres ; un garçon pour se souvenir de sa caserne récente :

— Au jus là-dedans !

Pour établir, une fois encore, l'égalité des sexes, un autre tapait à la cloison des filles :

— Ces demoiselles du pensionnat sont priées de prendre la position verticale.

Aussitôt, de part et d'autre de cette cloison de planches brutes sentant encore le pin au soleil, s'affairaient des tireuses de draps et des tapeurs de traversin, des dresseuses de couvertures et des balayeurs de chambrée œuvrant avec la même ambition : laisser des lits au carré dans un dortoir sans reproche.

Un moteur emplit le ciel, l'auberge, les oreilles. Il était sur la maison, semblait vouloir l'écraser, l'avaler, la broyer. Tout le monde sortit : parti des Hourtiquets, l'appareil fonçait vers La Teste, Arès, le Médoc, longeant le littoral.

— C'est le missionnaire, dit le père.

Chez Marianne, tout le monde l'appelait ainsi car on le savait chargé de mission : voler pendant trente heures sans escale afin que, au retour, on étudie les possibilités de raid sans réapprovisionnement.

— Demain, nous irons le voir, ajouta Martin.

Loulette avait rincé une bouteille de limonade. Elle y versa du sel, du vinaigre copieusement coupé d'eau, ajouta une huile parcimonieuse et, fermant le bouchon de porcelaine avec sa monture de laiton, elle secoua énergiquement cet assaisonnement économique.

Le dernier petit déjeuner avalé, les bols lavés, essuyés, rangés, chacun mit ses chaussettes, laça ses croquenots, prit sur son dos le sac ou la musette contenant le pique-nique : œufs durs et pommes de terre bouillies.

Debout, ma blonde, chantons au vent
Debout, amis !
Il va vers le soleil levant,
Notre pays !

Que le pays aille vers le soleil levant, ils en étaient persuadés.

Par petits bonds silencieux, un merle se dirigea vers la berge. Il pencha sa tête au-dessus de l'eau et resta ainsi : regardant son bec jaune dans le miroir. Puis il leva la tête. Il semblait réfléchir. Se demander s'il avait bien vu. C'est la couleur peut-être qui le surprenait. Il replaça son bec. Le releva. Toujours perplexe. Finit par tremper le bec de l'air dans le bec de l'eau et, ayant picoré quelques gouttes, d'un jet il atteignit la branche basse d'un petit chêne. Là, satisfait, il lança des notes libres, enthousiastes, inventées, semblait-il, par son plaisir de vivre ici. Entre vert et bleu. Sable teinté d'alios.

— Je n'ai jamais été si heureux, dit un jeune ajusteur de chez Hispano-Suiza qu'on appelait Carette à cause de sa ressemblance avec l'acteur de cinéma dont il avait surtout le lent accent des faubourgs.

— Tu sens ce que tu respires ? demanda Florence, une grande brune qui venait d'entrer au conservatoire de Bordeaux.

Elle voulait être violoncelliste. Concertiste si tout allait bien. Gratte-cordes dans un cabaret si la chance n'était pas au bout du solfège.

Loulette dans sa poche faisait sauter sa fortune retrouvée. Clément lui saisit le poignet, mit sa main dans sa main, entraînant, de son autre main, la virtuose que, du côté droit, tirait Carette avec Suzette de l'autre bord, saisie par René, Elyette, Popaul…

La joie te réveille, ma blonde,
Allons nous unir à ce chœur.
Marchons vers la gloire et le monde
Marchons au-devant du bonheur.

Benoîte aussi allait vers le bonheur.

Au début de l'après-midi, elle sortit la voiture du garage :

— Viens, maman, je t'emmène.

Madame Mère prit un ton aigre-doux :

— Ce n'est pas la peine d'avoir un chauffeur, si c'est toujours vous qui conduisez !

Comme ses paroles restaient sans effet, elle rentra dans la maison en maugréant :

— Les gens vont dire que nous n'avons plus les moyens de mener calèche !

De la main, Benoîte fit un au revoir qui était plus espiègle qu'affectueux.

Elle prit la route d'Arcachon.

— Où vas-tu ?... Pourquoi si vite ?... Tu vas nous faire tuer, je te l'ai déjà dit.

La conductrice était pressée, c'est vrai.

Sur le boulevard de la plage, des femmes en robe de percale, en jupe-culotte à volants, promenaient leurs ombrelles, leurs sacs au point de crochet longuement pendus à l'épaule. Les hommes se tenaient raides sous leur casquette d'amiral, gonflant leurs pectoraux dans leur marinière bleue ; exhibant le fameux pantalon de laine rouge en vogue sur le Bassin.

En 1915, lorsque l'état-major s'était rendu compte que les pioupious aux jambes garance servaient trop facilement de cibles, il s'était débarrassé des dangereux falzars. Les parqueurs s'étaient portés acquéreurs. Ainsi s'était créée une mode que les « villégiaturants » répercutaient avec la conviction de respecter les ancestrales traditions.

Benoîte arrêta la Chrysler devant l'enseigne « Salon de thé, Five O'clock » de la pâtisserie Foulon. Avec ses rideaux en dentelle, son comptoir issu d'un vaisselier, sa longue banquette basque, avec surtout sa « tarte au kilomètre » (et à la fraise des bois), ses huîtres de chocolat à la praline, la pâtisserie Foulon était le rendez-vous des yachtmen désœuvrés, des stars en villégiature, des épouses dignes et des maîtresses discrètes. Des adolescents arboraient leur tenue bleu marine à large ceinture-turban bleu pâle pour bien montrer que, comme l'affirmait leur béret à gros pompon — bleu pâle lui aussi —, ils appartenaient à l'école Saint-Elme. Fidèles au corset à lacet ou espérant que, livré à lui-même, leur corps saurait bien se tenir, des mères de famille, des dames qui l'avaient été vivaient des heures sucrées en dégustant des caramels mous arrosés d'un verre d'eau des Abatilles ; en savourant un café liégeois, voire en s'adonnant aux joies plus osées d'un Martini en chemisette.

Benoîte vérifia que, dans le fond de la salle, se trouvaient celles qu'elle cherchait. Elle fit passer sa mère devant elle mais elle resta à ses côtés, prête à la soutenir.

Effectivement, n'en croyant pas ses yeux, madame Deslandes-Wincker marqua un temps d'arrêt, sembla chanceler cependant que, se levant prestement, Marie-Rolande venait à sa rencontre. Elle la prit dans ses bras. Les deux femmes restèrent ainsi, enlacées. Immobiles.

Les gens les regardaient, se regardaient, surpris par une exhibition de sentiments qu'ils ne jugeaient pas du meilleur goût.

Ensemble en shantung blanc à larges pastilles grises, toque de paille assortie, Rachel, arrivée de Paris avec son amie, murmura :

— Ce soir, tout Arcachon connaîtra la nouvelle !

— Et les Chartrons : demain matin ! Et Toulouse : demain soir ! C'est ça qui est bien ! se réjouit Benoîte.

Au bout d'un instant, madame Deslandes-Wincker sembla s'éveiller. Elle s'avança, tendant sa main avec une gentillesse un peu intimidée :

— Rachel… Je ne vous ai pas saluée.

— C'est fait maintenant, répondit la jeune femme avec simplicité.

Elle portait un collier en verre moulé dont elle avait elle-même créé le modèle.

Madame Deslandes-Wincker commanda un porto. Blanc :

— Pour changer.

Elle ne pouvait pas détacher ses yeux de Marie-Rolande :

— Si tu savais… cinq ans… si tu savais…

Elle pinça les lèvres et aussitôt, pour ne pas voir la suite, Marie-Rolande prit sa mère dans ses bras :

— Ne pleure pas. Tout est fini. Je suis là.

Lassée de regarder les cartes de visite punaisées au plafond par des buveurs acrobates, une dame anguleuse sortit du bar. Les habitués l'avaient baptisée « Tout-en-os ». Son mari, le préfet, venait d'être mis à la retraite et tout en elle disait qu'on devrait l'y mettre aussi. Le plus gênant était que, la voyant sans cesse remuer ses mâchoires, on craignait qu'elle mordît la voilette descendant jusqu'à son menton. Qu'elle l'avalât. Peut-être avec plaisir.

Elle vint vers le petit groupe avec un tel air de faux jeton que le Casino mauresque et le Casino de la Plage lui auraient interdit l'accès à leur table de jeux :

— Oh ! Mais c'est notre belle Marie-Rolande ! Quelle surprise ! On m'avait dit que vous étiez en Égypte… ou en Australie. Dans tous les cas : par là-bas.

Elle se frappa le front. Non, elle ne se trompait pas :

— Pas plus tard qu'hier, votre chère grand-mère m'affirmait qu'on ne vous verrait pas de sitôt.

Elle fit mine de découvrir Rachel.

Sa main repliée sur sa poitrine, en digne personne ne voulant pas commettre d'impair, espérant — cela se voyait de loin — mettre tout le monde dans l'embarras, elle demanda :

— Et madame est… ?

— Madame est la sœur de Joséphine Baker ! trancha Benoîte.

La curieuse fut sur le point d'arrêter son sourire :

— Ah ?

Réflexion faite, elle le conserva. Un peu nerveux :

— Oh ! Non. Non. Ce n'est pas vrai. Vous me faites marcher !

— C'est ça, marchez, le bar est par là, dit Benoîte qui, s'étant levée, reconduisit la dame vers les douceurs du *maca* : l'apéritif maison.

Lorsqu'elle revint, madame Deslandes-Wincker était dans l'angoisse :

— Tu ne te rends pas compte ?… Le scandale !… Que va dire Mère-grand ?

— Elle ne dira rien… Dans tous les cas, pas à toi.

Madame Deslandes-Wincker ne comprenait pas.

— Tu pars en vacances, maman, tu en as besoin.

— Nous sommes venues vous chercher, dit Marie-Rolande.

— La voiture est devant la porte, ajouta Rachel. Ce soir, nous serons à Biarritz.

La mère était dépassée :

— Mais… je ne peux pas partir comme ça.

— Bien sûr que oui, tu peux partir comme ça : j'ai fait ta valise, il n'y a qu'à la changer de coffre.

Madame Deslandes-Wincker se débattit mais, n'ayant jamais su résister à ses adversaires, on ne voit pas comment elle aurait pu résister à ses amies : ses filles.

Ses filles la firent lever. L'entraînèrent vers la sortie. Elle avait l'impression d'un enlèvement.

Si l'on en croyait Benoîte, cela en était un :

— Demain, *La Petite Gironde* titrera : « Kidnapping à Arcachon ! »

Elle ouvrit la portière, fit monter la kidnappée qui, prenant son parti de l'aventure, avait mille recommandations à faire :

— Dis à Mère-grand...

— Je sais ce que je dois lui dire.

Elle ne mentait pas : elle avait préparé ses phrases.

Elle se les répéta au volant, sur le chemin du Moulleau. Des phrases qui étaient des réponses à des questions qui ne manqueraient pas de venir.

Elles vinrent. Dès que Madame Mère parut sur le perron :

— Vous êtes seule ? Et votre mère ?

— Elle n'est pas là.

On perçut, chez l'aïeule, le premier signe de crispation :

— Je le vois qu'elle n'est pas là !

— ...

— Où est-elle ?

— Partie.

Sans descendre, mademoiselle Benoîte Deslandes-Wincker se mit en devoir de ranger son sac à main. Elle trouva un petit mouchoir, une petite clé, une petite houpette échappée d'un petit poudrier...

La grand-mère comprit que cela était un jeu.

Elle ne voulut pas y entrer :

— Je peux savoir où est partie ma belle-fille ?

— En vacances.

Elle haussa le ton.

— Où en vacances ?

La voix agitée de Madame Mère évoqua le bras d'une éducatrice secouant le gosse qui refuse de révéler où il a caché la confiture :

— Vous allez me dire où elle est ! Tout de suite ! Je vous ordonne de me le dire !

À la pâleur de sa grand-mère, Benoîte comprit qu'elle ne pouvait pas prolonger sa farce :

— Mère est à Biarritz.

Sur le ton le plus détaché qu'elle pût imaginer :

— C'est Marie-Rolande qui est passée la prendre.

Madame Mère resta muette. Benoîte en profita pour indiquer avec une grande complaisance que sa sœur n'avait pas voulu passer à la Tonkinoise :

— Elle ne voulait pas vous déplaire, comprenez-vous ?... Elle disait que, à l'âge qui est le vôtre, vous pourriez ne pas vous en remettre.

Madame Mère encaissait les chocs avec des haut-le-corps anémiques. Comme si elle ne parvenait pas à avoir le hoquet.

Benoîte termina son récit :

— Alors, je lui ai donné rendez-vous chez Foulon.

À peine eut-elle prononcé le nom de l'artiste pâtissier que la grand-mère eut devant elle les silhouettes compassées de monsieur le maire et de madame la préfète, de monsieur Pascaud des huiles Pascaud et madame, de messieurs les actionnaires de la Compagnie du P.-O.-Midi suivis de leurs épouses ; sans oublier madame la présidente de la Croix-Rouge et monsieur l'archiprêtre de Bazas. S'y intercala même, sortant de sa villa voisine, monsieur Louis Jouvet qui n'avait pas son pareil pour présenter ses condoléances. Les yeux de Madame Mère chavirèrent.

Mademoiselle Benoîte lui tapa dans les mains avant de parfaire son œuvre :

— Ne tombez pas malade, Mère-grand. Ce n'est pas le moment : je pars moi-même pour quelques jours.

Madame Deslandes-Wincker était loin de tomber malade : elle se dressa. D'un bloc :

— Je vous l'interdis !

— Ce n'est pas possible. Des amis m'attendent.

— J'interdis à monsieur Louis de vous conduire !

— Cela n'est pas grave, Mère-grand : je n'ai pas besoin de lui.

Pour montrer la véracité du propos, mademoiselle Benoîte Deslandes-Wincker passa dans sa chambre, en revint vêtue d'un corsage de coton que la vieille dame ne lui connaissait pas et, ayant glissé une paire de gros souliers dans la sacoche, déjà pleine, elle enfourcha son vélo, promettant de donner prochainement de ses nouvelles.

Madame Mère s'assit, se demandant si elle ne devait pas appeler le médecin.

Au contraire, revigorée, Benoîte appuyait sur ses pédales avec l'impression d'aller vers la liberté. Les grands pins enfermant la route ne pouvaient pas l'emprisonner : elle ne voyait que le ciel. Bleu. Comme la vraie vie. Celle qu'elle saurait vivre. Au moins pendant quelques jours. Rejetant les obligations hypocrites, les garçons aux mains moites, les parents bâtissant des mariages comme ils bâtissent des Tonkinoise. Pour que, de loin, on en voie les tours et les jardins : sans savoir les intérieurs lourds où les mères se meurent.

Benoîte avait chaud. C'était l'un de ces jours d'été où, à l'heure du dîner, le temps semble ne pas avoir épuisé sa chaleur.

À Sanguinet, elle s'arrêta pour boire l'eau fraîche que lui offrirent des cyclistes. Des tandémistes plutôt. L'homme et la femme du premier tandem étaient vêtus de même façon : chemise rouge, knicker bockers à carreaux. Mêmes chaussettes, elles aussi à carreaux; mêmes casquettes en toile avec la visière relevée. L'autre couple, plus jeune, avait équipé l'arrière droit de sa machine d'une petite nacelle de side-car : un bébé dormait à l'intérieur.

À Biscarrosse, Benoîte se crut arrivée. Mais non. L'auberge était encore à quelques kilomètres.

— Sur le bord de l'étang. Vous ne pouvez pas vous tromper.

Elle ne pouvait pas la manquer surtout : ayant terminé leur repas, les jeunes chantaient à tue-tête *Nous irons à Valparaíso*. Restés sur leur banc, se tenant par les épaules, ils accompagnaient leur refrain de forts balancements, à droite, à gauche :

Hardi, les gars ! Vire au guindeau !
Good by farewell ! Good bye, farewell !
Hardi les gars, adieu Bordeaux !
Hourra ! Oh ! Mexico... Oh ! Oh ! Oh !

Comprenant que l'arrivante venait chez eux, ils interrompirent leur chant :

— C'est nous que tu cherches ?

La reconnaissant, Martin, souriant, répondit pour elle :

— C'est nous.

Les autres entonnèrent un hymne d'accueil :

Elle est des nôtres !
Ell' devient Ajiste comme les autres !

Florence, la musicienne, débarrassa un bout de table, y posa assiette, verre, couteau, fourchette.

— Comment t'appelles-tu ?

Benoîte était prise de court.

Elle répondit :

— Bugatti.

Martin leva les sourcils :

— C'est ton nom ou ton prénom ?

— C'est Bugatti, conclut simplement mademoiselle Deslandes-Wincker.

Le neveu Clément Chassagne était épaté :

— C'est toi qui construis les bagnoles ?… Ou c'est ton papa ?

— Ni l'un ni l'autre.

Elle s'était ressaisie :

— Nous ne sommes même pas cousins.

Loulette l'entraîna vers le dortoir :

— Je vais montrer son lit à la camarade.

Camarade ? Voilà un mot auquel Benoîte n'était pas habituée. Il la troubla plus encore lorsque, à travers la cloison, il lui fut directement adressé :

— Tu veux prendre une douche, camarade ?… Je te fais chauffer un peu d'eau… Ce n'est pas qu'il fasse froid mais pour les ablutions, tiède c'est mieux que frisquet.

Effectivement, lorsque Bugatti arriva à la cabine succinctement aménagée dans la grange, un seau d'eau attendait au milieu du caillebotis.

Loulette tendit un gros cube de savon de Marseille. Elle servit de guide :

— Tu tires sur la grosse chaîne : le seau monte. Quand il est en haut, tu te places dessous et tu tires sur la petite chaîne. Ça soulève le premier fond, celui qui est entier. Alors l'eau passe par le fond percé.

Benoîte remercia.

Devant la porte, Loulette demanda :

— Tu veux que je garde ?

— Quoi ?

— La porte… Tu veux que je reste devant ?

L'autre, sous le jet sans doute, n'entendait pas.

Loulette soliloqua, jouant les expérimentées :

— Tu ne risques rien. Ici c'est du copain-copain et les garçons ne sont pas embêtants. Même Carette, celui qui t'a apporté l'eau… des fois il a des mots un peu rudes mais il est bon zigue. Comme les autres. Jamais un geste. Comme il dit : « On n'est pas là pour ça. »

La tête penchée en arrière, visage ruisselant, Benoîte profitait de l'eau comme on profite d'un bienfait du ciel.

Une idée lui était venue. Une observation : ces godillots, ce short bleu, épais, et surtout le maillot rouge et noir que portait la fille qui l'avait accueillie, c'était les vêtements que sa grand-mère avait ramenés à la maison.

Elle décida de n'en pas parler. Elle était là incognito. Inutile de donner des indices.

De son côté, Loulette poursuivait son initiation :

— Lorsque tu arriveras sous la galerie, tu diras : « Salut les copains ! » C'est un rite. Après, tu es de la famille.

Ainsi fit Bugatti.

Tout le monde se leva et, unanimes :

En avant, jeunesse de France
Faisons se lever le jour !
La Victoire vers nous s'avance,
Fils et filles de l'espérance,
Nous ferons se lever le jour !
À nous la joie, à nous l'amour !

Lorsqu'ils eurent terminé, Martin expliqua :

— Celle-là, il faut que tu l'apprennes par cœur. Le plus tôt possible. Nous la chantons toujours.

Il est vrai que si, en quelques semaines, *Tout va très bien, madame la Marquise* était devenu l'hymne des congés payés, *Jeunesse*, due aux plumes conjuguées de messieurs Paul Vaillant-Couturier et Arthur Honegger, était devenue l'hymne des auberges de jeunesse.

— Donne-moi le texte, dit Bugatti : je le saurai demain.

Martin lui remit son cahier de chansons. Très bien tenu : paroles, musique et des illustrations découpées dans les magazines, collées, soutenues, complétées par des dessins à la main.

Le lendemain, Loulette poursuivit sa tâche d'hôtesse-réceptionniste-initiatrice.

Dès que tout le monde fut habillé, elle s'approcha de Benoîte et, discrètement, lui glissa un petit objet dans la main :

— C'est ta pelle. Chacun de nous en a une.

Pour faire pipi, on allait dans la forêt. Un peu loin. Derrière des fougères. Si on ne voulait pas y aller toute seule, on emmenait une copine :

— Mais… pour « la grosse », tu creuses un petit trou… un peu large si t'es pas sûre de bien viser… Et quand tu as fini, tu recouvres… La pelle, c'est pour ces petits travaux.

Garçons et filles s'élancèrent, marchant le long de l'étang de Cazaux — le leur.

Benoîte avait tenu ses engagements.

Elle voulut le prouver :

Nous sommes la jeunesse ardente
Qui veut escalader le ciel
Dans un cortège fraternel
Unissons nos mains frémissantes
Sachons protéger notre pain
Nous bâtirons des lendemains
Qui chantent !

L'application de la nouvelle arrivante fit forte impression :

En avant, jeunesse de France !

Étonnée comme tout le monde par la promptitude à apprendre de « la camarade », Loulette demanda :

— La chanson… tu la savais avant ?

— Non. Pas du tout.

Ce matin, avant le déjeuner, elle s'était installée sous l'auvent et, dans le silence frais du lac, elle avait lu, relu, chantonné cet *En avant !* qui, ma foi, lui plaisait bien.

Florence en conclut qu'elle était musicienne.

— Suffisamment pour déchiffrer, dit Benoîte, et… je pianote un peu mais… musicienne… non… c'est un bien grand mot.

Loulette avait une autre question en réserve. Plus intéressante. Presque affirmative :

— Et… Martin… lui, tu le connaissais avant de venir ?

Répondre « oui », c'était se lancer dans l'épisode des vêtements sur la plage, parler de la grand-mère…

Benoîte alla au plus simple :

— Non. Je ne le connaissais pas.

Loulette était sceptique :

— Quand il t'a vue arriver à l'auberge, il savait que tu venais chez nous… On l'a bien compris.

— Je crois que… mon père avait téléphoné… pour avertir.

Carette arriva à point pour apporter une diversion. Joyeuse :

— Hé ! Bugatti ! Tu sais que moi qui te parle, je construis des Hispano-Suiza ?

Pour que nul n'en ignore, il précisa illico :

— Oui, camarade : des Hispano-Suiza. Et si t'en vois une, arrêtée ici ou là, regarde-la bien sous le moteur : le troisième écrou à droite, c'est moi qui l'ai serré.

Heureux de sa blague, il bondit sur le pont du canal et partit vers Biscarrosse en gambadant. Loin devant les autres.

Il semblait vouloir les convaincre de leur chance :

Un ciel rayonnant nous convie
À la conquête du bonheur

Avec vos vingt ans d'un seul cœur
Le monde entier se lève et crie :
« Place, place au travail vainqueur
Chantons amis ! Chantons en chœur la vie ! »

Pour ceux-là, il est vrai, la vie chantait. Par tous les pores des peaux brunissantes. Par les bruyères et les genêts. Le vol d'ortolans arrivant à son heure.

Surpris par cette gaieté, un écureuil se mit à vagabonder de branche en branche ; trapéziste roux se raccrochant par les pattes, sa queue fière émoustillée par l'exploit.

Depuis six ans que monsieur Pierre Latécoère avait planté ses ateliers de montage à Biscarrosse, les autochtones voyaient arriver les pièces des hydravions en lourds convois routiers, venant de Montaudran. Ils ne se lassaient pas de les admirer lorsque, quelques mois plus tard, elles prenaient les airs, réunies en une étincelante machine volante. Ils attendaient leur retour. Applaudissaient leurs évolutions.

Certains étaient déjà arrivés, formant de petits groupes devant le hangar aux lettres énormes : le nom LATÉCOÈRE couvrait presque tout le toit.

À ces fervents se joignaient aujourd'hui quelques individus reconnaissables à des tenues qui n'étaient pas celles des champs et des bois mais n'étaient pas non plus celles des plages, des vagues, encore moins des casinos. Saisis chez eux par l'octroi de ces congés surprises, un homme remontait le bavoir de sa salopette sur un pull de marin dont les manches retroussées laissaient voir un tatouage à la gloire des Bat'd'Af' ; des femmes portaient leur robe « de tous les jours » ou la robe étrennée voici dix ans, « pour la communion de la petite ». Une grand-mère avait pris soin de repasser son tablier bleu. À fleurs jaunes. Ses jambes nues plongeaient dans des pantoufles de feutre.

Ce qui aussi avait attiré les curieux c'était l'interrogation, qui encore circulait de groupe en groupe :

— C'est lui qui pilote ?

— C'est lui, oui. Je vous le garantis.

Mermoz ! L'aviateur de tous les courages. Le pionnier de l'Aéropostale ! L'homme qui avait uni Toulouse à Saint-Louis du Sénégal, Buenos Aires à Rio de Janeiro ! Mermoz, vainqueur de la cordillère des Andes au nom magique et, voici trois ans, de l'Atlantique Sud sans escale sur un appareil au nom aussi magique : l'*Arc-en-ciel* !

L'appareil s'annonça, moteur d'abord, corps ensuite, venant comme il se doit de l'Océan.

C'était le Latécoère 300, âgé de trois ans, baptisé *Croix-du-Sud*. Deux hélices au-dessus des ailes. Du pilote.

L'hydravion perdit de la hauteur puis, comme pour se faire désirer un peu, il remonta et, en un élégant balancement de coquette, il effectua un tour complet avant de descendre, jusqu'à se soumettre à ses admirateurs.

— C'est formidable, notre époque ! dit Clément Chassagne.

Cela l'était en effet : la guerre était oubliée, on avait la T.S.F., le phonographe sur lequel on faisait chanter la cire, on avait des congés ; des trains vous voituraient à tarif réduit et l'on voyait un monstre des airs se poser, faisant jaillir deux gerbes d'écume giclant dans le soleil. Loulette avait l'impression d'être dessous, arrosée, rafraîchie par les gouttes de cette époque miraculeuse. Par les gouttes d'or s'échappant de la gloire de Mermoz.

Le grand homme sauta hors de sa carlingue, enleva ses lunettes, accueilli par monsieur Pierre Latécoère entouré de son directeur, de deux ingénieurs et de deux officiers aviateurs de la base de Cazaux qui, lorsqu'il eut retiré sa combinaison, lui servirent d'escorte. Ils passèrent au milieu des touristes, Mermoz simple, amusé de répondre à de timides vivats. Loulette constata qu'il était plus grand que Martin ; que Clément surtout… N'y tenant plus, Carette fonça vers le groupe :

— Bonjour. Je suis mécano chez Hispano-Suiza.

Mermoz sourit :

— C'est bien d'être mécano. Je l'ai été. Et c'est bien d'être chez Hispano-Suiza.

La firme fournissait les moteurs de la *Croix-du-Sud*.

— Nous sommes de la même famille.

Il lui serra les mains.

Carette alors se tourna vers les autres, bondissant de joie :

— Putain ! Quelles vacances ! C'est les plus belles de ma vie !

On ne le tenait plus.

Sans consulter personne, il reprit le chemin de « Marianne sur ses flotteurs ».

— Il faut que je l'écrive aux copains ! Putain que je suis heureux !

Tellement convaincu, convaincant que toute la troupe le suivit et, dans la fraîcheur de l'auberge, sous l'auvent, dans le dortoir, à la plume ou au crayon, chacun se mit à écrire : « Ma chère maman », « Mes chers parents »…

Loulette se tourna vers Benoîte :

— Moi, c'est à mon frère que j'écris. Il est toujours fourré à Matabiau… à regarder passer les trains. Alors, tu te rends compte : s'il voyait un avion qui se pose sur l'eau…

Un scrupule lui vint. La copine ne pouvait pas savoir ce qu'était Matabiau :

— C'est la gare de Toulouse.

Benoîte ne répondit pas ; contente, elle ne savait pas pourquoi, de voir cette fille mal fringuée heureuse à la pensée de la joie qu'elle allait provoquer chez son Titou, amateur de voyages.

Carette vint vers elle, tendant une carte postale :

— J'ai écrit ça. Faut qu'on signe tous. Il le mérite.

Benoîte lut :

« Mon cher Léon,

On est bien aise comme c'est pas possible. Chanceux. C'est grâce à toi. On t'en remercie tous. Les filles t'embrassent et nous, on te serre la pogne. »

Elle demanda :

— C'est qui, Léon ?

— Comment « c'est qui » ?

Le garçon était outré :

— C'est Blum, pardi !

— Ah !

Benoîte ajouta son nom : Bugatti. Elle aurait voulu écrire : Deslandes-Wincker. Elle aurait voulu que sa grand-mère, son père, leurs amis le lisent.

Lorsqu'il eut collecté toutes les signatures, Carette glissa la carte dans une enveloppe qu'il colla avec de grands coups de poing. Pour qu'elle ferme bien : « Monsieur Léon Blum, patron du Gouvernement. Chambre des députés. Face au pont de la Concorde. Paris. »

Il se redressa. Satisfait :

— Je crois que ça lui fera plaisir.

Loulette dit à Benoîte :

— Toi… tu n'écris à personne ?

— Non.

Elle eut peur d'être indiscrète. De raviver un chagrin.

— Tu… n'as pas de famille ?

Benoîte ne répondit pas.

Le regard vague.

Avait-elle une famille ?

Ici, peut-être.

5

Élie Chabrol aborda discrètement Martin :

— Dis-moi... est-ce que mon petit-fils se conduit bien ?

Martin fut surpris :

— Clément ? Mais... oui... Pourquoi me demandes-tu ça ?

— Pour rien, dit le père.

Sa mère l'appelait depuis la petite maison : il fallait brancher la bouteille de butane.

— Si tu m'en parles c'est qu'il y a une raison.

Le père écarta les bras :

— Mais non... Il se conduit bien : tout est en ordre.

Martin le rattrapa :

— Se conduire bien... en quoi ?

Élie Chabrol était partagé : parler ? se taire ?...

Il se gratta la tête :

— Je ne sais pas mais... il me semble que... la petite Loulette ne lui est pas indifférente.

Martin se récria : Loulette était une enfant...

Élie Chabrol n'était pas tout à fait convaincu :

— Une enfant... qui a de grands yeux verts.

Avant que Martin pût parler, il énonça une sentence :

— Yeux marron : c'est tout bon ; yeux bleus : c'est au mieux ; yeux verts : c'est pervers.

Martin haussa les épaules. Avec des dictons de ce style, il n'y a plus besoin de tribunaux : on condamne l'accusé parce qu'il a un long nez, une bouche trop grande, la peau noire. Ou jaune.

Il se força. Un peu. La voix embarrassée :

— Même s'ils se plaisaient... ça ne serait pas un drame.

Le père y consentit :

— Mais... tu sais que nos auberges ne sont pas bien vues de tout le monde. Nous devons être irréprochables.

Il frappa sur l'épaule de son fils :

— Tu devrais penser à ce que je te dis.

Martin promit.

Étonné de cette recommandation. De sa promesse. De n'avoir rien vu. En admettant qu'il y eût quelque chose à voir.

Aujourd'hui, on allait à Biscarrosse-Plage.

Il est vrai que, pour marcher, tout de suite Clément se plaça à côté de Loulette. Ils parlèrent.

Ce que Clément racontait devait être gai : Loulette riait.

Mais, au bout d'un instant, elle s'arrêta. Attendit Bugatti.

Il y avait, à Biscarrosse-Plage, une colonie de vacances. Des gosses de Saint-Denis, dans la banlieue parisienne. Ils logeaient dans la villa « les Hannetons ». Les gens les appelaient les « petits jaunes ». Sans grand mérite d'invention : ils étaient vêtus de jaune. De la tête aux pieds. Et puis, les « petits jaunes », c'est plus facile à retenir que les Dionysiens.

Ils chantaient *Youkaïdi-Youkaïda.*

D'un coup, ils se mirent à courir : pour utiliser les premiers le caillebotis de descente.

Il y avait peu de baigneurs. Un homme, pantalon retroussé aux genoux ; l'épouse et la belle-sœur, robe pudiquement relevée au-dessus des mollets, faisaient trempette avec des minauderies effarouchées :

— Oh… Oh ! Elle est froide !

Une famille montait sa tente. Gros cube de toile blanche et bleue tendue sur des piquets.

Les filles de « Marianne sur ses flotteurs » se déshabillèrent sans gêne : elles portaient leur tenue de bain sous leur robe.

Lorsque Martin vit Loulette dans son maillot bleu, jambes, bras, épaules déjà bronzés, il admit qu'elle avait de beaux yeux. Verts.

Il se sentit rougir. Surpris par l'aveu qu'il dut se faire : s'il était libre, si à cette seconde il était seul avec Loulette, s'il n'avait pas promis à ses parents de veiller sur elle, il la prendrait dans ses bras. Il la serrerait. Tendre. Il ne l'embrasserait pas : il la garderait. Jusqu'à ce qu'elle ait l'âge de recevoir un baiser. Une caresse. C'est lui qui les lui donnerait.

Il lui sembla que tous les copains le regardaient.

Surtout Loulette.

Ses yeux verts l'accusaient.

Il crut utile de mettre ses idées au clair :

— Après tout… en comptant bien… je n'ai que six ans de plus que toi.

Elle tomba des nues :

— Pourquoi me dis-tu ça ?

Il se le demanda !

Se demanda s'il avait rêvé.

Heureusement, Benoîte arrivait. Elle découvrait Loulette. Admirative :

— Oh ! Tu as un beau maillot.

— C'est mon père qui me l'a offert.

Benoîte eut envie de dire : « Ton père s'occupe de tes maillots de bain ? Tu as de la chance ! » Elle garda pour elle sa réflexion, se contentant de remarquer qu'elle avait le même chez elle.

Loulette eut envie de dire : « Tu as deux maillots ? Tu as de la chance ! » Elle ne le dit pas.

Pour vaincre sa gêne, Martin s'était lancé dans un exercice acrobatique : il marchait sur les mains ; le corps, les jambes alignés en une parfaite verticale.

Clément ne voulut pas être en reste : il partit à sa suite.

Les « petits jaunes » se mirent à applaudir.

Florence se tourna vers Carette :

— Allez ! À toi !... Montre-nous ce que tu sais faire.

— Moi ? fit Carette avantageux. Tu n'as pas l'air de savoir que je suis champion corpo d'avancée sur les phalanges !

Tout le monde pouffa :

— Eh ! Oui, bande d'ignares, c'est le titre exact : champion d'avancée sur les phalanges.

Ce fut un beau concert ! Réjoui :

— Alors, montre-nous !

— Fais-nous voir !

— Je vais faire mieux que ça, dit le garçon.

Il traça dans le sable deux sillons parallèles d'une quinzaine de mètres chacun. Séparés par une bande de trente centimètres.

Il se plaça à l'un des deux bouts :

— Je me lance d'ici. Je vais aller là-bas et si, entre les deux points, je mords ne serait-ce qu'une fois à l'extérieur de l'une des lignes, j'ai perdu.

Énoncé avec une telle assurance, le programme impressionna. Des doutes s'envolèrent.

Carette se pencha en avant.

Il se ravisa :

— Je dois vous dire que, après avoir obtenu ma médaille de champion corpo d'avancée sur les phalanges, je me suis livré à un exercice beaucoup plus difficile dans lequel je me suis couvert de gloire puisque je suis aujourd'hui recordman du monde d'avancée sur les orteils.

Ayant dit, il plaça son pied droit entre les deux lignes, puis son pied gauche devant son pied droit et, bras écartés, à la manière des funambules, il se mit en devoir de rallier la fin de l'itinéraire.

Des huées s'élevèrent de toutes les poitrines. Les garçons se précipitèrent sur l'imposteur. Martin et Clément le saisirent l'un par les pieds, l'autre sous les bras et, courant, entrés dans l'eau, ils le jetèrent dans la première vague.

Tout le monde fut éclaboussé.

Benoîte regarda Loulette :

— Le maillot... il te va encore mieux quand tu es mouillée. Il te colle bien au corps et le bleu est plus soutenu.

Loulette ressentit une joie d'adolescente : nul, à ce jour, ne lui avait parlé de son corps.

Benoîte ajouta que son maillot à elle avait une ceinture.

Loulette était radieuse :

— J'en ai une ! Elle est dans mon sac.

Elle courut la chercher.

Benoîte prit l'objet entre ses doigts, intéressée soudain par un détail : à côté de la boucle faite de deux anneaux en Celluloïd, un brin d'élastique s'était dégagé de la tresse. Comme dans sa ceinture à elle. La coïncidence la troubla.

Elle demanda :

— Ton père... tu sais où il l'a acheté ?

Loulette gonfla les joues :

— Pas du tout.

Son bonheur lui suffisait :

— Je sais que j'ai un maillot. C'est tout.

Le jeu de « la boulite » — qui était en vérité le jeu de la bourrique — s'organisait devant les premiers brisants : une fille montait sur les épaules d'un garçon avec pour mission de déséquilibrer l'un des cavaliers — ou plutôt : l'une des cavalières.

D'autorité, Clément Chassagne prit Loulette en charge et, d'entrée, Loulette se mit à combattre. Timide se libérant dans la joie de l'exercice en plein air, de la liberté trouvée ; loin des parents, près des vagues qui caressent vos jambes au-dessus des genoux...

Martin, la regardant, eut envie de proposer à Bugatti de former avec lui un équipage : pour la séparer de sa monture.

Bugatti rappela qu'il convenait d'aller chercher le pain :

— Je prends la bicyclette à l'auberge et j'y vais.

Elle fit ce qu'elle avait dit mais, au bourg, avant d'aller à la boulangerie, elle entra à la poste.

La demoiselle qui tenait le guichet lui passa la communication dans la lourde cabine intérieure. En chêne verni.

— Allô, madame Marthe, c'est Mademoiselle.

Au bout du fil, la servante était intimidée.

— Madame Marthe, je ne voudrais pas vous embêter mais... dans votre linge à repasser... vous avez dû trouver mon maillot bleu... Vous serait-il possible de me l'envoyer ? Je vais vous donner l'adresse.

Un silence se fit.

La servante murmura :

— C'est que... justement... il n'était pas dans le linge.

— Pas dans le linge ?... Comment cela se fait-il ?

Le silence parut s'aggraver.

— Quelqu'un l'aurait volé ?

— Je... ne sais pas... Oui, peut-être, finit par consentir madame Marthe.

Benoîte remercia. Raccrocha. Perplexe : parmi toutes les valeurs que contenait la Tolosane, pourquoi quelqu'un aurait-il choisi d'emporter son maillot de bain ?

Elle appela Biarritz.

La voix de sa mère lui parut plus vive mais, elle s'en rendit compte bien vite, c'était la vivacité de l'inquiétude : madame Deslandes-Wincker se tourmentait encore de son audace. Elle appréhendait son retour. L'accueil de Madame Mère. La violence.

— Tu ne la contraries pas trop, j'espère ?...

— Pas du tout.

La formule — rassurante — évitait de donner des détails.

Benoîte termina la conversation par de gros baisers. Qui n'empêchaient pas une maussaderie.

La boulangère considéra son short avec un air de grande moralité :

— Bientôt, elles viendront toutes nues.

Une bien renseignée approuva :

— Dans leur baraque... il y a filles et garçons... On mange ensemble, on dort ensemble.

Benoîte ne voulut pas entendre. Ou peut-être : n'entendit pas. Ne pensant qu'à sa mère. Et surtout à son maillot de bain disparu. Se retrouvant sur le dos de Loulette.

Toutes deux furent chargées d'ouvrir les boîtes de sardines. Deux sardines par personne.

Benoîte ne voulait pas venir trop vite au sujet. On peut même dire qu'elle partit de loin :

— Qu'est-ce que tu fais, toi, en dehors d'ici ?... Tu as un métier ?

— Je vais en avoir un, dit Loulette.

Elle se sentit fiérote :

— Peut-être dans un bureau... J'ai eu le brevet en juin.

À son tour, négligemment, elle demanda :

— Tu l'as, toi, le brevet ?

— Non.

— Tu devrais l'essayer. Quand tu l'as tu peux passer l'examen des postes.

Benoîte était attendrie. Et dans le même temps : gênée. D'être Bugatti devant cette fille qui ne lui cachait rien.

Elle n'osait pas questionner. Soupçonner.

Loulette était limpide :

— C'est parce que j'ai eu mon brevet que je suis ici… C'est mon père qui l'a dit : « Pour ta récompense. »

Benoîte la regardait. Dans son bonheur :

— Mon père c'est un héros !

— De la guerre ?

Non, Albert était un combattant du travail. Un lutteur pour le pain et les roses :

— Il est aimé de tous.

Benoîte sourit :

— De toi surtout.

— Il a l'estime de ses camarades. Je l'ai vu.

Loulette consentit à s'attendrir un peu :

— Mais… bien sûr… moi aussi, je l'aime.

Petite confidence :

— Il n'a pas d'argent et dès qu'il en a… c'est pour moi.

Elle rectifia :

— Pour nous… avec Titou.

Les copains se rassemblaient autour du feu :

Quand nous chanterons, le temps des cerises
Et gai rossignol, et merle moqueur
Seront tous en fête…

Benoîte se tut. Ressentant une petite jalousie. Elle se souvenait de son temps des cerises. Cette soirée de merles et de rossignols où son père l'avait appelée Bugatti.

Le moment ne s'était jamais renouvelé.

Mais il est bien court…

… Tellement court qu'elle se demandait s'il avait jamais existé.

C'est de ce temps-là que je garde au cœur
Une plaie ouverte.

Benoîte le savait : elle garderait toujours sa plaie ouverte. La plaie des enfants qui ont tout. Et auxquels manque l'essentiel. La plaie ouverte dans le cœur de sa mère aussi. Dans sa santé. Presque sa raison.

Loulette était partie dans le dortoir.

Benoîte posa son regard sur ceux qui l'entouraient. Garçons et filles dont la plaie ouverte dans la médiocrité des sans argent, sans école, sans rien, se résorbait dans la fraternité de balades en groupe, de feux de camp ; dans la poignée de main que, sur son passage, pouvait leur donner un Mermoz : aucun de ces opprimés ne connaissait l'oppression d'une famille dictatoriale, l'étouffement d'un monde cadenassé par des soucis d'apparence, des volontés de domination, des morales aussi hautement proclamées qu'elles étaient bassement bafouées.

Loulette revenait.

Elle mit sous les yeux de Bugatti la photo du stand de tir ! À la fête des allées Jean-Jaurès :

— Le voilà, mon papa !

Benoîte pâlit : monsieur Albert ! Le jardinier-chauffeur auquel elle avait fait parfois la conversation ! C'est lui qui avait pris le maillot de bain !

Loulette embrassa la photo :

— Ce jour-là aussi, il n'avait que quelques sous… Cela avait été pour moi… avec la carabine… pour qu'on soit ensemble… en souvenir.

Benoîte ne pouvait plus parler.

Mille soubresauts agitaient sa gorge : Loulette avait un père capable de voler pour elle ! Pour qu'elle ait, pour la première fois, des vacances !… Monsieur Deslandes-Wincker chaparderait-il ainsi un maillot ? En aurait-il seulement l'idée ? Savait-il où elle était en ce moment ? Appelait-il la Tonkinoise pour le savoir ? Des idées traversèrent son esprit. À crier : son père ne volerait pas pour elle mais il volerait pour lui. Pas un maillot, non : des millions de maillots. De ceintures. De bonnets de bain. Il annexerait des plages, commettrait de ces filouteries dont le gigantisme garantit à leurs auteurs des admirations sans partage, des complicités sans faille, des relations pare-tonnerre. Benoîte savait cela. Des murmures le lui avaient appris. Et elle savait aussi que si l'une de ses affaires indochinoises s'était retournée contre lui, Madame Mère aurait redressé sa taille, sa hargne, toute son arrogance pour dire à ses petites-filles : « C'est pour vous que votre père a agi. Pour vous assurer une bonne éducation. »

Benoîte savait qu'elle n'aimait pas sa grand-mère. À cet instant, elle se rendit compte qu'elle la détestait.

Le lendemain, Florence, Juliette, le couple Blondin : Robert et Christiane partirent pour la messe.

Une heure après, les autres décidèrent d'aller les attendre à la sortie.

Dans le cahier de Martin, Benoîte avait cueilli une nouvelle chanson. On ne peut pas dire qu'elle correspondait à sa situation mais elle l'attaqua avec une grande conviction :

Nous sommes la jeune France,
Nous sommes les gars de l'avenir,
Élevés dans la souffrance,
Oui, nous saurons vaincre ou mourir.

Martin, Clément, quelques autres se joignirent à la soliste :

Nous travaillons pour la bonne cause
Pour délivrer le genre humain
Tant pis, si notre sang arrose
Les pavés de notre chemin.

Carette était aux anges : au Concert Pacra, il avait souvent applaudi ces couplets de vaillance juvénile lancés par leur créateur : Montéhus, le chansonnier anarchiste. S'accompagnant sur leur accordéon ou sur leur crincrin râpé, les chanteurs des rues — les vedettes du casino des courants d'air — ne manquaient pas d'en enrichir leur répertoire lorsqu'ils savaient l'ambiance favorable à la révolte : lorsque les prix faisaient un bond en avant, que le chômage grondait à la porte des usines. Ou simplement lorsqu'on approchait de la fin du mois.

Plus fort que tout le monde, il entra dans le refrain :

Prenez garde ! Prenez garde !
Vous les sabreurs, les bourgeois, les gavés !
V'là la jeune garde ! V'là la jeune garde !
Qui descend sur le pavé.

Il n'y avait sans doute pas de sabreurs à Biscarrosse mais, sur le seuil de la pharmacie, quelques rictus montrèrent que les paroles produisaient leur effet. Benoîte crut remarquer que telle vieille dame portant ruban noir à son cou montrait soudain des tics qui n'étaient pas sans lui rappeler ceux de Madame Mère. Dans ses plus mauvais moments.

Les cloches annoncèrent la fin de l'office.

Des fidèles se dirigèrent vers la pâtisserie Larché, désireux d'être servis les premiers. Ils repartirent bientôt, tenant de deux doigts délicats le ruban de papier de la dominicale boîte à gâteaux.

Des hommes entrèrent au Café de l'Orme, chez

Lalanne, bien décidés à taper une belote avant le déjeuner. Ou une manille. D'autres allèrent rejoindre leurs copains chez Pradines, au Commerce où, cartes en mains, les menteurs faisaient retentir le bistro de rudes :

— Truc !

— Bire !

— Jogue !

— *Aqui qué l'as*[1] *!*

Sur la place, de petits groupes s'étaient formés, bravant l'appel de l'appétit pour obtenir des nouvelles de la grande Marcelle, du petit Seignosse, de l'aîné des Labat auquel, tombant de sa charrette, une barrique de résine avait brisé le tibia. Ayant quitté chasuble et surplis, monsieur le curé, longue soutane et béret landais, prodiguait propos souriants et judicieux conseils.

Voyant Carette en admiration devant l'orme plusieurs fois centenaire, fierté des Biscarrossais, une aimable personne décida de jouer les guides touristiques :

— Figurez-vous, mon garçon, que, voici des siècles, le curé de la paroisse accusa en chaire une toute jeune fille d'avoir fauté… Vous voyez ce que je veux dire ?

Carette voyait.

Du haut de son prône, le défenseur de la vertu avait annoncé que, pour pénitence, la pécheresse serait, après l'office, attachée à l'orme où les paroissiens lui montreraient leur mépris :

— Eh bien, savez-vous ce qui s'est passé, mon garçon ? Comme les paroissiens commençaient à se moquer de la suppliciée, l'arbre se mit à fleurir… produisant, sur

1. Le truc : jeu à trois cartes où il convient de tromper l'adversaire sur leur importance. Truc : j'ai du jeu, je provoque ! Bire : tourne, fais voir. Jogue : joue ! Le joueur abattant sa carte : *Aqui qué l'as !* Tu l'as ici !

son tronc, des fleurs blanches, mon garçon !... Blanches : qui prouvaient la virginité de l'accusée !

La dame complaisante était radieuse :

— C'est une belle histoire, hein mon garçon ?

On le sait : Carette était bon zigue. Il voulut faire plaisir à son informatrice :

— Oui. À Paris, quand je vais au music-hall, ce que je préfère c'est ça : les raconteurs de blagues !

La dame complaisante en fut médusée : conter une histoire qu'on juge édifiante et se voir comparer à un bateleur de caf'conç' dépassaient l'entendement !

Monsieur le curé était bien de cet avis : pas plus tard que ce matin il avait expliqué à une petite adolescente que si elle n'embrassait jamais les garçons, plus tard le Bon Dieu la recevrait en son paradis :

— Savez-vous ce qu'elle a fait ? Je vous le donne en mille : elle a éclaté de rire.

— Il faut dire qu'il y avait de quoi ! affirma Benoîte avec un air sincère.

Monsieur le curé et son ouaille étaient abasourdis. Sonnés.

Les ajistes déjà repartaient. Pour certains, missel en main :

Prenez garde ! Prenez garde !
Vous les sabreurs, les bourgeois, les gavés !

Ils en étaient au dernier couplet :

Nous ne voulons plus de famine
À qui travaille, il faut du pain
Demain nous prendrons les usines !

Venu entendre la messe à Biscarrosse, monsieur le directeur de la Cellulose de Pin crut que le sol se dérobait sous son pas.

Des usines, Eugène Téchoueyres n'en possédait pas. Comme d'autres, il avait quelques pins. Quatre vaches. Et une femme qui volontiers balayait l'église, en lavait les carreaux, fleurissait l'autel. Cela valait à la fille, Hortense, à l'oreille fantasque, d'être admise autour de l'harmonium.

L'Eugène, lui, tout le monde le connaissait. Personnage un peu résineux des mains, de la chemise et surtout du béret. Pointé en avant. Cassé sur le front. Brillant de crasse et de gemme sédentaires.

Lorsque monsieur Élie Chabrol eut exposé son affaire, il le regarda, l'examina, se dandina, se balança sur un pied. Sur l'autre.

Puis :

— Vous me demandez l'autorisation d'enlever du bois chez moi ?

— Oui.

— C'est bien. C'est très bien.

À nouveau : le silence. La réflexion. Le béret rejeté en arrière. Ramené en avant. La joue râpeuse grattée d'un ongle sale. Puis, le bonhomme hocha la tête. Persuadé :

— Eh bé, monsieur, vous avez bien fait de me demander… parce que si vos galapiats s'étaient servis sans m'en parler, je leur aurais foutu mon pied dans le cul… à tous… autant qu'ils sont.

Il éleva la voix. Convaincu. Didactique :

— J'ai fait mon service dans la marine, moi monsieur, et je peux vous dire que les gosses, c'est comme les navires : ça se dirige par l'arrière.

Il était sérieux comme un tronc d'arbre. Rugueux comme ses écorces :

— Qu'est-ce qu'ils font ici, ces droulasses qu'on ne connaît pas ? Avec ces drôlesses qui montrent leurs cuisses à la sortie de la messe !

Élie Chabrol fit observer que la tenue des ajistes n'était pas indécente.

— Elles étaient en culottes courtes ! tonna l'Eugène… Eh bien ici, monsieur, ce sont les drôles qui portent des culottes, et les femmes mettent des robes qui cachent leurs attirances !

La conversation était difficile.

Avec un grand naturel, l'Eugène changea de ton :

— Maintenant, question bois, celui qui est autour de vous, je viens juste de le couper : il est vert. Il vous fumerait les côtelettes au lieu de les cuire.

Écartant les fougères, enjambant des branches à terre, il entraîna son visiteur à trois cents mètres de là ; ne sachant qu'une chose : si les Bordelais[1] venaient ici l'été, il faudrait leur construire des routes, les désensabler, bâtir des cabines de bain et peut-être même des vatères-closets publics.

— Et alors ? Qui paiera tout ça ? Nous, les couillons d'ici qui ne nous servirons jamais des cabines de bain parce que nous ne nous baignons pas et qui n'utiliserons pas vos vatères parce que nous en avons dans notre jardin !

Il se mit en colère :

— Et vous, vous reviendrez l'été prochain. Et pourquoi vous reviendrez l'été prochain ? Pour faire augmenter le coût de la vie !

Il avait crié.

Il se calma d'un coup. Du doigt, il indiqua des branches à terre. Grises :

— Voilà. Ce bois, je voulais vous le montrer parce que… faut pas le ramasser : il vaut rien.

1. Avant d'être des vacanciers, ou des aoûtiens, en Gironde et dans les Landes les touristes furent uniformément appelés des Bordelais. Puis des Parisiens. Arcachon avait ses « villégiaturants ».

Il prit une branchette dans sa main. La brisa. Appuya dessus. L'effrita :

— C'est mort, ça, vous comprenez ? Alors, c'est plus du bois : c'est du son. Ça vous ferait pas une braise.

Sous son pouce rude, la branche devint poussière. S'envolant devant lui.

L'Eugène ne s'attarda pas : il reprit le chemin qu'il venait de parcourir, arriva à son point de départ, le dépassa, sauta un fossé, marcha encore longuement dans l'odeur des galipes[1] et du sous-bois, de la terre et de la bruyère. S'arrêtant enfin, il tendit la main, montrant au sol les résidus de précédents étêtages :

— Voilà, monsieur, ça c'est du bois ! Avec ça vos droulasses seront contents de l'entrecôte !

Élie Chabrol remercia. Serra la main.

Il avait parcouru cinquante bons mètres lorsque la voix de l'Eugène le rattrapa :

— Hé ! Vos drôlesses, dites-leur de se mettre des nippes sur le cul. Ça fera plaisir à ma femme. Et à d'autres.

Élie Chabrol promit.

La voix le rattrapa à nouveau :

— J'y pense : le lait, à ce qu'on m'a dit, vous le prenez à la ferme de Campet Siméon ? Bon, bé, si vous le prenez chez moi, je vous le ferai un sou de moins. Ça vous fera des économies et moi... ça me dédommagera un peu... pour le bois fourni.

Le lendemain matin, comme les randonneurs mettaient sac au dos, le père leur fit part des doléances reçues. Il n'en exagérait pas l'importance mais les auberges de jeunesse étaient, en France, une expérience nouvelle. Elle devait réussir :

1. Les copeaux tombant du pin lorsqu'on l'entaille pour faire couler la résine.

— Pour cela, il est important de ne pas heurter les populations.

Bugatti intervint :

— Je ne vois pas comment on peut faire une expérience nouvelle si on obéit à ceux qui refusent toutes les nouveautés.

Élie Chabrol fut surpris par le propos : l'expérience, on la vivait ici. Entre soi. Il était inutile de s'exhiber, de provoquer.

— Nous ne provoquons personne ! lança Bada le chapelier.

— Vous êtes allés devant l'église à la sortie de la messe, vous avez entonné un chant qui…

Bugatti fit part de ses inclinations :

— Elle me plaît bien, cette chanson.

Le père n'avait pas dit qu'elle lui déplaisait. Mais il se rendait compte qu'elle ne devait pas plaire à tout le monde. De plus, il y avait eu des propos moqueurs à l'encontre des paroissiens, du…

— Je sens qu'on glisse dans le bénitier ! observa Carette.

Le père le regarda :

— On ne glisse pas dans le bénitier parce qu'on respecte la foi.

Robert Blondin se rebiffa :

— Puisque nous étions à la messe, c'est que nous la respectons.

— C'est même que nous la partageons, ajouta sa femme.

La surprise du père monta d'un cran.

Il se tut. Se rendant compte que, croyants ou pas, peintres ou secrétaires, mécaniciens, instituteurs, étudiants, ces jeunes étaient ensemble.

Désarçonné dès l'abord, il en éprouva bientôt une satisfaction. Cette unité du groupe était la réussite de l'auberge : ces garçons et ces filles faisaient cause commune parce que leur cause commune était la jeunesse. En plein air. Au soleil. À l'intérieur de frontières tracées par eux.

Élie Chabrol se contenta de murmurer :

— Je vous fais confiance.

Tout le monde perçut la sincérité.

En avant, jeunesse de France,
Faisons se lever le jour.

Direction : la pointe d'Arcachon.

On s'arrêterait peut-être avant. À la maison forestière. On reviendrait par la plage.

Martin attendit Bugatti. Malicieux :

— Je ne te savais pas révolutionnaire…

— Si tu n'es pas révolutionnaire, c'est que tu ne vois pas bien le monde.

Martin sourit plus largement :

— Toi, tu le vois bien !

— Dans tous les cas, mieux que toi.

— Pourquoi mieux que moi ?

— Parce que tu es un homme.

Le garçon ne s'attendait pas à ça.

Pour autant, il ne perdit pas son ironie :

— Les hommes voient moins bien que les femmes ?

Elle rectifia :

— Les privilégiés voient moins bien que les autres : les hommes en font partie.

La conversation semblait aller au rythme des godillots :

— C'est un homme, ton père, qui nous a rappelé nos devoirs.

Pas ta mère. Je la voyais à sa fenêtre : elle équeutait ses haricots verts.

— Mais…

Bugatti n'accepta pas l'interruption :

— Et ton père, c'est aux filles qu'il a fait des reproches : parce qu'elles étaient en short.

C'était indéniable pourtant : Carette aussi était en short ! Et Bada. Et René. Et Clément : le père ne leur avait rien dit. Les paroissiens n'avaient fait aucune réflexion à leur sujet.

Martin se tut.

C'est Bugatti qui alors se mit à sourire :

— Hé ! Ne sois pas sombre. La vie est comme ça : je ne te dis pas que c'est ta faute !

Une pigne tomba à leurs pieds, faisant s'envoler un oiseau.

— C'est une pie ! estima Carette, les yeux fixés sur les branches hautes d'un chêne.

Les autres doutèrent de ses compétences.

Vexé, le Parigot en appela au témoignage d'un résinier qui, là-bas, entaillait un pin.

L'homme ne se fit pas prier :

— Bien vu, mon drôle : c'est une pie.

Le « drôle » se rengorgea.

Le type compléta son information :

— C'est une pie mais ici... nous autres, en patois, on appelle ça un geai.

« Ouais ! Ouais ! Ouais ! » approuva lc gcai.

Carette eut vaguement conscience que le gars se moquait de lui. Et peut-être l'oiseau. Et sûrement les copains.

Ils s'étaient avancés.

Le « pignadier », comme disaient les vieux, était perché sur une espèce d'échasse qu'il avait appuyée à l'arbre : une échelle à un seul montant munie de degrés sur l'un desquels il avait posé un pied. L'autre pied pressait le tronc, le maintenant en équilibre pendant que d'une main armée d'un hapchot[1] il entaillait le pin.

1. Hache à deux lames de dimensions différentes.

— Il faut être acrobate pour tenir là-dessus, fit Bada histoire d'entrer en conversation.

— Il faut surtout avoir l'habitude, répondit le bonhomme : en trente années, on la prend.

Il monta le pot de deux centimètres, descendit de son piédestal, se roula une cigarette et, ayant copieusement passé sa langue sur le bord gommé, il se lança dans un cours magistral duquel il ressortait que, contrairement à ce qu'il en était dans le reste des Landes, la forêt de Biscarrosse n'avait pas attendu Brémontier pour voir le jour. Au XVIIe siècle, Bordeaux et La Teste faisaient commerce de ses produits résineux. Le type en tirait une certaine fierté.

À quelques dizaines de mètres de là, l'épouse allait d'un arbre à l'autre, vidant le pot plein dans un baquet de bois qu'elle tenait sur son ventre.

Lorsqu'ils passèrent près d'elle, les garçons et les filles constatèrent que, au point fixe où elle revenait toujours, se trouvait une grosse barrique dans laquelle elle versait le contenu du baquet.

Du menton, elle désigna le gros récipient :

— Trois cent quarante litres... Il en faut des pots pour le remplir.

Elle était déjà partie. Comme glissant sur le sol d'aiguilles de pin. Pensant qu'elle ferait cela jusqu'à ce soir. Jusqu'à toujours.

À la maison forestière, on les autorisa à tirer l'eau du puits. Elle était fraîche.

Florence avait sorti les pêches de la musette. Il y avait des grosses et des petites. Elle les coupa en deux : chacun prendrait une demi-grosse et une demi-petite.

Loulette s'était placée près de Benoîte. Elle voulait revenir sur cette histoire de révolution. À cause de son père. Et de son monde meilleur.

La tranche de rôti de porc froid fut avalée, les moitiés

de pêches englouties : Loulette n'avait pas parlé. Pas questionné.

La dune, plantée de gourbets, faisait penser à un gros crâne chauve, parsemé de rares cheveux roux.

Des vaches étaient là, troupeau libre, regardant ces minuscules arrivants. Ils ne pouvaient pas les impressionner : depuis toujours, elles avaient, dans leurs gros yeux, la vision infinie du ciel, des eaux.

Un chalutier voguait. Suivant la côte.

— Les marsouins !

Chacun mit sa main en visière. Effectivement, derrière le bateau, quatre ou cinq ombres noires sortaient des flots, plongeaient, reparaissaient.

— C'est l'odeur du poisson qui les attire.

— L'odeur et puis un peu plus : ils bâfrent les sardines qui s'échappent du filet.

— Je suis un marsouin ! cria Clément.

Il se mit à marcher à quatre pattes dans l'océan. Entrant sa tête dans la première vague, émergeant, recommençant.

D'autres le rejoignirent. Marsouins rieurs. Pleins de dynamisme.

Benoîte se tenait à l'écart. Assise au pied de la dune.

Loulette s'approcha.

S'assit, elle aussi.

Elle se décida :

— Tu es malheureuse ?

— Non.

Elle insista :

— Je vois que tu es malheureuse.

— C'est quelqu'un d'autre qui est malheureux.

— Quelqu'un que tu connais ?

— Oui.

On n'entre pas facilement dans tous les domaines. Il le fallait pourtant :

— Un… garçon ?

— Je préférerais.

Loulette était très étonnée : pouvait-on souhaiter souffrir d'amour ?

Benoîte expliqua. À voix basse :

— Un garçon, ça passerait.

Elle voulut sourire.

Loulette se rendit compte qu'elle ne le pouvait pas, qu'elle avait une grande envie de pleurer... Sûrement elle allait le faire...

Benoîte s'en rendit compte aussi. Alors, comme pour retenir ses larmes, elle se libéra :

— Ma mère.

Précipitamment, elle se leva.

Loulette la rejoignit. Plus douce que jamais !

— Je... peux faire quelque chose ?

— Oui. Tu oublies ce que je viens de te dire.

Elle avait presque crié.

Elle courait sur la plage.

Les autres faisaient toujours les marsouins.

Sauf Robert et Christiane qui, suivant le littoral à petits pas en portant les vêtements des plongeurs, ressemblaient à des parents attendant que leurs gosses aient fini de jouer.

Les « gosses » sortirent de l'eau.

Ils continuèrent leur marche en jouant à saute-mouton. Par équipes de cinq : lorsqu'on en avait passé quatre, il en restait encore quatre. Déjà en place.

Les « petits jaunes » les virent arriver de loin. Ils coururent vers eux. Les entourèrent. Les entraînèrent vers les balançoires où ils confièrent aux plus grands le soin de les pousser.

Des ouvriers de la chaussure étaient venus de Périgueux pour passer quelques jours au soleil. Tous de la même entreprise. Avec les épouses, les enfants. Un grand-père avait ôté son veston. Sa chemise blanche bouffait dans le dos, entre les bretelles larges.

Sa vieille lui dit :
— Tu devrais enlever tes chaussettes.
Il s'obstinait :
— Je suis très bien.
— Tu es bien mais après tu verras : tu auras du sable.
Le pépère était sûr de lui :
— Voir le sable : c'est pour ça que je suis venu.
Il ôta son canotier. S'en servit d'éventail. S'essuya le front. Puis il le remit et finalement le posa à côté de lui. D'autres hommes portaient une casquette.

Ils étaient par petits groupes. Quelques jeunes ensemble, les deux sexes en maillot d'une pièce. Noir. Ou alors femmes en robe, hommes en complet de pacotille. Qui sentait son Conchon-Quinette. Ils se faisaient passer une bouteille de vin blanc. Le reste d'à midi. Ils partageaient une tarte à la frangipane. Le sucre blanchissait les lèvres d'une fillette. Son frère pleurait : chaque fois qu'il se levait, son slip de grosse laine, alourdi par l'eau, tombait à ses pieds. Il accusait sa mère de ne pas savoir tricoter.

Les vagues hautes se succédaient, battant les « petits jaunes » agrippés à la grosse corde que tenait la cheftaine :
— Ne la lâchez pas. Surtout ne la lâchez pas !... Huguette, reste avec les autres, je te prie.

Plus fort que les précédents, un rouleau culbuta un loupiot qui ne s'y attendait pas. Il voulut se relever mais il ne le put pas. La cheftaine demanda à Loulette de tenir le bout de la corde. Elle se précipita vers le gosse, le prit dans ses bras, tenta de le faire rire de l'incident. Il n'en avait pas envie.

À ce moment, on vit Bugatti arriver en courant et, sur sa lancée, se jeter à l'eau, franchissant la première vague, nageant vers la seconde. On crut à un exercice de sportive mais bientôt, tout le monde comprit : sous sa crête d'écume, un rouleau portait un gosse qui ne parvenait plus à se débattre, son corps allongé dans la transparence verte du brisant.

Martin plongea à son tour.

Il mit du temps à rejoindre Benoîte. Lorsqu'il y parvint, elle avait saisi l'apprenti noyé. Mais elle n'avait visiblement pas l'habitude du sauvetage. Le gosse s'accrochait à son cou, l'étouffait. Elle avait peur de couler avec lui :

— Je ne peux plus respirer.

Martin détacha les bras. Il lui fallut toute sa force. Il regardait Benoîte. Congestionnée :

— Reprends ton souffle. Reprends. Maintenant, on le tient. On a le temps.

Il la soutenait elle aussi.

Ils arrivèrent sur la plage où maintenant tout le monde était debout. Regardant ce retour avec, encore, des yeux anxieux.

Bugatti avait allongé le gosse sur le sable. Elle appuyait sur son thorax. Puis elle plia et déplia ses bras. Il avait une dizaine d'années. Elle le frictionna, heureuse de le voir retrouver ses esprits.

La cheftaine de la colonie le regarda. Soulagée :

— Ce n'est pas un des miens.

Un adolescent s'était approché. Il tremblait :

— C'est mon cousin. C'est moi qui l'ai amené. Sur mon vélo.

Des cris alors s'élevèrent. Alarmants. On crut à une deuxième noyade.

Mais non : lors de l'alerte, comme les autres, le grand-père aux chaussettes, toute sa famille s'étaient levés, avaient cherché à voir. Ce sont eux qui maintenant ameutaient la foule :

— Tout était là ! Les vêtements ! Tout le reste !

À voir le canotier voguant telle une barque de paille, on aurait pu avoir envie de rire. Un homme parvenait à rattraper le veston qui, plus lourd, se contentait de rouler dans les premières eaux. Il n'en était pas de même pour la boîte de gâteaux, la serviette blanche aux initiales brodées de rouge, le sac à main, le parapluie et surtout le portefeuille qui n'était plus dans la poche du veston :

— Mes papiers ! Mon argent !

Martin, tous les ajistes, les ouvriers du cuir battirent les flots, tentant de retrouver les objets volés par l'océan.

On ramena un mouchoir, *La Semaine de Suzette* en bien mauvais état, la béquille d'un mutilé qui se lamentait avec les autres.

Le vieux tomba à genoux :

— Il y avait ma pension ! Je n'ai plus rien !

Il ne comprenait pas :

— J'avais tout posé ici... La mer ne venait que jusque-là.

La grand-mère gémit :

— Dans mon sac, j'avais quelques sous.

Son grand fils l'accusait :

— Tu avais surtout mon fric ! Je te l'avais confié pour aller me baigner.

La vieille répéta :

— L'eau nc vcnait que jusque-là. J'en suis sûre.

Un citoyen d'expérience haussa les épaules :

— Vous ne savez pas que la mer monte ?... Qu'elle descend ?

— Mais... non, fit la vieille, sincère, déjà fautive.

L'épouse du renseigné avait unc voix supérieure :

— Quand on ne connaît rien, on reste chez soi.

Un gros qui était du périple périgourdin embrassa l'aïeule :

— T'en fais pas, grand-mère. On va arranger ça.

Il se tourna vers ses copains :

— Camarades, il n'est pas possible que, au cours de ce voyage comme nous n'en avons jamais fait, quelques-uns d'entre nous restent dans la tristesse. Je vous propose de retrouver dans la fête la solidarité que nous avons su montrer dans nos luttes.

Il se saisit des deux coins d'une couverture militaire servant aujourd'hui de nappe au pique-nique. En habitué du « drapeau [1] », un autre ouvrier prit les deux autres coins. Les pièces tombèrent. Quelques billets.

Les ajistes se regardèrent.

Carette partit le premier. Suivi de Loulette, Martin, Clément... De tous.

Cela ne lui suffisait pas : le constructeur d'Hispano-Suiza entraîna les quêteurs vers le couple spécialiste du flux et du reflux...

— ... C'est pour la mémé.

Le monsieur regarda le ciel.

L'épouse au contraire baissa la tête.

Les Périgourdins seraient partis mais Carette enfla la voix :

— C'est pour la mémé.

La dame alors farfouilla dans son porte-monnaie. D'une main tremblante, elle jeta son aumône. Donnant l'impression que prudence est parfois mère de charité.

Les ajistes décidèrent de rentrer. Ils escaladèrent les caillebotis sans parler.

Martin avait été surpris par Bugatti. Ce matin par ses propos. Il y a un instant : par son porte-monnaie. Plus gonflé que celui des autres. Qui versaient dans le « drapeau » des oboles de bronze, de nickel. Benoîte avait eu beau le chiffonner jusqu'à en faire une boule, il avait bien vu qu'elle lançait un billet. Bistre. Le « pêcheur devant Concarneau » : vingt francs.

Il s'approcha d'elle :

— Si tu veux, demain on parlera.

1. La tradition populaire voulait que, à la sortie des réunions, des meetings, quatre militants tendent un drapeau — rouge, noir, tricolore... — dans lequel chacun jetait son obole.

— J'ai dit ce que je voulais dire.

Devant la chapelle de bois, Christiane et Robert se signèrent. Clément estima qu'il était temps de reprendre les bonnes habitudes :

Trois jeunes tambours s'en revenaient de guerre
Trois jeunes tambours s'en revenaient de guerre
Et ri et ran, ran pa ta plan...

Se plaçant à ses côtés, Bada le soutint dans sa tâche : avec des baguettes imaginaires, il battit des *ra* et des *fla* qui, à coup sûr, lui procuraient un grand bonheur.

Carette ne pouvait pas faire moins : ramassant une courte branche, il courut se placer en tête du défilé où il prit des allures de tambour-major. Pas très adroit : expédiée en l'air, la canne retombait sur le chemin de sable.

La fille du roi était à sa fenêtre
Et ri et ran, ran pa ta plan...

À l'arrivée, la toilette réjouit tout le monde. Les deux douches étant occupées, on trempait sa tête dans un seau, on en expédiait le contenu sur un copain. Qui se vengeait de même manière.

— Les nouilles prennent au fond : remuez-les ! cria Juliette occupée à se changer dans le dortoir.

Le père arriva, accompagné d'un couple. Lui, grand, fort. Trente-cinq ans environ.

Le père le désigna :

— Je vous présente monsieur Léo Lagrange, sous-secrétaire d'État aux Loisirs, qui nous fait la surprise de venir nous voir.

Les jeux et les rires cessèrent d'un coup.

Martin n'était pas le moins impressionné :

— Monsieur le Ministre...

Le ministre lui tendit la main :

— Moi, c'est Léo.

Il serra la main de Loulette :

— Ma femme s'appelle Madeleine.

Carette avait de la peine à se remettre. Il décida de vaincre l'émotion. Lui aussi tendit sa main :

— Bonjour, Madeleine… C'est gentil de venir nous voir. Je disais aux copains : « Elle m'a promis. Sûrement, elle ne va pas tarder. »

Tout le monde rit.

Madeleine entra dans le jeu :

— Je tiens toujours mes promesses !

Léo demanda :

— Où est mon lit ?

Le père s'empressa :

— Vous coucherez à la maison, monsieur le Ministre. Ma femme va préparer…

Le ministre montra le dortoir des garçons :

— Je coucherai ici.

… Le dortoir des filles :

— Et Madeleine couchera là. Nous serons très bien… Qu'est-ce qu'il y a à manger ?

Christiane Blondin répondit modestement :

— Il y a des pâtes.

Son mari rectifia :

— Il y *avait* des pâtes : elles sont brûlées.

On parla du riz en salade restant de la veille.

Les plus conscients observaient la carcasse du ministre : il devait en falloir des grains de riz pour remplir tout ça.

C'était la soirée des visites. L'Eugène arrivait. Il paraissait embarrassé. Son épouse osait à peine parler :

— C'est… pour la jeune fille qui a plongé dans l'océan.

— Et aussi pour le jeune homme, ajouta l'épouse.

L'Eugène se racla la gorge :

— C'est notre fils qui se noyait.

Un petit froid se glissa dans l'assistance.

La femme posa deux paquets sur la table. Enveloppés dans du papier journal.

Le mari expliqua :

— On vous a apporté deux poulets. Un pour chacun.

— Et aussi une douzaine d'œufs.

— Chacun, répéta l'Eugène.

Il crut devoir préciser que les poules commençaient à moins pondre :

— Ce n'est pas comme à Pâques.

Visiblement, il aurait voulu être ailleurs. Près de son garçon, peut-être.

La femme demanda à embrasser la demoiselle. Qui en fut gênée.

Pour l'aider, les autres l'applaudirent.

Loulette pensait : « C'est elle la plus fêtée : c'est elle la plus malheureuse. »

La gêne revint pendant le repas. Lorsque le Ministre se tourna vers l'héroïne :

— On doit être fier quand on sauve quelqu'un.

Benoîte le regarda. Muette. Pensant à la personne qu'elle voulait sauver.

Elle finit par dire :

— Ce que j'ai fait…

Elle rectifia :

— Ce que nous avons fait… d'autres l'ont déjà fait… d'autres le feront.

— Mais d'autres ne le font pas.

À Loulette qui, cela se voyait, était la plus jeune :

— Pourquoi ne t'es-tu pas jetée à l'eau, toi ?

Loulette se détourna :

— Je ne sais pas nager.

— Et toi ?

— Moi non plus.

— Et toi ?

Bada baissa la tête.

— Voilà qui il faut sauver, dit le ministre : la jeunesse.

— C'est pour ça que vous avez créé les auberges ?

Le ministre rectifia. Il n'était pas le créateur des auberges de jeunesse. Elles avaient vu le jour en Allemagne au début du siècle. En 1930, Marc Sangnier avait tenté l'aventure en France en lui donnant le caractère confessionnel qui lui était cher. Puis il y avait eu le Centre laïque auquel appartenait « Marianne » : chacun devait se sentir à l'aise, quelles que soient ses croyances… Il y avait encore Jean Giono qui, dans sa Provence, inspirait les auberges du Monde nouveau :

Léo Lagrange sourit :

— Moi, je ne suis rien dans tout cela : je me contente d'aider tout le monde…

Ce qui s'était produit ici aujourd'hui était une belle illustration de la situation : sur dix Français, huit ne savaient pas nager.

Le ministre devint magicien. En une minute, il fit naître des piscines dans tout le pays. Il voyait, près de chaque école, un terrain de sport. À la rentrée, la scolarité serait obligatoire jusqu'à quatorze ans. Chaque classe aurait cinq heures d'éducation physique par semaine. Les instituteurs participeraient à des stages de formation. Chaque élève devrait satisfaire aux épreuves d'une nouveauté : le Brevet sportif populaire.

Soudain, monsieur le ministre se tut. Se rendant compte que, venu pour écouter les jeunes, l'avocat qu'il était n'avait cessé de parler :

— Il ne faut rien changer à votre soirée.

Il y eut un petit embarras : il avait été prévu que, pour la première fois, la veillée aurait lieu sur la plage. C'est Florence qui, partant le lendemain, avait souhaité faire ainsi ses adieux aux vagues. Aux vacances. On n'osait pas demander à Léo, à Madeleine, d'entreprendre cette marche après avoir dîné.

— Nous y allons ! déclara le couple.

Le ministre et sa femme n'étaient pas si loin des entrains estudiantins :

Fanchon, quoique bonne chrétienne,
Fut baptisée avec du vin
Un Bourguignon fut son parrain,
Une Bretonne sa marraine...

Ni breton, ni bourguignon, Léo avait pris un fagot sur ses épaules. Comme les autres. Qui, bientôt, assis en rond autour du feu de camp, se réjouirent d'un même cœur. Les flammes multicolores dansaient sur les visages. Elles se muaient en fumée blanche. Montant dans le ciel noir. L'air marin se mêlait à l'odeur du bois brûlant.

Loulette aurait voulu que son père fût là. Pour entendre le ministre qui, comme lui, parlait du bonheur des hommes.

Benoîte se disait que, présents, monsieur Deslandes-Wincker, les siens ricaneraient. Suivant leurs journaux, ils appelaient Léo : « le Marchand d'utopies », « le Ministre de la propagande », « le Ministre de la fainéantise française ».

— Nous n'avons pas ramené la semaine de travail à quarante heures et créé les congés payés seulement pour combattre le chômage : nous voulons que l'homme profite de ses libertés pour se cultiver. Physiquement. Intellectuellement... Le sport...

Carette approuva :

— Le sport plaît beaucoup. En juin, j'ai vu la finale de la Coupe à Colombes. Toutes les tribunes étaient pleines.

Il reçut une douche froide :

— Nous ne voulons pas construire des stades pour que cinquante mille personnes assises regardent vingt athlètes qui s'agitent : c'est le contraire qui nous intéresse.

Carette était très déçu. Presque vexé.

Léo le prit par les épaules : le sport professionnel est utile. Il est une incitation. Il doit exister. Mais les subventions de l'État ne doivent pas enrichir les organisateurs et les pratiquants des jeux du cirque :

— Au contraire, puisque le sport professionnel est une vitrine, nous devons veiller à ce que cette vitrine reste propre. Sans les pratiques dangereuses qui nuisent à la loyauté des combats et ternissent sa réputation.

L'opinion du ministre était faite : l'appât du gain dégrade le sport comme il dégrade l'art, le théâtre, la création... On doit mettre l'art et le sport à la disposition de tous.

Il était radieux : présentant Molière et Marivaux, Shakespeare et Goldoni, dès cet hiver les comédiens de Jacques Chancerel, de Jean Dasté et André Barsacq s'élanceraient vers les déserts scéniques de l'Auvergne et du Languedoc, de la Bretagne et de l'Artois. Tous les ajistes ne connaissaient pas ces animateurs mais la passion de Léo fit que, devant eux soudain, Pierrot s'assit sur la lune, Arlequin jongla avec les étoiles, Carmen dansa sur l'Océan. Eux-mêmes étaient artistes, sportifs, transportés par la force de leurs muscles et de leurs idées. Par une musique miraculeuse, réelle, qui les saisit. Tous. Ils levèrent la tête : au sommet de la dune, Florence, sur son violoncelle, jouait une sonate de Beethoven.

Le silence était grand.

Le feu s'apaisait.

La mer se soumettait. Transformant ses brisants en vaguelettes de nuit : elles glissaient sur la plage au seul chuchotement de l'écume.

Benoîte se rendit compte que Martin lui avait pris la main.

Plus : elle se rendit compte que c'est pour cela qu'elle était venue. Parce que le meilleur refuge espéré par une fille c'est un garçon qui peut le lui offrir.

Loulette ne voyait rien. N'entendait rien. Que ce bruit inattendu. Insolite. Ressemblant à un sanglot : Carette était allongé sur le ventre. Sa tête contre le sable. Prononçant des mots sans suite :

— Putain de putain… de putain… on bâtit des villes… des usines… des avions… des bateaux… on fait du cinéma… et là, il n'y a rien : que la nuit et la mer… et une copine qui joue du violoncelle… putain… j'ai un bonheur… un bonheur…

Il conclut :

— Un bonheur à pleurer.

6

Florence partit.

Accompagnée à la gare par toute la bande. Avec Carette qui portait le violoncelle. Disant :

— Je ne comprends pas pourquoi tu n'as pas choisi la petite flûte !

Il aurait voulu l'accompagner à Facture. À cause du changement de train. L'accompagner à Bordeaux. Pour l'aider à prendre le tramway. Il aurait voulu l'accompagner.

Sur le quai, avec les autres, il chanta :

Ce n'est qu'un au revoir, mes frères...

Florence, à la portière de son compartiment, faisait des signes d'adieu. Qui étaient des signes d'assentiment. Ils le savaient tous : ils se reverraient. Ici. Ailleurs. Dans ces souvenirs de leurs premières vacances.

Les désignant, la boulangère dit à l'homme d'équipe :

— Ce sont eux qui ont sauvé le petit de l'Eugène de la noyade.

Devant ce bienfait du ciel, elle se signa.

Les ajistes repartirent, ignorant leurs louanges.

Le cinéma annonçait *Marinella* : avec Tino Rossi. Bada consulta l'affiche. Il se tourna vers la bande. Vraiment heureux :

— Hé ! Carette ! Vise : tu as ton nom dans le film !

Carette ne put faire mieux que de susurrer :

Marinella !
Ah ! Reste encore dans mes bras !

Sur la plage, Martin rattrapa Bugatti :

— Tu n'es pas comme les autres.

Elle était contente qu'il lui parle. Ainsi. En aparté.

— Je suis comme tout le monde.

Il s'entêta :

— Tu contredis mon père, tu déchiffres la musique, tu sais nager, porter secours : tu n'es pas comme les autres.

Elle haussa les épaules : son oncle était moniteur de natation, il lui donnait des leçons de sauvetage ; cela n'avait rien d'extraordinaire.

— Et en plus, tu as de l'argent. Je l'ai vu, ajouta Martin.

Benoîte se ferma. Bien décidée à ne pas livrer ses secrets.

— Et en surplus, on ne connaît pas ton identité.

— Je m'appelle Bugatti !

Elle partit, courant vers la dune, riant, espérant que Martin la poursuivrait, la rattraperait, que, aujourd'hui aussi, il lui prendrait la main...

Martin sans doute en avait envie.

Il pensa à Loulette. À son père. À cette obligation de vertu posée sur les auberges. C'est cela peut-être qui déterminait Bugatti lorsqu'elle disait qu'on ne bougerait pas le monde en imitant les immobiles.

Des idées lui vinrent. Qui ne lui étaient jamais venues : quelle avait été la vie de son père entre la mort de sa femme au début du siècle, et, en 1914, l'union nouvelle dont il était né. Il y avait là des réalités d'homme dont il ne savait rien.

S'adonnant aux sports et aux études, timide, pudique, très tôt pensionnaire, il n'avait jamais posé de questions. Ni à son père, ni à lui-même : il avait perçu l'existence des filles seulement à la fête de sortie de l'École normale. Lorsque deux copains avaient fait le tour du bal en répétant aux garçons leur avertissement de bon aloi : « Attention aux prédatrices ! Gare aux nuisibles ! » Par là il fallait entendre que messieurs les futurs instituteurs devaient se mettre à l'abri des concupiscences de mesdemoiselles les futures institutrices désireuses de former au plus tôt un amour à deux salaires.

Martin, souriant, revoyait ce moment. D'autres. Ses prudences. Ses pruderies. Ses aventures. Discrètes. Rares.

Devant ces images lointaines monta la minute récente où, agrippant le gosse qui se noyait, sa main avait frôlé, touché le corps de mademoiselle Bugatti. Attirant.

Il se sentit un peu perdu. Jaloux de Clément ? Amoureux de Loulette ? De Bugatti ? Que ferait-il si, au lieu d'être dans cette auberge de bonheur et de contrainte, il était libre de ses gestes et de ses entreprises ? Marcherait-il dans la forêt ou y entraînerait-il une fille ? Laquelle ?

Carette le crut triste. Pensant au départ de Florence. Du violoncelle. Il éprouvait lui-même quelque nostalgie. Lundi, il serait à Paris :

— Il faut repartir au chagrin.

Martin sourit de l'expression.

Carette en fut étonné : elle était répandue, chez Hispano-Suiza. Dans l'industrie. Il n'y avait pas d'autre façon de dire : aller au travail ; à la chaîne.

René apporta sa pierre régionaliste :

— Ici, on dit : « aller au charbon ».

Souriant, il expliqua que, à Bordeaux, les souteneurs se faisaient volontiers inscrire sur les registres des dockers. Lorsque les affaires tournaient mal pour le milieu, vite ils « allaient au charbon » : ils allaient sur le port décharger quelques sacs de gaillette polonaise, d'anthracite du Tonkin ; trouvant toujours un copain, un contremaître pour certifier qu'ils étaient là la veille, l'avant-veille...

De son côté, Bugatti aussi s'était interrogée.

Elle dit à Loulette :

— Ton père ne changera pas le monde.

Loulette attendit une explication.

Benoîte faillit commencer par « à la maison, dans la bibliothèque... ».

Elle retint son erreur :

— Au boulot, une fille m'a prêté un livre. Je te le passerai. Tu verras.

Elles étaient seules sous l'auvent. Loulette allongée sur un banc. À plat ventre.

Bugatti, devenue monitrice, ordonnait les mouvements :

— Un : tes bras en pointe ; deux : tu fends ; trois : tu ramènes ; quatre : tu rejoins... Comme la grenouille.

Les autres prenaient leur leçon dans l'étang. Sous la conduite de Martin et Clément. De Robert. Qui les guidaient. Un doigt sous le menton.

Loulette demanda :

— C'est quoi ce livre ?

— C'est un livre de Léon Blum.

Il y avait de quoi être surprise. Blum était un homme politique : elle ne l'imaginait pas écrivant des livres. Elle ne s'imaginait pas les lisant. Pour quoi faire ?

— Parce qu'il s'appelle *Du mariage*... Toutes les filles pensent à se marier, non ?

Loulette se taisait. Intéressée. Un peu paralysée.

Encore plus étonnée : les hommes politiques ne s'intéressent pas au mariage.

— As-tu un amoureux ?

Elle ne voulut pas répondre.

Elle se décida.

D'une petite voix :

— J'en ai un, oui. Un peu.

— Pourquoi un peu ?

— Parce qu'il est loin.

Benoîte se rendait compte que son amie était jeune. Elle ne savait pas jusqu'où elle pouvait aller. Ce qu'elle devait comprendre :

— C'est un… vrai amoureux ?

Loulette ne le savait pas non plus :

— Oui. Je crois.

— Ensemble, vous avez…

— Non.

Loulette sentit qu'elle rougissait. À cause des mots. Du fait. Jamais elle n'avait eu une conversation sur ce sujet. Même pas au cours complémentaire. Où, elle le savait, certaines copines se faisaient des confidences.

Bugatti recommanda :

— Ne te marie pas, surtout. Il ne faut pas.

Les beaux yeux verts de Loulette montrèrent une candeur ennuyée :

— C'est monsieur Blum qui le dit ?

Benoîte se lança :

— Monsieur Blum dit que le mariage est une institution utile. Mais il vient trop tôt.

Dans le premier temps de leur corps, le jeune homme comme la jeune femme ressentent un besoin de plaisir. La société le leur interdit. À moitié : car elle ferme les yeux sur les libertés du jeune homme. Ce que dit « monsieur Blum » est simple : la société doit accepter que, comme les garçons, les filles connaissent ce plaisir. Sans cela, elles arrivent au mariage soumises à l'homme. Qui devient le maître du jeu. Le maître d'elles. De tout.

Sur les bords du lac, la leçon de brasse était arrêtée depuis longtemps.

Benoîte pensa à voix haute :

— Ce livre... C'est comme notre short dans les rues du village. Il y a ceux qui le condamnent parce qu'il choque leurs mœurs. Et ceux qui ne veulent pas en parler parce qu'il choque ceux qui sont choqués. Comme notre short, je te dis : tu as vu comment le père de Martin a réagi ? Pourtant, il est d'accord avec Blum. C'est facile à comprendre. D'accord sur tout. Sauf sur ce sujet. Alors, le Blum, ils le soutiennent, ils l'honorent. Mais ils ne parlent pas de son bouquin. Et ton père n'en parle pas davantage, j'en suis sûre. Comme pour nos cuisses : ils ont honte.

Les camarades revenaient de l'étang.

Loulette, troublée, aurait voulu poursuivre.

Elle eut seulement le temps de chuchoter :

— Tu ne m'as pas parlé de ta mère. Comment va-t-elle ?

— Je te dirai.

C'était à cause de sa mère qu'elle remuait ces idées, elle le savait, mais, le soir, lorsqu'on éteignit le dortoir, loin de revenir sur le sujet, de sa voix la plus feutrée elle demanda :

— Et Martin... Qu'est-ce que tu penses de Martin ?

— Moi ? Mais... rien, dit Loulette.

Elle était désorientée.

Bugatti semblait sûre d'elle :

— Je lui ferai lire le livre à lui aussi.

Loulette resta longtemps ainsi : yeux ouverts. Dans le noir.

Parfois, dans sa chambre, seule dans son lit comme ce soir, elle avait perçu que des choses importantes se passaient dans le corps. En amour. Incontrôlables peut-être. Et plus importantes que les adultes ne voulaient le révéler.

Tout à l'heure, Bugatti avait dit :

— Dans le système actuel, c'est la femme qui est la victime. Toujours.

Quelques filles jacassaient encore. Discrètes. Christiane Blondin chuchotait que depuis six mois, son mari et elle apprenaient l'espéranto :

— Un jour, tous les hommes parleront la même langue.

Loulette finit par s'endormir.

Comme une enfant.

Le lendemain, l'Eugène avait pris position dans l'étang, près du canal.

Botté de cuissardes en toile goudronnée, il tirait vers la berge un filet dont, debout dans une grande barque noire, sa femme tenait l'autre bout. Entraînées par le câblot qui les transperçait, les rondelles de liège marquaient à la surface de l'eau le mouvement tournant qui, dessous, mettait en prison perches, tanches, gardons et ces calicobas qui sont si moches de tête et bons à rien dans l'assiette.

— L'Eugène ! Une anguille.

— Attrape-la au lieu de gueuler !

La femme aurait bien voulu. Mais son bras était court.

— Bordel, ne la laisse pas s'échapper !

L'Eugène demanda à Martin de venir jusqu'à lui. Martin, en short, le rejoignit. Il prit sa place au bout du filet.

Le pêcheur finit par se saisir de l'anguille. Une pièce imposante, gluante, que, de ses mains nues, il ne parvenait pas à maîtriser. Il voulut la faire entrer dans la nasse pendue au tolet mais le bestiau parvint à s'échapper, tombant heureusement à l'intérieur de la pinasse où la femme, du talon de sa godasse, tenta de lui coincer la tête. La bête se tortillait, s'éclipsait, et c'est l'Eugène qui, se saisissant de la *foène* couchée le long du bateau, d'un geste précis la cloua sur le fond de la barque.

Il se tourna vers les ajistes :

— C'est le plus combatif des poissons. Le plus vorace aussi. Moi qui ai servi dans la marine, je peux vous le dire : quand une anguille poursuit sa proie, si un autre poisson la gobe avant elle, l'anguille est capable d'entrer dans sa gueule pour la lui reprendre.

Il s'approcha de Loulette, lui demandant de bien retenir sa leçon :

— En Russie, c'est comme ça que les popov pêchent le caviar : l'anguille qui en est très gourmande entre dans l'esturgeon, elle prend les œufs dans sa bouche, elle continue tout droit et quand elle paraît à l'autre bout, les popov l'attendent à la sortie.

Loulette était impressionnée :

— C'est vrai, Martin ?

Elle s'imaginait déjà écrivant à Titou pour lui faire part de son savoir.

La femme apostropha son mari :

— Tu pourras aller à confesse, l'Eugène ! Monsieur le curé sera content d'apprendre comment tu trompes la jeunesse !

Bugatti arrivait sur sa bicyclette, venant de la poste. Sa mine n'annonçait pas de bonnes nouvelles.

Heureuse d'échapper aux moqueries, Loulette la rejoignit :

— Ça ne va pas ?

— Pas trop.

— Ta mère ?

Bugatti se détourna. Elle posa son vélo, marcha sur la route.

Loulette la suivit.

Bugatti finit par dire :

— Il faut que je rentre.

Il y eut dans le « Oh ! » de Loulette le plus grand désarroi.

Elle balbutia quelques mots… plutôt incompréhensibles… se terminant par :

— Nous n'avions pas fini.

— Pas fini quoi ?

Loulette ne savait pas : pas fini de bâtir leur amitié peut-être. Ou alors : pas fini de se faire des confidences. De parler mariage. Amour. Pas fini de s'instruire.

— Moi non plus je n'avais pas fini, murmura Benoîte, pensant à Martin.

Elle voulut sourire :

— J'ai encore deux jours.

— Ici ?

— Oui.

Loulette fut un peu réconfortée : en deux jours, on peut se dire des choses.

Elles partirent vers le petit étang.

Les autres les suivirent, les rattrapèrent, apportant une grande nouvelle : si l'Eugène prenait deux ou trois brochets, sa femme viendrait les faire cuire à l'auberge. Elle les servirait avec une sauce verte. Et avant, il y aurait la soupe de poissons. Locale : faite avec des légumes. Des pommes de terre. Ça permet aux hommes de faire chabrot.

Aux Hourtiquets : aucun départ d'hydravion. Le lac était vide.

Ils traversèrent la forêt domaniale.

Sur la deuxième dune, un vieux regardait l'océan. L'œil fixe. Il leva le bâton noueux qui lui servait de canne. Montra la mer :

— *As bis lou barricot ?*

Le *barricot,* la petite barrique si l'on préfère, roulait sur les premières vagues. Pour lui : les dernières. De son long voyage. Les garçons coururent. Bada arriva le premier. Sur les planches détériorées, il lut « Rhum ».

Il renversa l'objet :

— Les vaches ! Ils ont tout bu !

Un crabe pointa sa carcasse. Il sortit. Immobile d'abord. Semblant mesurer le danger. Puis, pressé de gagner la mer, il partit. Dans sa marche en zigzag.

— Tu as vu comment il marche ?

— Évidemment : avec ce qu'il a picolé !

Se désintéressant du spectacle, Martin se mit à courir sur le sable mouillé.

Benoîte s'élança. Le rejoignit :

— Tu voulais me parler ?

Il était surpris :

— Oui. Non... Un peu. Tu m'intrigues.

Les autres approchaient.

Elle chuchota :

— Cette nuit. Quand tout le monde dormira... je sortirai.

Il faillit se révolter : « Non ! »

C'était superbe, ces yeux bleus frangés de noir. Cette peau brune plongeant entre ses seins. En chemin profond. Ces jambes aux parfaites proportions. Et puis ce souvenir de sauvetage. Et tout d'abord, la façon dont elle s'était jetée à l'eau. Comme, lui sembla t il à cet instant, elle se jetait dans la vie. Dans une décision de tout son être. Il pensa : « de tout son corps ».

Elle précisa :

— Je serai sur les bords de l'étang. À l'endroit où le pin est couché.

Elle était partie.

Elle était dans les vagues.

Elle appelait Loulette :

— Viens. Tu vas voir : ici, l'eau te porte. C'est plus facile que dans l'étang.

Loulette arriva et toutes deux restèrent ensemble jusqu'au soir. Sans aborder le sujet important. Loulette intimidée devant ce qu'elle ignorait. Benoîte heureuse et craintive devant ce qu'elle avait organisé avec Martin. Ne pensant qu'à cela.

Elles assaisonnaient la salade de tomates lorsque deux copains se présentèrent devant la galerie :

— Salut, les copains.

On comprit qu'on avait affaire à des habitués.

On le comprit mieux encore lorsque, ayant pris une douche, ils déplièrent leur Opinel pour couper en tranches les deux chorizos qu'ils avaient apportés :

— Ils viennent des Pyrénées.

— Ah ! dis donc, ça, c'est une auberge ! La seule qu'on ait vue comme ça : un château à Bourg-de-Bigorre.

Ils s'étaient baignés dans l'Arros, avaient fait du canotage :

— On était les châtelains de la bourse plate !

Tout le monde éclata de rire.

Le bois commença à crépiter.

Le doute ne fut plus permis, les arrivants étaient vraiment des compagnons : chacun tira de son sac un harmonica.

Les mots chantèrent, pleurèrent. Sur un instrument. Sur l'autre. Puis sur les deux en même temps, enflammant une csardas de Monti qui donna à Bada une grande envie de danser : bras croisés, assis sur une bûche plus large que haute, il se mit à balancer ses jambes à droite, à gauche, les pliant, les repliant au rythme endiablé de la musique. Sa prestation reçut l'ovation qu'elle méritait.

L'heure du lit était venue.

Les deux virtuoses attaquèrent *Les Bateliers de la Volga.*

On découvrit alors que l'un d'eux possédait une belle voix de basse :

Oh ! Là ! Tire ! Marche ! Tire !
Le vent tire avec toi !
Tire ! Tirera !

La plainte lointaine du haleur remua toutes les âmes. Carette avait pensé qu'il passait là ses plus belles vacances. À cette seconde, pour lui l'affaire devint définitive : jamais il ne pourrait en vivre de meilleures !

Pendant toute la veillée, Benoîte n'avait pas regardé Martin. Lui, de temps à autre, posait sur elle un œil furtif. Heureux et inquiet. Se demandant si la nuit promise allait venir.

Il se coucha. Bercé par les deux harmonicistes qui, sous leur couverture, ne pouvaient pas s'empêcher de poursuivre leur concert.

Loulette murmura :

— Salut, Bugatti, dors bien.

— Fais de beaux rêves, répondit Bugatti.

Elle savait que Loulette espérait une suite à leur conversation.

Elle aurait aimé, elle aussi, la reprendre mais ce qu'elle avait à dire à Martin était plus important. Plus urgent surtout..

Elle attendit un long temps :

— Tu dors ?

— Non.

Encore trente... quarante minutes...

— Tu dors ?

Loulette ne répondit pas : elle avait compris que Bugatti attendait son sommeil. Elle ne bougea plus.

Dans son dos, elle perçut un froissement de draps, un sommier qui se plaint. Puis : plus rien.

Elle savait que Bugatti était assise sur le bord du lit. Qu'elle glissait ses pieds dans ses espadrilles. Elle se levait, passait son short ; en serrait la ceinture sous le petit pull gris.

Elle sortit.

Les yeux de Loulette restèrent fixés sur la porte béante. Les pas de Benoîte foulaient le sable, complice des amours de nuit.

Le lac paraissait plus immobile que jamais. Il semblait plus dangereux. Sombre. Cachant ses profondeurs subites. Perfides. « Dans les trous, le fond est au-dessous du niveau de l'Océan », avait dit l'Eugène.

Le pin couché formait, sur la plage, un long siège inutile.

— C'est toi ?

Martin était sorti des ténèbres. Benoîte se trouvait dans ses bras. Il cherchait ses lèvres. Les pénétrait. Pour un long baiser partagé. Profond.

Benoîte sentait sa peau frémir. Elle laissa échapper un petit gémissement. Puis brusquement, des deux mains elle repoussa le garçon.

Il en fut surpris. Avança. Prêt à nouveau à prendre sa bouche.

À glisser sa main sur sa nudité. Sous le pull.

Elle murmura :

— Martin… je suis venue pour toi.

Il crut devoir plaisanter :

— Je m'en doute.

— Je veux dire : à l'auberge.

Elle prit un petit temps. Les filles n'ont pas l'habitude de faire de ces aveux :

— Lorsque, au Pilat, j'ai rapporté les vêtements de Loulette, lorsque je te les ai remis, tu m'as regardée. Tu m'as souri. À cette seconde… j'ai su que je viendrais.

Elle s'enhardit :

— J'avais besoin de tes bras. Tes mains. Ta parole. Tes lèvres.

Tout.

Il était un peu perdu sous l'avalanche. Des mots. Leur liberté.

Ému aussi. Par cette fille. Belle. Mêlant provocation et refus.

Il prit sa taille.

À nouveau, elle le repoussa :

— C'est trop tard, Martin.

— Pourquoi trop tard ?

Elle se détourna :

— Je pars demain.

Une révolte le saisit. Il eut envie de crier : « Non ! »

En elle, monta une frénésie de sentiments. De justifications : elle ne pouvait pas rester, sa mère était malade…

— C'est pour me parler de la santé de ta mère que tu m'as donné rendez-vous ?

Il ironisait. Doutait.

Elle était désemparée :

— Je t'ai donné rendez-vous pour que tu saches qui je suis.

— Tu es Bugatti. Cela me suffit.

Elle avait envie de pleurer :

— Bugatti c'est mon nom de bonheur.

Il la saisit par les épaules : le bonheur c'était d'être là. Tous les deux.

Il l'embrassa. Elle le serra, le rejeta aussitôt.

Il ressentit la colère de l'homme arrêté près du plaisir :

— Je sais qui tu es : une fille à papa !

Il était sûr de lui : bien des signes l'avaient éclairé. Dès le premier jour. Elle n'était pas des leurs. Elle était venue à l'auberge, elle lui avait donné rendez-vous ce soir pour s'amuser. Comme on s'amuse dans son milieu. Aux jeux de la coquetterie. De la séduction…

— Non !

Elle se débattait. Il faisait mine de la prendre en pitié :

elle ne se rendait pas compte que la société changeait… L'auberge, les jeunes si heureux d'y vivre étaient le symbole de cette mutation.

Elle lui coupa la parole. Adopta le même ton que lui :

— Vous ne transformerez pas la société en invitant des jeunes dans un monastère.

— Ni en leur bâtissant des lupanars !

Il croyait que le mot l'arrêterait. D'autres. Semblables.

Rugueux. Auxquels, pensait-il, son éducation ne l'avait pas habituée.

Or, Benoîte maintenant était lancée : on n'améliorerait pas le monde avec des textes, des lois. Des congés offerts, des trains pour en profiter, des gîtes à bon marché. Ou plutôt : on l'améliorerait très peu. En apparence.

— Pourquoi ?

— Parce que les privilégiés jamais ne lâchent leurs privilèges.

Et les privilégiés : ce sont les hommes. Et ce sont eux qui gouvernent.

Martin crut se défendre :

— Trois femmes sont membres du gouvernement. C'est la première fois.

Benoîte s'énerva :

— Les femmes n'ont pas le droit de vote !… Vous ne leur donnez pas ! Vous avez peur !

Une voix monta. Facile à reconnaître :

— Ça n'est pas bientôt fini, ce vacarme ?

Le père était devant la porte de sa maison. Martin aurait voulu lui répondre. Il se sentait trop coupable pour parler. Il s'abstint. Bien lui en prit :

— Il n'est plus l'heure de faire de la musique ! lança Élie Chabrol.

Benoîte et Martin se rendirent compte que l'apostrophe ne s'adressait pas à eux mais aux deux nouveaux arrivés : depuis longtemps, les deux artistes, près du lac, assouvissaient leur passion. Dans la nuit, l'harmonica pleurait des notes graves de *Old Man River*.

Le père n'avait pas, à cet instant, l'âme à s'attendrir :

— Rentrez à l'auberge, je vous prie. La vie en groupe demande une discipline.

Les deux copains s'en allèrent. On vit leur ombre passant sous la galerie.

Bugatti murmura :

— J'imagine que c'est cela, l'armée : je commande. Exécution.

Martin voulut dire un mot.

Elle s'éloigna :

— Tu le vois : tout est manqué. Adieu, Martin.

Il courut. La rattrapa. La prit par le bras.

Elle n'avait plus, dans sa voix ou dans son cœur, dans sa peau, aucun attendrissement :

— Sincèrement… Tu nous imagines reprenant notre débat… encore plus nos ébats ?

Elle voulut sourire :

— Ne sois pas triste, Martin : c'est moi qui avais besoin de toi.

Le père était rentré.

Martin s'éloigna à petits pas.

Benoîte s'assit sur le sable. Son dos appuyé au bois vétuste de la grange.

Elle attendit que tout fût calme.

Que Martin qui avait allumé une cigarette l'eût terminée. Dernier feu d'un orage à peine éclaté.

Il entra dans l'auberge.

Comment Benoîte, la fille des villes, aurait-elle su que le chant qui, dans la forêt, s'éveillait était le chant du pinson ? Peut-être ne savait-elle pas que les oiseaux chantent la nuit ! Avec la fauvette et la caille qui, près du pinson, bientôt prendraient leur place dans la chorale.

Bien des heures avaient sonné lorsque Bugatti pénétra dans le dortoir des filles.

Loulette ne dormait pas.

Elle ne le montra pas.

Elle pensa que son amie venait de se livrer à ces jeux qu'elle ignorait. Dont la pensée faisait gonfler la peau.

Bugatti ne resta pas longtemps au lit. Elle ne pouvait pas dormir. N'en avait pas envie.

Elle ne voulait plus voir personne.

Elle passa sous le seau à douche froide.

Elle revint dans la chambrée. S'habilla avec des gestes muets. Enfila sur ses épaules le petit sac à dos acheté dix jours plus tôt au Bazar arcachonnais.

Sous l'auvent, monsieur Chabrol préparait un attirail de pêche :

— Tu es bien matinale.

Elle estima heureux de rencontrer le père :

— Je voulais vous payer mon séjour.

Élie Chabrol en eut vite calculé le montant.

Bugatti dit :

— Je… mes vacances ne sont pas finies… Je… j'aimerais revenir.

— Quand tu voudras.

Bugatti avait mille idées en tête. Se heurtant. Voulait-elle revenir vraiment ? Le pourrait-elle ? Pourquoi partir si c'était pour revenir ?

Elle murmura :

— Dans une semaine… ou deux… Aurez-vous de la place ?

Élie Chabrol s'était planté un hameçon dans le pouce. Il pestait. Suçait son doigt. S'efforçait de rester aimable :

— Ce sera comme pour tout le monde : si nous avons un lit disponible, nous te recevrons… Si nous n'en avons pas, nous te souhaiterons bonne chance ailleurs.

Bugatti conservait son porte-monnaie ouvert. Timidement, elle avança une proposition :

— Je vais vous payer un mois d'avance... jusqu'à fin août.

Monsieur Chabrol repoussa l'argent :

— Tu es riche, alors !

Il expliqua que les choses ne se passaient pas ainsi. L'auberge était faite pour que les jeunes peu fortunés trouvent un gîte pendant leurs vacances :

— Elle n'est pas faite pour que d'autres, plus favorisés, les en empêchent en bloquant un lit qui restera inutilisé.

Le propos était tenu en toute bonne foi. Benoîte le reçut presque comme un affront. Mérité.

Elle partit.

Voyant disparaître l'auberge, l'étang, les genêts, elle se disait qu'elle n'était pas d'ici. De cette jeunesse qui pourtant lui plaisait.

Elle vivait devant un mur : elle n'était pas de la Tonkinoise. De la Tolosane. Elle n'était d'aucun lieu. D'aucune famille.

Sauf de sa mère.

Oh ! oui, sa mère !

Elle pédala plus vite. Pressée maintenant de la retrouver... Au téléphone, Marie-Rolande lui avait dit qu'elle allait mieux. Benoîte aurait voulu l'éloigner encore un peu. Que sa sœur l'emmène avec elle.

« À Paris ?... Mais je travaille, moi : tu imagines maman tourniquant seule en m'attendant dans l'appartement ? » Benoîte avait dû se rendre à ces raisons.

Un lapinot traversa la route. Du pouce, elle appuya sur le timbre de sa bicyclette. *Glin-glin.* Le petit étourdi finit par disparaître dans un fossé.

Benoîte faisait des projets fous. Partir elle-même. Renoncer à tout. Prendre sa mère avec elle afin d'arrêter sa soumission. Sa chute.

L'ombre avait fui le goudron. Rentrée dans la forêt comme un gosse auquel on a dit qu'il ne faut pas rester au soleil.

Benoîte transpirait.

Elle s'arrêta.

Elle se rendit compte qu'elle pensait à sa mère pour ne plus penser à Martin. À cette nuit. À Loulette. À ces garçons, ces filles de son âge qui l'appelaient Bugatti.

Coiffée de sa benèse[1], une femme à longues jupes allait dans la rue, un panier plat à son bras :

— À la moule ! La belle saison de la moule ! Tout frais, mes royans d'Arcachon !

Ces « royans » pêchés à Arcachon avaient toujours amusé Benoîte.

Elle poussa le portail de la Tonkinoise.

Ayant posé devant elle le service à thé dont elle avait elle-même retourné l'ourlet cocotte, Madame Mère brodait au point de bourdon des bleuets du meilleur effet.

Benoîte ne l'avait pas vue.

Sans autres civilités, la vieille dame lança :

— Je ne vous demande pas d'où vous venez. Cela vous évitera de mentir.

Benoîte s'arrêta. Surprise. Désorientée. Devait-elle passer outre ou serait-il mieux venu d'aller saluer l'aïeule ?

Celle-ci conserva ce ton qu'elle voulait neutre, responsable, digne devant toutes les vicissitudes de l'existence :

— J'ai dit à tout le monde, y compris à votre père, que vous étiez en villégiature avec votre maman : cela sauve les apparences.

Benoîte était toujours devant ses hésitations.

1. Coiffure en tissu descendant sur les épaules utilisée par les parqueuses pour se protéger de tous les risques du soleil.

— Vous tâcherez de vous en souvenir... et de répéter la même chose : vous étiez à Cambo.

Madame Léonor Deslandes-Wincker avait entendu un bruit de voix : elle parut devant la maison.

Benoîte courut vers elle.

Elles s'étreignirent. Pas longtemps. Le regard de la grand-mère était sur elles et si, d'ici, elle ne les entendait pas, elles imaginaient les soupirs de réprobation.

Au déjeuner, Madame Mère indiqua clairement qu'elle avait repris en main la marche de la maison.

— Dimanche, il y a une messe en plein air. Nous communierons toutes les trois. Ensemble. Cela coupera le sifflet aux mauvaises langues.

Benoîte réfléchissait : fallait-il être, d'entrée de jeu, plus forte qu'hier, reprendre les affrontements ?

Elle regarda la bonne : une autochtone à gros mollets, à grosses joues, à tablier de grosse toile blanche.

Lorsqu'elle fut sortie, elle laissa tomber :

— Je n'ai pas envie de communier.

Madame Mère était toujours proche de la leçon à donner : la communion ne devait pas se considérer en terme d'envie. Il s'agissait d'un sacrement qui...

— Je n'irai pas communier, trancha Benoîte.

Madame Mère retrouva le timbre acide qu'elle affectionnait :

— Il vous gênerait de vous confesser sans doute ?... Vous avez grand tort, mademoiselle. Tôt ou tard, il vous faudra avouer vos fautes... demander pardon au Seigneur, obtenir l'absolution d'...

— Je n'ai pas commis de faute, je n'ai pas de pardon à demander : je n'irai pas me confesser.

Mademoiselle Benoîte Deslandes-Wincker se leva. Quitta la table. Sortit.

De l'extérieur, elle entendit la voix de la grand-mère :

— Vous êtes contente, j'espère ? Vous montrez

votre indépendance : votre fille prend modèle ! Quoi de plus normal !

Puis, sans réplique :

— Vous viendrez, vous. Deux communions, ce sera mieux que rien.

Léonor Deslandes-Wincker ne répondit pas. Cela voulait dire qu'elle acceptait.

Benoîte pensa que les vacances à Biarritz n'avaient servi à rien.

Elle ramassa la pigne tombée dans le hamac. Verte. Elle la lança devant elle. Sans but.

Elle aurait préféré que la pigne défonce un carreau.

La voiture pénétra dans le jardin.

Laissant au chauffeur le soin de descendre sa valise, monsieur Jules-Grégoire Deslandes-Wincker demanda :

— Tout va bien ici ?

— Tout va bien, répondit Madame Mère.

Monsieur Jules-Grégoire Deslandes-Wincker fila vers son bureau : du courrier l'attendait.

Il reparut au dîner. Reprenant son rôle de chef de famille. Dimanche après-midi aurait lieu aux Abatilles, dans le parc public, le tournoi de la Diane. Monsieur Deslandes-Wincker en était le président d'honneur :

— Ne manquez pas d'y venir, Benoîte. Mon ami Pascaud participera au tir aux pigeons. C'est une fine gâchette. Je l'ai rencontré avant-hier à Paris. Il m'a dit beaucoup de bien de vous.

Benoîte, sous les louanges, resta de marbre :

— Je n'aime pas voir tuer les pigeons.

Monsieur Deslandes-Wincker rectifia : on ne tue pas les pigeons ; on les tire.

Benoîte pensait à l'oiseau s'envolant au signal, à quelques mètres du fusil. Dans la nudité du ciel. Au public choisi qui, sous la galerie de bois du parc public, laisserait entendre de petits spasmes d'admiration. Proportionnés parfois à la position sociale du tireur. Aux services que l'on pouvait attendre de lui.

Elle jugea inutile d'argumenter :

— Dimanche, je ne suis pas libre. J'ai promis à...

— Vous vous décommanderez, trancha monsieur Deslandes-Wincker : Pascaud sera là avec son fils. Un charmant garçon. Et je vous présenterai monsieur Auguste Loustinac, doyen de la faculté de Toulouse. C'est un vieux débris qui peut vous être utile dans vos études.

Considérant que l'affaire était close, monsieur Jules-Grégoire Deslandes-Wincker aborda la situation politique : obéissant à l'accord existant entre la République française et la République espagnole, le Youtre et ses frères Trois-points envisageaient de fournir des armes aux républicains : aux antéchrists.

— Dimanche, je prierai pour le général Franco, dit Madame Mère...

Dès le samedi, elle se confessa, entraînant sa bru. Puis, pour faire bonne mesure, elle alla offrir ses services sur le lieu de la messe.

Une camionnette avait débarqué quatre barriques vides le long de la route. Des scouts les roulaient sous les pins. Les dressaient en un alignement parfait. Dessus, ils fixèrent trois larges planches. Des jeunes filles vérifièrent que la nappe d'autel était suffisamment grande pour recouvrir le tout. D'autres, assises sous les arbres, en préparaient la décoration : unissant les feuilles de châtaigniers en plantant dans chacune d'elles une aiguille de pin, elles confectionnaient de longues guirlandes vertes que, bientôt, elles coudraient sur le drap blanc.

On avait chuchoté que l'*Ave Maria* de Gounod serait chanté par monsieur José Lucioni, de l'Opéra. Ce fut l'*Ave Maria* de Schubert par monsieur Xavier Dufillol, du théâtre municipal d'Agen.

Benoîte l'écouta sans déplaisir. Mêlant les parfums échappés de l'encensoir aux senteurs chaleureuses de la forêt, l'office même, servi par quatre frères blancs, ne la laissa pas indifférente. Sa première communion n'était pas si loin qui dans sa robe blanche avait fait d'elle une fervente petite mariée. Et les messes de minuit à Saint-Étienne où, du haut de ses six ans, elle entrait dans le chœur des fidèles pour, avec une joie sans mélange, affirmer : « Il est né le divin enfant. »

Toutefois lorsque, après avoir évoqué « la croisade des temps nouveaux » de Mussolini en Éthiopie, le valeureux sursaut espagnol du général Franco, les menaces de toutes natures planant sur notre pays, le prédicateur demanda à Dieu de protéger la civilisation chrétienne, mademoiselle Benoîte Deslandes-Wincker se demanda ce qui arriverait si elle se mettait à chanter :

Prenez garde ! Prenez garde !
Vous, les sabreurs, les bourgeois, les gavés,
V'là la jeune garde ! V'là la jeune garde
Qui descend sur le pavé !

Elle n'en fit rien. Occupée à regarder sa mère dont les lèvres parlaient seules. S'adressait-elle au grand Dieu de miséricorde dont elle avait besoin ? Disait-elle des prières machinales ? Ou ressassait-elle ces rancœurs que l'on croit étouffer et qui sans cesse reviennent. Dans des soliloques désespérés.

Il en fut de même l'après-midi lorsque ces messieurs — et une dame coiffée d'un panama à plume — se mirent en devoir de tirer les pigeons lancés par monsieur Louis, vêtu, sous le soleil, de sa longue livrée blanche :

— *One ! Two ! Pull !*

Quittant sa prison, l'oiseau partait, croyant à l'immense bonté du ciel.

Pan !

Il chutait comme une pierre, semblant suivre la ligne raide d'un fil à plomb.

Floc !

Lorsqu'elle était petite, voyant glousser la poitrine grassouillette de quelque élégante à la retraite, Benoîte souhaitait que la victime tombe au milieu. Entre les seins. Floc !

— *One ! Two ! Pull !*

La victime suivante partait vers l'espérance.

Pan !

Floc !

Léonor Deslandes-Wincker n'avait pas suivi sa famille. Assise sur un pliant à l'autre bout du parc, près du sanatorium, elle abritait son ennui sous une ombrelle crème que l'on pouvait dire assortie à sa robe.

Benoîte la rejoignit.

Madame Deslandes-Wincker voulut sourire :

— Ne t'occupe pas de moi, Marie-Rolande. Je suis bien. Amuse-toi avec les autres.

Benoîte tressaillit : depuis qu'elle était revenue de Biarritz, c'était la troisième, la quatrième fois peut-être qu'elle lui donnait le nom de sa sœur. Bien sûr le séjour là-bas entrait pour une part dans cette confusion, mais tout de même : la jeune fille trouvait cela inquiétant.

Sans que Benoîte pose de question, les yeux vagues, madame Deslandes-Wincker murmura :

— Je regarde la vie.

Elle expliqua :

— Ce tir aux pigeons… c'est la vie… la mienne… celle de beaucoup d'autres.

Jamais elle n'avait parlé ainsi. Jamais elle n'avait paru prête aux confidences. Qui peut-être n'en seraient pas. Plutôt des choses qu'elle s'était répétées mille fois. En silence. Et que, aujourd'hui, elle se disait à voix haute :

— On s'élance dans une amitié… dans une affaire… une confiance… On s'élance dans…

Elle hésita un peu. Puis :

— … On s'élance dans le mariage et… *one… two… pull…* Quelqu'un vous tire dessus. Parfois… celui vers lequel vous alliez.

Benoîte était impressionnée :

— Tu… as besoin de quelque chose ?

Léonor Deslandes-Wincker acquiesça : elle voulait rentrer. Benoîte regarda en direction des tireurs.

Madame Deslandes-Wincker devina sa pensée :

— Laisse. Ces jeux ne sont pas les nôtres.

Elle se leva, sourit, marcha doucement vers la voiture :

— Je te connais bien, tu sais.

Voyant la mère et la fille lever le camp, monsieur Deslandes-Wincker cria de loin :

— Benoîte ! N'oubliez pas qu'à sept heures, vous remettez la Diane des jeunes.

— J'accompagne mère et je reviens.

Elle se conforma à ce programme mais, dès qu'elle eut couronné le vainqueur, refusant la coupe de champagne qu'on lui tendait, elle pria monsieur Louis de la reconduire à la Tonkinoise.

Madame Deslandes-Wincker était assise dans le grand salon. Trempant ses lèvres dans un petit porto, comme elle avait coutume de le dire.

Son regard toujours perdu sur des horizons désenchantés, elle ne semblait plus disposée à en livrer les secrets.

Benoîte insista.

— Demain, promit la mère.

Le lendemain, Benoîte lui proposa d'aller à la plage.

Face à sa luxueuse villa, madame de Fontenelle-Leyris était allongée sur le sable. Et même dessous : son corps, ses membres étaient recouverts d'une couche encore mouillée par la marée qui maintenant descendait ; sa tête s'abritait sous un parasol léger, constamment aérée par l'éventail de dentelle que maniait son infirmière-dame de compagnie. Le visage écarlate transpirait à grosses gouttes.

— Quel bonheur de sentir son mal ainsi s'en aller ! soupira madame Deslandes-Wincker.

Benoîte fit la moue : au siècle dernier, au début de ce siècle, les médecins avaient chaudement recommandé cette arénation : l'eau s'évaporant sous les feux du soleil, le sable, le sel s'en prenaient aux rhumatismes, aux paralysies. Aujourd'hui, la faculté n'était pas loin de ranger cette thérapie parmi les remèdes de bonne femme.

Pourtant, la jeune fille suggéra que le procédé était bon aussi contre l'apathie : ce qu'on appelait la maladie de langueur.

Madame Deslandes-Wincker ferma les yeux. Ses cils papillotaient :

— On ne guérit pas les maladies lorsqu'on ne supprime pas les racines du mal.

Les lèvres avaient repris leur tremblement.

Benoîte, bouleversée, jugeait la phrase terrible. Elle ne savait que penser. D'autant que les mots suivants furent inintelligibles :

— J'avais… dix-sept ans… lorsqu'on… m'a… fiancée.

Sous le parasol, l'infirmière prenait fréquemment le pouls de madame de Fontenelle-Leyris. Elle fit un signe vers la villa. Le jardinier arriva. Il enleva le sable, prit sa maîtresse sous les bras, l'infirmière accrocha les chevilles et tous les deux transportèrent rapidement l'arthritique dans la maison. Là, elle trouverait le réconfort d'un bouillon clair. Ou d'un vin sucré.

— Je préférerais le vin sucré, affirma madame Deslandes-Wincker.

Elle avait dit cela pour rire : elle éclata en sanglots. Une grosse crise imprévisible.

Benoîte l'attira contre son épaule.

Elle pensa qu'il valait mieux se taire. Ne plus chercher. La mère parla pour elle autant que pour sa fille :

— Si tu me quittais, je me tuerais.

Benoîte frémit :

— Pourquoi veux-tu que je te quitte ?

Elle serra. Plus fort. Les épaules. Le buste. Elle plaça sa joue sur la poitrine. C'était cela son rôle : la consolation. Le rempart. En premier contre Madame Mère : lui clouer le bec dès qu'elle en aurait l'occasion. En second, et ce serait plus difficile, contre la mère elle-même : ne pas laisser monter les idées noires. Les défaillances. Pour tenter d'y parvenir : rester près d'elle.

Le lendemain, la bande des Bordelais se présenta à la Tonkinoise : des jeunes gens de bonne éducation mettant en commun leurs conversations sur leurs séjours en Angleterre, les tournois de tennis de Primrose, le concours d'élégance de la grande sœur tenant en laisse son labrador.

— *Hello*, Benoîte ! Venez-vous tirer une bordée sur le Bassin ? Les passes sont calmes et au retour, nous irons à l'île aux oiseaux.

— Non. Merci.

— On ne vous voit plus.

— Un autre jour, peut-être.

Les garçons partirent à regret. Ne s'expliquant pas les permanentes défections de leur ancienne camarade de jeux.

Monsieur Deslandes-Wincker ne se l'expliquait pas

non plus. Mis au courant par Madame Mère, le soir il demanda :

— Qu'est-ce qui vous pousse à refuser toutes les invitations ? Voulez-vous devenir une recluse ?

Mi-figue, mi-raisin, Madame Mère ajouta :

— Assurément, ce n'est pas ainsi qu'on trouve un mari. Ces jeunes gens sont tous de bons partis.

Benoîte, sous l'allusion, aurait pu rentrer dans sa coquille. Mais non : elle écoutait à peine. Regardant sa mère. Qui ne regardait personne. Madame Mère. Qui regardait tout le monde. Épiant les réactions.

— À propos, dit monsieur Deslandes-Wincker, dimanche c'est la nuit du yachting. Je compte sur vous… toutes les trois… pour me faire honneur.

Il se tourna vers Benoîte :

— Avant la soirée, nous dînerons avec les Pascaud. Ils nous ont invités. Le fils Pascaud s'est déclaré ravi de cette initiative.

Il la regarda :

— J'espère que vous êtes dans les mêmes sentiments.

Benoîte fit semblant de fouiller sa mémoire. De s'assurer :

— Le fils Pascaud… c'est bien… celui qu'on appelle le fils des morues ?

Sa serviette blanche pliée dans sa main, monsieur Deslandes-Wincker donna un violent coup de poing sur la table :

— Nom de Dieu !… Julien Pascaud est un garçon brillant. De grande qualité. Je vous prierai de garder vos insolences pour vous et de vous montrer à sa hauteur… si vous le pouvez !

Benoîte baissa la tête. Faussement repentante. Intimement satisfaite : elle n'éviterait pas la nuit du yachting mais elle avait obligé monsieur Deslandes-Wincker à crier ; à la houspiller : à s'intéresser à elle.

Le lendemain, elle demanda à monsieur Louis de la conduire au Pilat, avec sa mère.

Madame Deslandes-Wincker apprécia la promenade :

— J'ai toujours eu plaisir à contempler cette dune. Avec les gens qui s'escriment à la gravir. On dirait un grand jeu sous le soleil.

Elle sourit :

— Tu te rappelles : lorsque tu aidais ta petite sœur à y monter ?... Tu la tirais...

Gênée, Benoîte ne répondit pas.

Madame Deslandes-Wincker s'impatienta :

— Marie-Rolande ! Je te parle !

À son tour, elle se rendit compte de son erreur. Elle se tut.

Des jeunes quittaient la plage. Marchant ensemble :

Auprès de ma blonde,
Qu'il fait bon, fait bon, fait bon...

Benoîte n'eut pas besoin de voir : ses copains étaient là, gagnant la forêt.

Craignant d'être découverte, elle se laissa glisser devant la banquette. Disparut.

Auprès de ma blonde
Il fait bon dormir.

Lorsque la bande fut passée, elle risqua un œil. Remarqua que Carette, Juliette, Bada n'étaient plus là. Partis « au chagrin ». Remplacés par des bizuts qui chantaient avec le même entrain. Le même soleil.

À nouveau, elle se tassa. Affolée : marchant derrière les autres, Martin s'était arrêté. Dos à la voiture. Attendant une retardataire : Loulette. Il lui tendit la main. Encourageant :

— Réfléchis : tu es intelligente, si tu travailles bien,

dans un an tu entres à l'École normale. C'est gratuit et tu peux même avoir une bourse… Ça ne te plairait pas d'enseigner ?

— Si.

— Nous serions instituteurs tous les deux.

Ils marchaient vers le groupe. Pas pressés de le rejoindre, semblait-il. Benoîte avait envie de courir derrière eux, de frapper leurs mains unies, de les séparer, ordonnant à Loulette : « Ne te marie pas !… Tu n'as pas le droit ! »

Tout l'après-midi, la phrase tourna dans sa tête, impérative, adressée à Loulette alors que, elle s'en rendait compte, l'image de Martin ne quittait pas ses yeux.

Elle la quitta encore moins le samedi où, sentant approcher ce qu'elle appelait sa soirée carcérale, elle pensa de plus en plus à ses journées d'évasion : l'auberge sous les pins, garçons et filles de robuste camaraderie, veillées chantées, Loulette fleur naïve, les courses sur le sable, les plongeons dans l'eau verte et salée, les hirondelles partant de leur nid sous les tuiles de la galerie pour vivre dans le ciel le grand ballet de la liberté…

— À quoi pensez-vous ? demanda Julien Pascaud.

Depuis une heure, ils étaient assis devant la table décorée, fleurie, garnie, de l'hôtel Aïtza.

Benoîte avait souri aux premiers compliments et surtout à l'arrivée de la langouste.

Depuis, elle laissait tomber à droite, à gauche un petit « oui », un petit « non » ou alors un « ah ! » qui ne l'engageaient pas vraiment.

À quoi pensait-elle ?… À rien. Ou plutôt à l'Eugène. De sa grande barcasse noire, il lui montrait un nid de mésange accroché à un roseau : « Rappelez-vous, jolie demoiselle : toujours trente ou trente-cinq centimètres au-dessus de l'eau, le nid de mésange. Comme ça, si le niveau monte, le nid ne se noie pas : il flotte. Et comme il est accroché au roseau, il ne s'en va pas. Comme la chaloupe au bas de la coupée. Quand elle attend ses passagers. »

Oui, elle pensait à un nid flottant. À une mésange et sa fille. Se serrant dans la mousse et la plume.

L'orchestre s'était installé.

Certains convives se levèrent.

Benoîte n'avait pas terminé son dessert.

Elle décida de le faire durer.

Julien Pascaud expliquait à Patrice de Fontenelle-Leyris comment son père avait développé son huilerie. Il expliquait le soja et le tournesol, les presses hydrauliques et les agios, le cas particulier de l'olive, les avantages de l'entreprise familiale étayée par la diversification des activités…

Craignant que, peut-être, mademoiselle Deslandes-Wincker ne fût pas en mesure de suivre sa vibrante démonstration, Julien Pascaud décida de lui donner quelques utiles informations :

— Nous possédons au Sénégal des plantations d'arachides.

— Ah ! C'est intéressant ! fit mademoiselle Deslandes-Wincker avec une impassibilité vraiment de bon aloi.

Julien Pascaud précisa :

— En vérité, c'est mon oncle qui en est le propriétaire.

Mademoiselle Deslandes-Wincker s'en montra presque déçue :

— Oh ! C'est moins intéressant !

Julien Pascaud s'empressa d'ajouter que son père, monsieur Jérôme Pascaud, avait des parts dans l'affaire.

Cela rassura pleinement mademoiselle Deslandes-

Wincker. Qui, sans rire, la mine gourmande, s'exclama :

— J'aimerais bien avoir des parts de cacahuètes !

Julien Pascaud se demanda si la jeune demoiselle ne se moquait pas de lui. Il décida d'ignorer ses malices : se tournant vers sa droite, il reprit sa conversation avec Patrice de Fontenelle-Leyris. Entre hommes :

— L'huile remplacera peu à peu la graisse : je suis très confiant pour notre maison. Je suis moins optimiste pour nos sècheries : un jour, la perte de religion sera fatale à la morue du vendredi...

Benoîte lui aurait peut-être conseillé de mieux défendre notre Sainte Mère l'Église, mais Jean-Gérard Cahuzac accaparait son oreille gauche :

— Tu te souviens... l'an dernier... nous étions allés sur la plage... Tous les deux.

— Ah ! peut-être, fit mademoiselle Deslandes-Wincker.

Le garçon ne croyait pas du tout à un trou de mémoire. Sa voix se fit chaude :

— Tu t'étais dénudée... Et nous avions...

Mademoiselle Deslandes-Wincker prit un air de grande bonne foi :

— Tu es sûr ?

Jean-Gérard Cahuzac s'agita :

— Ne me dis pas que tu as oublié !

Mademoiselle Deslandes-Wincker ne voulait pas lui être désagréable : elle n'affirmait pas que cela n'avait pas existé...

Elle rassembla toute sa sincérité :

— Simplement... Je ne m'en suis pas aperçue !

Jean-Gérard Cahuzac jeta sa serviette sur la table. Il partit vers les musiciens.

Un monsieur d'une grande distinction avait pris possession de la piste, accueilli par un murmure flatteur. Applaudi. Du bout des doigts : on n'accueille pas un authentique marquis comme on reçoit un artiste de music-hall.

Smoking blanc, souliers blancs, rose rouge à la boutonnière, le marquis s'inclina à droite, à gauche, baisa la main qu'une spectatrice lui tendait cependant que la chanteuse d'orchestre lisait le quatrain écrit pour sa présentation :

— François de Grandmaison-Chapu.
Animateur de soirées in.
Ses mots sont bien venus.
Ses jeux portent smoking.

Ce que, *mezzo voce*, Julien Pascaud compléta par :

— Sa fortune est foutue. Il est dans la débine.

Le noble animateur n'entendit pas et, dévoilant les flacons que son amie Coco Chanel l'avait chargé d'offrir aux plus élégants des danseurs, il annonça le premier concours :

— Le boston.

Avec ensemble, les archets se levèrent.

Les couples suivirent leur exemple.

Il en fut ainsi pour Benoîte qui, ne pouvant refuser l'invitation de Julien Pascaud, le suivit sur la piste en se disant que la valse lente, au moins, évitait le contact avec le cavalier. Mais pas la main droite dans la main moite.

Monsieur Jérôme Pascaud s'était lui aussi lancé sur le parquet ciré. Petit homme replet, visiblement dynamique, il avait le mérite de voiturer une danseuse beaucoup plus haute que lui.

Julien le regardait avec une grande affection :

— J'ai beaucoup d'admiration pour papa...

Il aurait souhaité la faire partager :

— Pas vous ?

— Si. Si. Bien sûr, approuva Benoîte.

Et, réflexion faite :

— Il ressemble à Fred Astaire.

Puis, pensant que la comparaison avec le prestigieux danseur américain pouvait encore ressembler à une moquerie, elle précisa :

— De visage évidemment !

Julien Pascaud était peut-être malheureux. Il le disait. On pouvait le croire :

— Depuis toujours, nous passons nos vacances ici... ensemble... Et... depuis un an, vous me fuyez.

— Mais non.

— Mais si... je vous ai déplu ?

Julien Pascaud serra sa main moite sur la main de mademoiselle Deslandes-Wincker :

— Vous ne savez pas ce que vous représentez pour moi.

— Au contraire, je le sais très bien : une augmentation de capital.

Ce fut comme si la foudre était tombée sur le jeune homme : Benoîte sentit le courant qui parcourait son corps.

Il était outragé :

— Je devrais vous laisser là. Au milieu de la piste.

— C'est vrai : vous devriez... Ça ferait scandale. Ce serait très amusant.

Julien Pascaud hésitait.

Il respira profondément.

Il continua le boston. Sourire aux lèvres. Élégant.

À cet instant un bruit parvint aux danseurs. Des verres. Une chaise qui tombe.

Monsieur Caillavet, un négociant en bois que Benoîte connaissait bien, s'était levé. Pâle :

— Je vous rappelle que, contre toute convention, il y a quatre mois Hitler a envahi la Rhénanie.

Lampant son armagnac, tirant sur son havane, monsieur Deslandes-Wincker demanda :

— Et alors ?

— Ne voyez-vous pas que l'Allemagne va se jeter sur nous ?

— Je vois qu'Hitler est un homme d'ordre dont nous aurions grand besoin.

Monsieur Caillavet voulut parler. Monsieur Deslandes-Wincker lui coupa la parole :

— Promenez-vous, cher ami, allez dans les cercles, voyez du monde, partout vous entendrez : « Mieux vaut Hitler que le Front populaire ! »

Monsieur Caillavet poussa un cri indigné :

— Je ne me suis pas battu pendant quatre ans dans les tranchées pour avoir les boches à Paris !

Monsieur Deslandes-Wincker demeurait serein. Il ironisait :

— Je vous croyais avec de La Rocque ?

Le marchand de bois tremblait. Il se redressa :

— Le colonel de La Rocque a groupé des anciens combattants pour débarrasser la France des escrocs, des politiciens corrompus, des communistes, il n'a jamais eu dans l'idée de donner la France aux Allemands !

— Ce sont eux qui nous débarrasseront des métèques ! lança monsieur Pascaud.

L'altercation avait pris de l'ampleur. Les gens faisaient cercle.

Monsieur Deslandes-Wincker se fit accusateur :

— En février 34, avec votre de La Rocque, vous étiez maîtres de la rue. Vous n'avez pas pris le Palais-Bourbon : vous n'avez pas osé !

Monsieur Caillavet perdit tout à fait son calme. Pas son mépris :

— Comme vous pour la guerre de 14 à ce qu'on dit : vous n'avez pas osé la faire.

Monsieur Deslandes-Wincker se leva. Outragé.

Pour sauver son fils, à tout hasard, Madame Mère lança :

— Mort aux Juifs !

Le mot fut repris. Avec d'autres :

— Les youpins à la porte !... Avec les francs-maçons... Au poteau, les fils de Moïse !

Maître Bernstein-Waëz, du barreau de Bordeaux, se leva :

— Ce n'est plus la nuit du yachting : c'est un pogrom !

Il entraîna sa femme. Monsieur Daniel Durand, qui avait épousé une demoiselle Lévy, le suivit. D'autres personnes qui n'étaient ni des Jacob ni des Sarah demandèrent leur vestiaire : la fête était finie.

Le marquis de Grandmaison-Chapu ne l'entendit pas ainsi : il distribua un citron à chaque couple de danseurs. Le jeu consistait à placer le citron entre le front du cavalier et le front de la cavalière et à ne pas le laisser tomber en dansant un tango, un paso doble.

La Chrysler démarra. Pilotée par monsieur Louis.

À l'arrière, Benoîte dit :

— Nous allons partir... toutes les deux.

Madame Deslandes-Wincker aurait voulu le croire. Elle y avait souvent pensé. Mais elle n'avait jamais mis son nez dans les affaires :

— Je ne sais même pas si nous aurions de quoi vivre.

— N'importe où, n'importe comment, tu vivras mieux qu'ici : en prison.

Les yeux de madame Deslandes-Wincker regardaient la nuit, les pins découpant le ciel. Hauts barreaux noirs :

— On te bâtit la prison qu'on me bâtit jadis... Si je partais, ce serait pour toi.

— Nous partirons.

La voiture entra à la Tonkinoise.

Le lendemain, Benoîte ne se montra pas. Estimant les possibilités de fuite. D'un long voyage pour commencer. En Italie peut-être. La douceur du ciel et de la mer, de l'art vivant sur la toile et dans la pierre doit inspirer les sereines décisions.

Elle sourit : l'idée lui venait qu'elle étudiait ce voyage avec sa mère comme elle étudierait le meilleur itinéraire d'un voyage de noces... Le Vésuve crachait des feux d'amour. Rouges. Brûlants... Elle ne pouvait pas partir sans revoir Martin. Sans lui dire ce qu'elle n'avait pas su lui dire ; sans embrasser Loulette ; lui révéler tout ce qu'elle devait savoir. Elle prit le livre *Du mariage*.

La voiture était devant la porte.

Elle sauta à l'intérieur.

S'en fut.

L'après-midi approchait de sa fin. Sans se presser. Avec la lenteur des heures en vacances.

Il était inutile d'aller à l'auberge : les copains n'étaient pas rentrés.

Ils étaient à la plage.

Ayant tendu un fil entre deux piquets, ils organisaient tant bien que mal une partie de volley-ball. Avec un ballon trop lourd pour cause de cuir gorgé d'eau. Et une vessie s'obstinant à pousser son bidule de gonflage à travers les lacets. Mieux valait ne pas taper à cet endroit-là. Encore moins le prendre dans l'œil.

— Ce boulanger, il est un peu emmerdant : tous les lundis matin, il manque de pain. Maintenant, il faut y revenir.

— Ne t'inquiète pas, dit Loulette. J'ai dit que j'irais : j'y vais.

Elle monta la dune, trouva le vélo au garage où elle l'avait laissé : à côté du dancing.

Elle pédala en s'amusant : allant de droite à gauche de la route, chantant pour elle, pensant à la lettre reçue de sa mère, à Luigi qui, disait-elle, allait revenir en France.

Au retour, elle recommença son jeu : zig à droite ! zag à gauche !

Un moteur derrière elle annonça l'arrivée d'une auto.

Loulette se rangea. Elle avait le soleil dans les yeux. Le conducteur aussi sans doute. La voiture la dépassa mais, dans le virage qui s'amorçait, elle glissa sur une plaque de sable, fit un tour sur elle-même et, semblant accélérer, elle fonça droit sur la gauche, franchit le fossé et disparut dans la forêt avec un bruit énorme.

Loulette tremblante s'était arrêtée.

Avait-elle provoqué l'accident ?

Elle n'osait plus avancer.

La raison l'emporta.

Elle appuya sur les pédales. Posa son vélo. Elle était paralysée. Ne pouvait pas s'approcher.

Elle le fit pourtant. L'avant de la voiture était enfoncé dans un pin robuste. Ou plutôt il était enfoncé par lui. Le capot relevé paraissait gigantesque devant le pare-brise qui n'était plus que lambeaux de verre. Taillés en pointe.

Elle descendit dans le sable. Remonta.

Elle avançait à pas de loup. Comme si ce monstre de ferraille représentait un danger.

Elle pensa qu'il fallait porter secours au conducteur.

Elle poussa un cri.

Recula d'un pas.

Revint. Elle porta ses mains devant son visage :

— Bugatti !

Elle ne voulait pas croire.

Elle souleva la tête de son amie.

Du sang coulait.

Elle répéta :

— Bugatti.

Elle pleurait. Voulait appeler. Elle releva sa bicyclette. Un automobiliste s'arrêta :

— Il y a des victimes ?

Lui aussi sauta le fossé.
Elle disait sans cesse :
— Bugatti. Bugatti.
Il la regarda :
— Je crois bien que c'est trop tard.
Il décida :
— Je vais quand même prévenir. Restez là.
Elle resta. Tordant ses mains. Ne pouvant pas croire que tout finissait ainsi. Les vacances. L'auberge. L'amitié.
Sur la banquette : un livre.
Elle le regarda : Léon Blum. *Du mariage.*
Le livre que Bugatti voulait lui faire lire.
Elle le prit.
Le glissa dans la sacoche du vélo.
Le médecin arriva.
Il dit :
— Il est trop tard, en effet.

7

— Je t'ai dit que je ne te parle plus. Tu comprends ce que ça veut dire : « je ne te parle plus » ?

Devant le foyer ouvert, Ernest, dit la Vapeur, transpirait toutes les gouttes de cette fin d'été.

— Ça veut dire que tu me rabâches ça depuis quinze ans et que tu me parles toujours, répondit Piston, placide.

Il tira la montre de son gousset. Satisfait : ils seraient à l'heure à Matabiau.

Ernest, énervé, tamponna son front avec le tissu huileux, charbonneux, avec lequel il s'essuyait les mains. Son front ressortit tout noir de l'aventure.

Cela fit rire Piston.

Le rire rendit Ernest vraiment acerbe :

— Je te parlais parce que je ne savais pas que tu étais un assassin.

La bonne humeur du mécanicien cessa d'un coup :

— Tu vas retirer ça tout de suite. Sinon, je t'enfonce ton crochet dans le fond de la gorge.

Le chauffeur ne crut pas vraiment à la menace :

— C'est ce que je dis : tu es un assassin !

— Tout de suite, tu retires ça ! Tout de suite !

La Vapeur mollit un peu. Il rectifia :

— T'es peut-être pas un assassin mais tu es le complice des assassins !

Piston qui, sur sa Pacific, se savait maître après Dieu, ne supportait pas de ne pas l'être dans les discussions politiques :

— Et toi, tu es le complice de la presse bourgeoise ! De ses valets journalistes ! Ils te racontent que les Russes condamnent des innocents, qu'ils les exécutent et tu les crois : comme une andouille !

Ernest décida de ne pas être susceptible. Pour permettre à son compagnon de bien lire les pressions, de son chiffon propre il nettoya les boîtes à vapeur, les réservoirs auxiliaires... Tout en maugréant :

— Y a pas que les pourris de la bourgeoisie qui le disent : t'as des intellos et des savants. Hier, ils étaient avec nous et...

Le mécanicien lui arracha le chiffon des mains, essuyant lui-même l'indicateur Flaman. Il ne voulait rien lui devoir ! Rien céder non plus :

— Les savants, c'est comme les marins d'eau douce : ils sortent que par beau temps. J'ai jamais compté sur eux pour nous défendre !

Le train arrivait aux aiguillages. Placide, le chauffeur montra le disque rouge qui bordait la voie :

— Attention ! Tu as l'œil de Moscou qui te regarde.

Cela énerva son compagnon :

— Je le vois. J'ai pas besoin de toi pour me le dire.

Il s'énerva encore plus :

— Et puis d'abord, je te prie de plus l'appeler l'œil de Moscou !

— Sur les locos, c'est toujours comme ça qu'on a dit... tout le monde.

— Ça veut dire que tout le monde est con !

— Bon, je le dirai plus, fit la Vapeur, conciliant. D'ailleurs, il est plus rouge, il est blanc : tu peux passer.

Alors, Piston explosa vraiment : voilà qu'un simple pousse-charbon, allié objectif du grand capital, avait la prétention de lui apprendre son métier !

— … Je le sais que je peux passer ! Je le sais !

Il tira sur la chaîne du sifflet. Pour faire savoir qu'il avait vu le signal, pour prévenir un voyageur ou un ouvrier distraits restés trop près de la voie. Et aussi pour se détendre les nerfs.

Le train entra sous la verrière.

Des jeunes sautèrent sur le quai avant l'arrêt.

D'autres, plus anciens, traînaient leurs gosses par la main, attendaient le pépé et, visages bronzés, porteurs de sacs et de cannes à pêche, de valises et de filets à crevettes, semblaient bien décidés à vivre jusqu'à la fin leurs estivales satisfactions :

Tout va très bien, madame la Marquise…

Ils se dirigèrent vers la sortie. Sauf deux ou trois familles qui allèrent à l'avant du train. Un grand, gros, se plaça devant la loco, tête levée, s'adressant aux conducteurs :

— Salut, les gars !… Et merci !

Piston descendit. Suivi de son acolyte. Maintenant, ils connaissaient l'usage. Nouveau : à l'arrêt de chaque convoi, il y avait toujours quelques « congés payés », quelques « Léo Lagrange » comme on disait, qui venaient serrer la main du mécanicien, du chauffeur :

— On a eu du soleil tous les jours.

— Et des huîtres !… On a mangé des huîtres.

— C'est grâce à Blum, dit le chauffeur.

— … et à Thorez, rectifia le mécanicien.

Sous sa casquette blanche, le chef de gare souffla dans son sifflet.

Le train démarra.

Avec Piston qui libéra sa colère en même temps que la vapeur de compression :

— Ah ! Tu peux le mettre en avant, ton Blum ! Il l'assassine, le Front populaire ! On a Hitler sur le flanc droit, Mussolini plus bas et bientôt on aura Franco dans les fesses ! Tout ça parce que monsieur Blum, le républicain du Front populaire français, ne veut pas fournir d'armes aux républicains du Front populaire espagnol !... Un traître, Blum ! Un vendu !

Timidement, le chauffeur protesta :

— Ce n'est pas lui qui ne veut pas : ce sont les Anglais ? Ils ont menacé de...

Piston tira sur la chaîne. Sans raison. Comme pour faire protester la locomotive en même temps que lui :

— Tu sais ce qu'il leur a dit, Cambronne, aux Anglais ? Eh bien, c'est ça qu'il faut leur dire à ces emperruqués : « Votre couronne d'Angleterre, on n'en a rien à faire ! Nous, on est des républicains : on aide les républicains ! »

Ernest se tut. Il avait beau savoir que Blum n'était pas un traître, il avait beau comprendre que si la France perdait son alliance avec l'Angleterre, elle se trouverait le cul nu devant les fripouilles nazies, cette non-intervention française pendant que les copains espagnols se faisaient mitrailler par les avions d'Hitler et de Mussolini le mettait mal à l'aise. Or, de cela, nul désormais ne pouvait douter : depuis le 30 juillet où, dans la même journée, un avion italien avait dû se poser en catastrophe à Berkrasse, au Maroc, pendant qu'un autre s'écrasait à Saïda, en Algérie, cent incidents et témoignages l'avaient établi : les factieux levés au Maroc par Franco étaient transportés en Espagne par les escadrilles des deux dictateurs.

Le train siffla encore. Loin déjà.

Dans la cour de la gare, les « Léo Lagrange » avaient de la peine à se séparer :

— Adieu, Momond, tu viens me voir. C'est promis ?

— Dès que je sais où tu es incorporé, je t'écris à la caserne.

— De nous tous, ton drôle, c'est celui qui a le plus profité.

— Tu ne le croirais pas : il a grandi de deux centimètres.

— Toi aussi, tu as changé, dit Amélia en contemplant sa fille. Tu es brune : on dirait un caramel !

Titou sauta au cou de sa sœur :

— Je mange le caramel !... Je mange le caramel !

Loulette parvint à sourire mais, au bout de quelques minutes, il fallut se rendre à l'évidence : elle n'en avait pas envie.

Albert demanda :

— Ça ne s'est pas bien passé ?

— Si. Très bien.

— L'auberge n'était pas confortable ?

— Mais si.

— Alors... c'était la nourriture...

Loulette se rendait compte de la déception qu'elle causait : ses parents avaient fait des sacrifices pour l'envoyer en vacances. Ils en avaient espéré, pour elle, mille joies et alors que, maintenant, ils en attendaient le récit, elle était incapable de leur dire les plaisirs du sable et du soleil, des promenades et des veillées, des chansons, de la camaraderie, de...

Elle s'enferma dans sa chambre.

Amélia et Albert se regardèrent. Ne comprenant pas. Cherchant.

La mère finit par demander :

— Tu crois qu'elle est amoureuse ?

— Je l'avais dit qu'elle était trop jeune pour partir, bougonna Albert.

Amélia jugea inutile de répondre : si Loulette n'était pas partie en vacances, c'est lui qui en aurait été malade ! Il lui avait même procuré le maillot de bain !... Les maris sortent du même moule : tous des « Tu vois bien que j'avais raison ».

Hachoir en main, elle se mit à préparer le repas... Les tomates farcies : le plat préféré de l'enfant prodigue.

Lorsqu'elle les vit dans le four, Loulette ressentit un attendrissement : on l'aimait. Elle voulut remercier : elle éclata en sanglots.

Le père était désorienté. Titou n'avait pas imaginé un tel retour. Amélia caressait les cheveux de sa fille :

— Là !... Pleure... Ça fait du bien... Et parle... parler aussi, ça fait du bien... Parle... doucement... sur l'épaule de maman.

— C'est... c'est... Bugatti... elle est morte devant moi.

Il fallut des minutes, des phrases commencées, interrompues, reprises pour que les parents comprennent le motif de ce chagrin. Émus, comme tous les parents, par la mort d'un enfant... Se disant : « Cela aurait pu être le nôtre... » Soulagés, après toutes leurs craintes, que le destin ait frappé ailleurs... Très soulagés même : continuant à caresser les boucles de sa fille, Amélia se disait : « Au moins, elle n'est pas enceinte. »

Loulette raconta l'accident. Répondit aux questions. Savoura les tomates farcies. Elle posa devant Titou un paquet de bonbons à la sève de pin et quatre petits gâteaux caramélisés au rhum : la Gironde les appelle des cannelets.

Elle promit d'être plus loquace le lendemain.

Pour l'encourager, Albert dit :

— Dans la vie, il n'y a pas que des mauvaises choses... Ta mère a une bonne nouvelle à t'annoncer.

La mère voulut faire attendre le plaisir. Elle minauda un peu. Puis :

— Au magasin, j'ai parlé au directeur. Il aurait préféré que tu connaisses la dactylo mais... il a dit que puisque tu as le brevet... il te prend à partir du 1er octobre.

Elle allait demander : « Tu es contente ? » mais là encore, le visage de sa fille la désorienta :

— Quelque chose ne va pas ?

Loulette regarda sa mère. Son père.

Elle baissa la tête :

— Dimanche, Martin vient à la baloche[1]. Après le déjeuner, il montera vous parler. Il me l'a dit.

Une fois encore, elle disparut.

Pour Amélia, il n'y eut plus de doute : il y avait de l'amour là-dessous. Les craintes devinrent suspicions : Loulette ne pouvait pas accepter le travail à Toulouse parce qu'elle avait rencontré un garçon cet été ; elle allait le suivre. Loin. Peut-être à l'étranger. Ou alors :

— Tu crois qu'il vient la demander en mariage ?

— Qui ?

— L'instituteur. Cet été, ils se sont promis et...

Albert haussa les épaules.

Amélia admit que l'hypothèse était un peu fofolle.

Il n'empêche que le vendredi, cueillant dahlias et vendangeuses dans le jardinet de la voisine, elle en fit un bouquet. Le mit dans un vase. Au milieu de la cuisine. Les fleurs, ça attire les bonnes nouvelles.

Martin parla simplement :

— Voilà : votre fille est intelligente. Elle veut être institutrice. Il faut qu'elle prépare l'École normale.

Tous les sentiments assaillirent les Souleil. La petite était intelligente : ça, c'était bien. Un instituteur qui n'était pas le sien s'en était rendu compte sans lire ses devoirs, juste à sa conversation : ça, c'était bien aussi. Le trouble venait de ce salaire d'apprentie bureaucrate disparaissant avant d'avoir été espéré ! Et aussi : Loulette voulait être institutrice ! Pourquoi n'en avait-elle jamais parlé ? Pourquoi en avoir fait la confidence en dehors de la famille ?

Martin montra un peu d'embarras :

— Je... connais votre situation : vos émoluments ne sont pas gros...

1. La fête du quartier.

Amélia tenta de rectifier mais Martin voulait aller au bout de son information. L'État accordait des bourses aux élèves démunis :

— Si Loulette veut présenter le concours, je la suivrai.

Amélia, qui ne s'était pas encore débarrassée de ses craintes de départ, se demanda une seconde où cet instituteur voulait suivre sa fille… Elle se ressaisit.

Martin conclut :

— En décembre, je verrai ses notes du trimestre et, à partir de janvier, je l'aiderai à rattraper les retards.

Albert remercia.

Amélia se joignit à lui, conservant pourtant les pieds sur terre :

— Une bourse, oui, mais… ce sera dans un an.

Elle jeta un bref regard à son mari. Gênée devant lui d'en venir aux réalités :

— Vous dites « vos émoluments » mais… pour l'heure, nous n'en avons qu'un.

Elle se tourna vers sa fille :

— Nous n'avons pas eu le temps d'en parler : ton père est toujours chômeur.

Albert sortit. Sans un mot.

On l'entendit descendre l'escalier. Criminel ne supportant plus les yeux du monde.

Mal à l'aise, Martin murmura :

— Je vous ai dit ce que je pouvais faire. C'est de bon cœur.

Il allait partir.

Trois jeunes gens entrèrent, portant devant eux un cageot de fleurs. Précisément : une cagette de bois remplie de fleurs en papier. C'était la coutume. Pour payer les frais de la baloche :

— Choisissez celle qui vous fait plaisir, dit l'un des garçons.

— On donne ce qu'on veut, ajouta l'un des deux autres.

Amélia aurait voulu ne pas être entendue de Martin. De sa fille. Doucement, elle repoussa les quémandeurs :

— Pas cette année. L'année prochaine, ça ira mieux.

Elle avait envie de pleurer.

Les vendeurs étaient désarçonnés :

— Personne ne refuse.

Amélia répéta :

— L'an prochain… Oui, dans un an, ça ira mieux.

Loulette, sans regarder personne, fila dans sa chambre.

Elle y resta longtemps.

Pensant à Bugatti. À sa richesse. Dont elle ne lui avait jamais parlé. Elle prit son livre. Elle savait qu'elle le lirait plus tard. À chaque page, Bugatti avait noté une réflexion inspirée par le texte. Par sa mère. Par elle. Tout cela était trop frais. Trop près. Un livre vient à son heure.

Elle le posa dans le tiroir de sa petite table. Sa seule cache. Fermant à clé.

En attendant la musique officielle, madame Lajute avait installé le pavillon de son phonographe face à la rue.

Maurice Chevalier chantait :

Mon cœur est en chômage
Qu'est-ce qui veut l'embaucher ?

Il garantissait que, malgré les quarante heures, « on pouvait s'entendre avec lui pour le travail de nuit »…

Loulette ferma la fenêtre. Brusquement.

Elle avait dit à Martin que, à seize heures, elle le rejoindrait pour la farandole, derrière la fanfare conduisant les danseurs au café Monseau.

Les cuivres éclatèrent.

Et les tambours.

Les bombes.

Loulette ne bougea pas.

Réfléchissant.

Longtemps.

Le soir, sa tête baissée sur sa cuillère à soupe, elle murmura :

— Je vais prendre l'emploi au magasin... Ça m'est égal de ne pas être institutrice.

Albert aurait pu parler doucement, lui aussi. Non : il retrouva le ton de ses admonestations paternelles. Pas si lointaines :

— Moi, ça ne m'est pas égal : tu vas préparer le concours de l'École normale... Et tâche de le réussir.

Lui aussi regarda son potage :

— Je trouverai du travail... Il faut que j'en trouve... j'en trouverai.

Pendant plusieurs jours, il partit le matin, revint le soir.

Alors, Amélia lui disait :

— Tu n'es pas revenu déjeuner. Je t'avais fait bouillir des pommes de terre... et la boîte de sardines était à côté.

Il répondait :

— À midi, je n'avais pas faim.

Ou :

— J'ai rencontré un copain. On a mangé sur le pouce.

Elle se rendit compte qu'il maigrissait.

Il alla lui-même inscrire sa fille en quatrième année.

Après avoir espéré une place de contrôleur aux « Tabacs et allumettes », il trouva une embauche de quelques jours comme « pêcheur de sable ». Il profita de ce séjour sur la Garonne pour se lier avec un *pescofi* dont il vendit le poisson. Voyant, lors de chaque changement de spectacle, les décors du Capitole traverser le quartier sur leur plate-forme à portique, il se rendit à l'entrepôt de la rue de Périole pour demander un emploi de machiniste. Le chef du magasin ne put le lui fournir, mais il lui procura quelques soirées de figuration. C'étaient petites choses et Albert conçut le projet de donner à ses recherches une organisation méthodique : le matin, il frappait à une porte, sonnait à un portillon, entrait dans un bistro, un magasin :

— Vous n'avez pas de travail pour moi ? Je sais jardiner, je peux scier du bois, faire des courses, mettre de l'ordre dans un atelier…

Ayant reçu une réponse négative, il passait au numéro voisin, aux numéros d'en face… Ayant épuisé la rue Matabiau, il attaquait la rue Raymond-IV, la rue de la Concorde…

La plupart des gens le recevaient avec indifférence. Certains soupiraient avec lui. D'autres se montraient méfiants. Rue Jules-de-Rességuier, une sexagénaire dont le maquillage pathétique tentait vainement de réparer l'irréparable consentit à retirer son fume-cigarette de la bouche pour susurrer :

— J'avais entendu dire que la semaine de quarante heures allait donner du travail à tout le monde… et les congés payés aussi.

Albert n'eut même pas envie de répondre.

La dame au peignoir de soie conclut l'entretien :

— Ce n'est pas en rendant les gens fainéants qu'on les aidera à trouver du travail.

Albert cracha sur la porte refermée.

Ce qu'il aurait voulu c'est que la porte s'ouvrît à nouveau. À ce moment-là.

Place Saint-Sernin, il rencontra un copain de chez Latécoère. Un brave type. Solide du muscle et de l'opinion. Du sérieux aussi :

— Tu devrais voir Vincent. Il est là en ce moment. Lui, peut-être, il te trouverait quelque chose.

Albert secoua la tête. Lorsqu'il était gosse, Vincent était déjà avocat. À Toulouse. Il revenait parfois au village pour embrasser ses parents. Albert entendait le père Auriol se plaindre des idées de son fils. Et surtout de la clientèle qu'elles lui faisaient perdre à la boulangerie. *Tempo las poulos, las socialo arribo !* disaient les paysans : « Enferme les poules, les socialistes arrivent ! » Jeune homme, Albert, militant, avait retrouvé Vincent. Dans les réunions, les meetings. Et encore en 1920 lorsqu'il avait été renvoyé des chemins de fer. Oui, Vincent sans doute l'accueillerait bien. Oui, peut-être il lui trouverait un emploi. Mais aller le voir, cela aurait l'air de dire : « Vous savez ce que j'ai fait... ce que ça m'a coûté. » Cela ressemblerait à une demande de remboursement.

Il continuerait à chercher seul.

Un après-midi, Loulette, à la fenêtre, attendait son retour. Une Grober-Mercedes noire s'arrêta devant la porte. Loulette ne connaissait pas la voiture mais elle reconnut le chauffeur. Et surtout la personne à laquelle il ouvrit la portière : celle qu'elle appelait « la dame triste ».

Elle entendit son pas dans l'escalier. Les coups à la porte.

Elle pensa ne pas répondre : son père allait rentrer. Elle avait le souvenir du jour où il avait malmené cette personne de bonne volonté. Il était inutile de renouveler l'incident.

On frappa plus fort.

Elle se décida.

Lors de ses précédentes visites, la dame triste était vêtue de noir. Elle était aujourd'hui plus triste que jamais. Plus vêtue de noir que jamais : un voile de crêpe descendait de son chapeau. S'enroulant sur son cou.

Elle regarda Loulette.

Elle avait de la peine à parler.

Elle finit par dire qu'elle avait hésité à venir, sachant que monsieur Albert ne l'accueillerait pas favorablement. Moins favorablement encore que jadis : elle était partie en vacances sans lui régler le salaire qu'elle lui devait.

Avec des gestes fébriles, un peu désordonnés, elle ouvrit son sac, posa des billets sur la table. Ses paroles étaient aussi hachées que ses gestes. Elle parlait du Moulleau, de Biscarrosse, de l'accident, du rapport des gendarmes portant l'identité de Loulette, son adresse… Et soudain, ce fut comme si elle en avait fini avec les tergiversations :

— Mademoiselle… vous êtes la dernière personne à avoir vu mon enfant… Je suis venue… vous demander de me parler d'elle.

Loulette resta immobile. Ne pouvant pas croire. Pas bouger. Pas prononcer un mot. Sauf, comme devant la voiture, là-bas, pour murmurer :

— Bugatti…

Madame Deslandes-Wincker n'entendit pas le mot. Elle vit seulement les larmes perler sous les yeux de cette jeune fille qu'elle ne connaissait pas : elle lui ouvrit ses bras. Loulette se jeta sur l'épaule qui s'offrait.

— Pleurez… oui, pleurez… Elle était si belle…

Et :

— Racontez-moi. Dites-moi tout. Elle a parlé ?… Elle a souffert ? Elle allait vite ? Elle…

Loulette était débordée. Par le chagrin et le flot de questions. Qui bientôt devinrent plus rapides. Étonnées : madame Deslandes-Wincker apprenait que, pendant qu'elle était à Biarritz avec Marie-Rolande, Benoîte vivait dans une auberge de jeunesse. Elle ne savait même pas ce que ce terme recouvrait. Elle voulait savoir qui était là, comment Benoîte y était venue, qui l'y avait entraînée, ce qu'elle y faisait. Pourquoi y cachait-elle son identité ? Loulette répondait de son mieux mais une interrogation suivait l'autre, la bousculait ; le père allait rentrer, la mère, Titou qui aurait dû être là depuis longtemps. Elle finit par pousser la visiteuse vers la porte. Difficilement : madame Deslandes-Wincker disait qu'elle attendait la jeune fille chez elle. Le plus tôt possible. Elle laissait sa carte :

— Vous viendrez, n'est-ce pas ? Vous viendrez ? Vous me raconterez.

Loulette consentit :

— Jeudi à quinze heures.

Madame Deslandes-Wincker la remercia. Elle l'embrassa.

La Mercedes avait à peine disparu qu'Amélia arrivait, puis Albert. Et Titou enfin, montant les escaliers quatre à quatre pour éviter les : « Regarde ta chemisette. À quoi t'es-tu frotté ? Tu viens de la gare naturellement ! »

Ne voulant pas parler de sa promesse d'aller à la Tolosane, Loulette aurait tu volontiers la visite de madame Deslandes-Wincker. Cela impliquait de garder l'argent. Elle connaissait trop bien le besoin que ses parents en avaient.

Elle posa la liasse devant son père :

— La dame a dit qu'elle te le devait.

Amélia était presque émue.

Albert l'était aussi. On pouvait croire qu'il comptait les billets : il les caressait.

Le voyant ainsi, Amélia suggéra :

— Tu devrais aller la remercier.

Albert sortit de sa rêverie :

— De me payer ce qu'elle me doit ? Avec trois mois de retard !... Et puis quoi encore ?

Il se tut un instant. Pensa au maillot de bain. À ce larcin jamais avoué. Inquiet :

— Elle n'a rien dit d'autre ?

— Non, fit Loulette, inquiète elle aussi de ce qu'il pouvait savoir. Sur Bugatti. Mademoiselle Deslandes-Wincker…

C'est Amélia qui demanda :

— Pourquoi ?… Elle aurait dû dire autre chose ?

— Mais non ! Elle n'aurait rien dû dire !… Je pose une question, c'est tout.

Au ton, Amélia comprit que la journée d'Albert avait été infructueuse.

Elle mit sa main sur la main de son mari.

Le jeudi, sur son vélo, comme son père l'avait pensé avant elle, Loulette se dit que, pour apprécier le bonheur de vivre sur les hauteurs de Toulouse, de Ramonville, il fallait avoir une automobile. Elle transpirait, pédalait en danseuse, se couchait sur le guidon… Elle mit pied à terre. Repartit. Ahanant.

Montant le dernier raidillon, elle reconnut, au bout de l'allée, la deuxième dame de bienfaisance. La plus âgée.

À son habitude, Madame Mère tenait sa taille raide, son menton haut. L'une de ces personnes qui semblent vous regarder avec un face-à-main :

— Je ne vous connais pas… C'est à quel sujet ?

Intimidée, Loulette bafouilla qu'elle venait voir madame Deslandes-Wincker.

— C'est moi.

— Non. C'est…

— Comment non ?

À ce moment, Léonor Deslandes-Wincker qui jamais n'intervenait dans l'accueil aux visiteurs parut sur la terrasse.

— C'est pour moi, mère.

Un observateur aurait été surpris : elle passa devant la vieille dame.

Ses deux mains tendues, elle se dirigea vers l'arrivante :

— Excusez-moi. N'étant pas sûre de votre venue, je n'en avais informé personne.

Avec beaucoup de gratitude :

— Je vous remercie d'être là.

Elle l'entraîna vers ce qu'elle appelait « mon chez-moi ». Un petit boudoir tapissé de fleurs des champs auxquelles s'opposait une lourde cantonnière de velours grenat : la seule pièce de la Tolosane où ne trônât pas un objet exotique.

Les questions affluèrent. Ayant sans doute tourné dans la tête de madame Deslandes-Wincker depuis sa venue à Marengo.

Loulette se rendit compte bien vite qu'elle ne pouvait pas tout dire : les confidences de Bugatti sur la santé de sa mère, sur le livre de monsieur Léon Blum, ses idées libres sur le mariage ne pouvaient pas entrer dans les propos d'une adolescente de petite extraction ; conversant avec une dame de trente-cinq ans son aînée ; à l'éducation reçue des meilleurs pensionnats.

Au bout d'une heure, Loulette se leva.

Madame Deslandes-Wincker la fit asseoir :

— Je vais vous servir un porto.

Loulette refusa. Surprise qu'on lui offrît un apéritif. Par l'heure à laquelle on le servait. Car madame Deslandes-Wincker le servait. Elle levait son verre :

— Je suis tellement contente de notre rencontre... Une amie de ma fille... Et je ne vous connaissais pas... Vos paroles m'ont fait du bien.

Elle livra une confidence :

— Lorsque je suis venue à votre domicile, j'avais peur que votre père soit là. Que vous refusiez de me voir.

Une idée lui vint. Sur ce père justement :

— Je l'avais pris à notre service parce qu'il était chômeur. Où en est-il maintenant ?

Plus confuse que jamais, Loulette avoua que, dans ce domaine, les choses ne s'arrangeaient pas.

Madame Deslandes-Wincker se leva. Elle disparut, revint aussitôt, tendant quatre billets de cinquante francs :

— D'ordinaire, nous ne donnons que des produits alimentaires. Mais… il y a des exceptions… pour les grandes difficultés.

Loulette repoussa l'argent.

Madame Deslandes-Wincker le lui remit dans la main. Elle obligea la main à se fermer. Elle semblait heureuse. Elle raccompagnait Loulette, disant :

— Vous reviendrez, n'est-ce pas ? J'ai tellement besoin de vous.

Loulette promit. Intimidée. Satisfaite de faire le bien. D'être prise en considération par une grande dame.

Madame Deslandes-Wincker l'embrassa :

— Vous êtes fière. Votre papa aussi est fier. C'est bien. Les êtres n'ont plus assez de fierté.

Elle parla très bas. Pour elle seulement :

— Moi, j'ai perdu la mienne.

Un frisson parcourut son corps. Porteur de drames et de révoltes. De dignité vaincue. Renaissant une seconde. À fleur de peau.

Loulette s'en rendit compte.

Rentrée chez elle, elle cacha l'argent dans son tiroir… Comment aurait-elle pu dire qu'elle était allée à la Tolosane ?

Elle attendit son père. Dans un silence partagé avec Amélia. Titou…

— S'il nc rentre pas, c'est qu'il n'a rien trouvé. Autrement, il serait trop heureux de venir nous le dire.

À la vérité, devant le Dépôt où, disaient-ils, pour rien au monde désormais ils n'accepteraient de trinquer ensemble, Piston et la Vapeur réglaient leurs comptes. Comme ils ne l'avaient jamais fait. On pouvait craindre qu'ils n'en viennent aux mains. Aux pieds. À la clé anglaise, s'ils en possédaient une.

Pour parer à l'interdiction qui lui était faite par les Anglais de fournir des armes à l'Espagne, Blum avait proposé que tous les pays prennent le même engagement de non-intervention. Tout le monde avait signé mais maintenant nul ne l'ignorait plus : non seulement Hitler avait transporté en Espagne les légionnaires levés au Maroc par Franco, non seulement ses Messerschmitt écrasaient les villes et les positions républicaines mais un corps de cinquante mille combattants redoutablement équipés faisait désormais le coup de fusil, de mitrailleuse, de canon avec les émeutiers.

— Un enfant de chœur, ton Blum ! Il signe des traités avec des nazis, des fascistes, et il croit que les voyous vont les respecter !

— Un honnête homme, voilà ce qu'il est ! Et toi, un honnête homme, tu ne sais pas ce que c'est !

— Fais attention, Ernest ! Fais attention à ce que tu dis !

Le visage de Piston, sous la poussière du charbon, semblait avoir changé de couleur. Si on osait, on dirait que, tant elle était menaçante, sa voix avait fait un pas en avant.

La Vapeur eut beau percevoir le danger, il ne recula pas d'un pouce :

— Les honnêtes gens, ils s'exposent ! Vous, les communistes, vous dites : « On est du Front populaire mais on veut pas être ministre ! »… Parce que, comme ça, dès qu'il y a un pet en travers, depuis l'extérieur vous gueulez comme des ânes : « C'est pas nous : c'est les autres ! »

Il enfla la voix :

— S'il est si fort, ton Staline, pourquoi il va pas aider la république, lui ?

Il se déchaîna :

— Des rats, vous êtes ! Des rats qui quittent le navire quand le bateau risque de couler !

Albert était intervenu, un bras tendu vers l'un, un bras tendu vers l'autre pour empêcher le pugilat.

Il était rentré chez lui la tête basse. Ruminant. Devant une évidence : la guerre d'Espagne disloquait le Front populaire français.

Une deuxième évidence : ce n'était pas en se chamaillant en France qu'on sauverait la République espagnole.

L'idée se nourrit pendant le repas.

Lorsque Amélia vint le rejoindre dans la chambre, il murmura :

— Je vais partir.

Elle crut à une embauche pour un travail lointain. S'attrista de la séparation. Finit par demander :

— Où ?

— En Espagne.

Mue par le réflexe de tous les dangers, elle s'assit dans le lit, cabrée, frémissante :

— Non !

Il exposa que des républicains de tous les pays franchissaient les Pyrénées. Si nombreux à Cerbère ou au Perthus que la douane ne pouvait empêcher leur passage.

Il avait quarante-cinq ans. Elle lui dit :

— Tu es trop vieux.

— C'est ici que je suis trop vieux : tu vois bien qu'on ne veut pas de moi.

— Tu as une famille à nourrir.

Il lui fut facile de répondre que justement il ne la nourrissait pas. Lui parti, cela faisait une bouche de moins à table :

— Avec un salaire, à trois vous pouvez vous en sortir.

Sans qu'il comprît ce qu'elle faisait, elle partit.

Elle revint avec Loulette. Lui fit part de la décision de son père. Alors, c'est Loulette qui cria «Non!» et, comme Albert maintenait que son départ constituait la seule solution, elle alla dans sa chambre d'où elle rapporta l'argent de madame Deslandes-Wincker :

— La dame triste est revenue.

Albert parut assommé. Par cette deuxième visite si proche de la première. Par l'importance de la somme. Par les bras de Loulette autour de son cou. Il savait l'affection des siens. À cette minute, il la perçut plus grande. Bien trop lourde pour la porter sac au dos, l'exposer aux balles, à l'aventure, au risque, à travers monts de Tolède ou plaine d'Estrémadure, rives de l'Èbre, du Tage, du Guadalquivir...

Albert tendit l'argent à sa femme :

— Prends-le. Mais c'est le dernier que nous acceptons de ces gens-là.

Il se tourna vers Loulette :

— Et toi, si cette dame frappe à nouveau, tu n'ouvres pas. Tu m'entends : tu n'es pas là.

Loulette promit. Sans difficulté : ce n'était pas madame Deslandes-Wincker qui faisait le déplacement.

Le père murmura :

— De toute façon, la guerre, il faudra la faire. Un jour ou l'autre.

Amélia, qui n'allait jamais à la messe, se signa furtivement.

— Ne dis pas ça.

— Si on ne la fait pas contre les fascistes de l'extérieur, on la fera contre les fascistes de l'intérieur.

Les bourgeois n'avaient pas digéré les quarante heures, les congés payés, les billets à tarif réduit, les clubs d'aviation populaire, la création de piscines publiques. Les fascistes l'avaient compris : dans leurs meetings maintenant ils appelaient sans se cacher à la révolution armée.

— Tu m'as dit que Maurras avait été arrêté.

— ... pour appel au meurtre, oui, mais, lui en prison, son journal lance les mêmes appels et les autres journaux lui emboîtent le pas.

Il semblait regarder au fond de sa vie : à quatorze ans, il soignait les chevaux de monsieur Pons, au dépôt des tramways ; à dix-huit ans, il était soldat — « volontaire, en plus ! » ajoutait-il — ; à dix-neuf ans, blessé ; à vingt ans, cheminot ; à vingt-deux, licencié, chômeur :

— Les rentiers, les grands, les maîtres, appelle-les comme tu veux, j'ai appris à les connaître.

Depuis une année, il les connaissait mieux encore. Il ne comprenait pas :

— Ils veulent de l'argent, ça oui ; des vacances, ça, oui. Ils veulent des autos, des trains, des avions, mais ce qu'ils veulent par-dessus tout c'est que les autres n'en aient pas !

Loulette n'avait pas bronché. Elle pensait aux caricatures que cet été les copains découpaient dans les journaux pour les coller sur les cloisons de l'auberge. Celle, dans *Le Canard enchaîné,* d'une rombière à face-à-main assise dans sa baignoire, au bord de la mer : « Vous ne pensiez pas que j'allais me tremper dans la même eau que ces bolcheviks ! » Aux dessins dont, depuis les vacances, les cheminots décoraient les murs du Dépôt : une dame horrifiée quittait précipitamment les vagues pour revenir sur la plage :

« Tu as vu un requin ?

— Non : je viens de me trouver nez à nez avec l'homme qui nous livre le charbon ! »

Les décorateurs du bistro avaient l'embarras du choix !

Avec ce couple rappelant son chien parti vers le pique-nique de deux jeunes campeurs : « Kiki, n'approche pas ces individus : tu vas attraper des puces ! »

Loulette pensa que les enfants naissent condamnés.

À rester où ils sont. En bas pour toutes les misères. En haut pour toutes les hypocrisies.

Elle alla à la Tolosane.

Se répétant que c'était sa dernière visite.

Elle l'annonça en arrivant.

Madame Deslandes-Wincker ne voulut pas l'entendre :

— J'ai trop besoin de vous.

Et tout de suite, des questions.

Avec celle-ci. Poignante. Inattendue.

— Crois-tu que Benoîte se soit suicidée ?

Loulette en fut ébranlée. Ramenée à la vision de la voiture partant soudain vers la forêt. L'arbre.

Cette hypothèse ne l'avait jamais effleurée :

— Non… Sûrement pas. Pourquoi me demandez-vous cela ?

— Parce que… je pense qu'elle n'était pas heureuse.

Madame Deslandes-Wincker se tordit les mains. Fit craquer ses doigts. Loulette l'avait déjà vue fébrile, tourmentée. Jamais comme aujourd'hui : le tremblement des lèvres et de la voix semblait s'imprégner sur sa peau ; agitant sa gorge :

— Je n'ai jamais su la rendre heureuse… Ni elle… Ni sa sœur.

Chacun de ses mots était porteur de désespoir.

Loulette, émue, voulut inventer un réconfort. Benoîte, à l'auberge, riait, chantait avec les autres. Elle était faite pour le bonheur.

Madame Deslandes-Wincker approuva :

— Elle a cherché le bonheur auprès de vous… parce qu'elle ne l'avait pas chez elle.

Loulette trouva un argument qui avait la force de la vérité :

— Ce n'est pas parce que vous ne saviez pas la rendre heureuse. C'est parce que les autres… tous les autres… ne savaient pas vous rendre heureuse… vous.

Léonor Deslandes-Wincker resta interdite. Consolée par cet amour posthume. N'osant y croire pleinement. Se reprochant d'en avoir usé. Involontairement.

Le passé était une épreuve. Présente :

— Elle… disait… que je n'étais pas heureuse ?

— Elle ne disait que cela. Et… lorsqu'elle ne le disait pas, je le comprenais. Elle voulait améliorer votre santé, votre vie. Tous les projets qu'elle faisait étaient pour vous.

À ces mots, la mère se mit à marcher, agitant les bras, cherchant à coup sûr un havre. Un tuteur :

— Il faut que tu reviennes souvent… Toujours… Je… Je te donnerai de l'argent.

— Je ne veux pas de votre argent. Je n'en accepterai plus jamais ! cria Loulette.

Madame Deslandes-Wincker fut surprise par cette véhémence.

Loulette, sans baisser le ton, expliqua :

— Vous ne comprenez donc pas que c'est de cela que votre fille souffrait ? De cet argent dont on dit qu'il ne fait pas le bonheur et qui, chez vous, le faisait moins qu'ailleurs ?

Léonor Deslandes-Wincker craignit de voir s'enfuir sa visiteuse. Elle ne voulut plus l'entendre. Elle s'éclipsa :

— Attends !… J'ai quelque chose pour toi… beaucoup de choses même…

Loulette se débattit :

— Il n'y a qu'un argent qui est important. Un seul : celui qui manque.

Elle criait :

— … Pour nourrir ses enfants. Les habiller. Les envoyer à l'école. L'argent important c'est celui qu'on veut pour éviter la honte… devant eux !

Madame Deslandes-Wincker revint comme si rien ne s'était dit. Si elle n'avait rien entendu.

Elle portait deux robes.

— Elles seront inutiles ici maintenant. Regarde celle-là comme elle est belle.

Elle étalait devant elle un fourreau bleu bouffant dans le bas, avec deux volants plus clairs, au-dessous des genoux :

— Elle l'avait étrennée à Paris, pour les vingt ans de sa cousine Chantal… Ah ! Elle était la plus belle… Tout le monde le disait.

Elle la tendit.

— Passe-la. Je suis sûre qu'elle te va bien.

Loulette n'en était pas aux frivolités. Elle refusa. Une fois. Deux fois…

Léonor Deslandes-Wincker insista. Avec un tel plaisir dans les yeux que Loulette finit par accepter. Intimidée de se voir ainsi parée. Puis faisant ce que toute jeune fille eût fait à sa place : tournant, retournant devant la psyché au pied de marbre blanc.

Madame Deslandes-Wincker battait des mains :

— Ta taille ! Exactement ta taille !

Et, radieuse :

— Ce que tu lui ressembles ! Toi avec des yeux verts… Elle, avec ses yeux bleus… mais si belles toutes les deux ! Tu vas la garder. Oui, il faut que tu la gardes… Comme ça…

La mère parvint à terminer sa phrase :

— … Elle vivra encore… grâce à toi.

Elle éclata en sanglots.

Loulette s'élança vers elle.

La serrant sur sa poitrine, madame Deslandes-Wincker murmura :

— Tu es gentille… si sensible… Tu l'as toujours été… Ma petite fille… Ma petite Benoîte…

Le prénom fit se raidir Loulette mais, percevant tout le bonheur qu'elle procurait, elle décida de ne rien faire remarquer. Elle resta là, immobile. Laissant à une mère la joie profonde de caresser son enfant.

Elle refusa l'argent. Farouchement : elle aurait eu l'impression de faire payer la tendresse.

Elle ne put refuser la robe.

Madame Deslandes-Wincker l'avait pliée soigneusement dans un carton marqué au nom du fleuriste de Grasse chargé d'alimenter les vases du salon.

Lorsqu'elle arriva à Marengo, Loulette se demanda ce qu'elle devait faire. Cacher la robe ? Où ? La montrer ? Comment expliquer cet achat ? Un cadeau ? De la part de qui ?

Elle décida de la mettre dans sa petite armoire. Provisoirement. Pendue sous son manteau, bien serrée entre deux vêtements. Sa mère n'y ferait pas attention.

Elle ouvrit le paquet.

Des billets tombèrent.

Loulette rougit comme si elle était surprise en flagrant délit. De quoi ?

Elle finit par ranger l'argent dans son tiroir.

Le livre était là.

Elle le prit. En commença la lecture. Fut vite désarçonnée par la liberté du propos. Rivée aux chaînes de la grammaire la plus stricte. Autour d'elle, nul ne parlait avec des phrases fleurant bon le plus-que-parfait du subjonctif. Nul ne pérorait sur la virginité des filles, l'instinct de bigamie des êtres humains, la passion sexuelle demandant assouvissement chez les filles comme chez les garçons.

Elle sauta des lignes, des pages, s'accrochant à des phrases soulignées par Benoîte, à d'autres lignes dans la marge ; écrites par elle et concernant toujours madame Deslandes-Wincker. Exemple : le propos de l'auteur, imprimé, était : « Savez-vous ce que la sérénité d'une femme peut recouvrir de résignation, de révolte, de secrète mélancolie ? » La note au crayon placée en regard : « Pour le savoir, je n'ai eu qu'à regarder ma mère, toujours seule, toujours abandonnée. » L'auteur affirmait : « Le sentiment le moins supportable aux femmes trompées, c'est qu'elles se soient conservées intactes, données pures, à l'homme qui les trahit aujourd'hui. Les femmes s'imaginent volontiers que leur virginité d'épouse leur conférait un droit spécial à la fidélité. » Benoîte avait écrit : « C'est exactement cela : je suis sûre que ma mère a vécu sur cette illusion. Lorsque l'illusion est tombée, elle était enfermée dans la famille, les conventions, la respectabilité à montrer : elle était enfermée dans la prison gardée à chaque minute par ma grand-mère. »

Loulette posa le livre : sa mère à elle, quotidiennement enfermée dans son magasin, les tâches du ménage, les soins aux enfants, était-elle plus soumise que madame Deslandes-Wincker ? L'était-elle moins ? Lui vint le souvenir que, lors de la grande grève de mai, les vendeurs et surtout les vendeuses s'étaient élevés moins contre le trop de travail que contre le manque de respect. L'insupportable prison c'est l'humiliation. L'humiliation de madame Deslandes-Wincker venait de son épouvantable garde-chiourme. Garde-propriété. Garde-mœurs. L'humiliation d'Amélia venait de sa pauvreté, irréductible bourreau l'obligeant à répéter : « Tu diras au maître d'école que j'achèterai ton livre de géographie le mois prochain. »

Un soir, Amélia soupira :

— Je n'ai plus un sou.

Loulette lui tendit un billet de cinquante francs.

La mère la regarda :

— D'où ça vient ?

— Quand j'avais cassé ma tirelire… j'avais pris toutes les pièces… Il restait ce billet… Je l'avais gardé… en cas.

Amélia était surprise : il y avait un an, peut-être deux,

que Loulette avait cassé le cochon rose gagné à la loterie des allées Jean-Jaurès. Il y avait eu, depuis, tellement d'« en cas » appelant le billet à l'aide !

Quelques jours plus tard, avisant le porte-monnaie vide de sa mère, Loulette y déposa deux pièces de vingt francs.

La mère encore éprouva un grand étonnement.

Elle ne le dit pas.

Loulette revint à la Tolosane. Interdisant à madame Deslandes-Wincker de lui donner de l'argent. L'acceptant malgré tout. En glissant un peu dans la bourse maternelle. Pliant un billet en quatre avant de le placer au fond du tiroir des papiers, sous le livret de famille, comme s'il y avait été oublié. Depuis longtemps.

Un jour qu'elle montait le raidillon de la propriété, Madame Mère, sur la terrasse, semblait l'attendre. Dans son attitude de statue. De juge. Éternellement réprobateur.

Lorsque Loulette fut près d'elle, la vieille dame fit ce qu'elle n'avait jamais fait : elle lui sourit. Et même :

— Bonjour, mademoiselle.

Puis, se tournant vers la maison, elle lança :

— Léonor ! Une visite pour vous : c'est la petite jeune fille qui vient chercher sa pension !

Loulette voulut partir. Elle était cramoisie. Paralysée. La grand-mère montrait la satisfaction rude des personnes de devoir. Celles qui n'hésitent pas à dire aux gens « leurs quatre vérités ».

Léonor sortit précipitamment. Elle prit Loulette par les épaules, la fit entrer, la guidant, s'efforçant de la rasséréner :

— N'écoute pas les malveillants. La vie est méchante mais je veux t'aider. Tu es mon rayon de soleil.

Elle parla longtemps. Posant des questions auxquelles Loulette ne risquait pas de répondre : elle ne l'écoutait pas. Se répétant : « C'est la dernière fois… » Lèvres serrées. Comme morte. Ou alors, vivant dans un autre monde. Ailleurs. D'où elle regardait sa vie. « Jamais plus… jamais plus. »

Madame Deslandes-Wincker finit par prendre conscience de ce mutisme. Cette immobilité des yeux. De tout le corps :

— Ma parole, tu es dans la lune !

Elle prit la chose en souriant :

— Tu es amoureuse ?

Sourit plus encore :

— C'est de ton âge.

Cela la conduisit à une question qu'elle n'avait jamais posée :

— Est-ce que Benoîte avait un amoureux ?

Et comme Loulette était encore absente :

— C'est peut-être pour cela qu'elle était allée dans votre auberge ?… Pour rejoindre un garçon ? C'est ça, n'est-ce pas ?

Elle s'énervait. Comme on s'énerve lorsque, croyant avoir découvert une vérité, on tarde à en obtenir confirmation :

— C'est ça, n'est-ce pas ?

Elle s'impatienta vraiment :

— Benoîte ! Je te parle !

Le ton était si rude que Loulette sursauta.

Elle parut sortir d'une épouvante. Ou alors : y être encore. Sans voix. Cela permit à madame Deslandes-Wincker de se ressaisir !

— Excuse-moi… Tu étais si lointaine…

Elle prit sa voix la plus calme :

— Je te demande si Benoîte avait un amoureux… un flirt…

Elle buta un peu sur le mot :

— Peut-être un amant…

Loulette descendit de son nuage :

— Là-bas, personne n'avait d'amant... de maîtresse.

— Ah ? Peut-être simplement, comme vous dites : un béguin ?

— Personne.

Elle se tut. Devant un souvenir : la dernière nuit de Benoîte à l'auberge. Son escapade. Le retour silencieux dans le dortoir.

Loulette prétexta une fatigue. Elle abrégea sa visite. Madame Deslandes-Wincker s'alarma. Elle voulut servir un porto. Agrémenté d'un œuf battu :

— Le porto flip, c'est le meilleur remontant.

Loulette remercia, elle n'avait besoin de rien. Seulement de prendre l'air.

Elle partit. Agitée. Se rendant compte que, depuis des mois, elle repoussait cette question : qui Benoîte avait-elle rejoint ? Plus affolant : elle l'avait repoussée pour ne pas avoir à y répondre. Benoîte était allée retrouver Martin. Tout le lui disait. Et parce que tout le lui disait, elle n'avait rien voulu entendre.

En arrivant à Marengo, elle se précipita dans sa chambre. Se jeta sur le lit. S'efforçant de contenir les soubresauts de ses nerfs. De ses sentiments.

Elle ouvrit son tiroir secret. Prit le livre. Peut-être trouverait-elle dans les notes de Benoîte des indications. Une piste. Menant à une certitude.

Amélia arriva sans qu'elle l'entendît :

— Ah ! Te voilà !

Loulette voulut faire disparaître le bouquin.

— Ce n'est pas la peine : tu m'en as assez caché comme ça !

La mère ouvrit grande la porte de l'armoire :

— Qu'est-ce que c'est que ça ?

Elle tapait sur les robes inconnues, les tirait, les montrait. Demandait d'où elles venaient. Et surtout où, quand sa fille les mettait. Pour quoi faire :

— Et l'argent que tu poses dans mes poches de veste ? Dans mon manteau ?

Le tiroir était resté ouvert. Elle se précipita sur les billets, s'en saisit, les mit sous le nez de Loulette :

— Et ça ? C'est avec tes robes que tu le gagnes ?... Tu me fais honte !

Loulette était pétrifiée. Terrifiée par l'accusation. Assommée par son énormité. Par cette colère proche de la haine qu'elle lisait dans les yeux maternels. Qui maintenant tombaient sur le livre ouvert. Les lignes marquées au crayon : « Il est barbare qu'en pleine vigueur de sa jeunesse, la vierge, sous peine de déchéance et de déshonneur, soit tenue de réfréner en elle l'instinct même de la nature. » Amélia suffoqua. Elle ne pouvait pas croire ce qu'elle lisait. Elle criait. Scandalisée : « La femme aussi a sa gourme à jeter ! » Elle crut s'évanouir : « Que, dans chaque famille, la liberté des filles soit organisée avec cet esprit de délicatesse et de décence que tant de mères appliquent à protéger la liberté de leurs fils »... De rage, comme s'il lui brûlait les mains, elle expédia l'objet de répulsion à l'autre bout de la pièce. Elle s'expliquait maintenant les notes désastreuses de Loulette ! Elle posa son doigt tremblant sur le bulletin trimestriel reçu dans l'après-midi : « Élève distraite », « Travail irrégulier », « Incapable d'efforts constants », « L'esprit semble occupé par des considérations extrascolaires », « Trop souvent dans les nuages. Peut mieux faire ».

— Je les connais maintenant tes nuages. Je sais ce que tu y fais !

Amélia disait qu'elle n'oserait plus regarder personne.

Elle tomba sur une chaise. Se mit à pleurer.

Loulette aurait pu s'approcher d'elle. Lui dire la vérité. La consoler. Ou alors l'insulter. Hurler. Non : elle resta là. Au milieu de la pièce. Face à une incompréhension gigantesque. L'un de ces coups du sort tellement durs qu'ils anéantissent toute velléité de défense.

Au bout d'un long temps, Amélia se leva :

— Nous reparlerons de tout ça avec ton père. Pauvre homme ! Il n'avait pas besoin de ça !

Elle alla à la porte :

— En attendant, tâche de te refaire un peu. Peigne-toi. Tu es hideuse.

Elle expliqua :

— Martin sera là dans dix minutes.

Une grande révolte s'empara de Loulette. Toujours muette. Que venait faire Martin ? Elle n'avait aucune envie de le voir.

Elle finit par consulter son petit miroir. Il est vrai qu'elle n'était pas belle.

Elle brossa ses cheveux.

Elle entendit l'arrivée du garçon. Eut envie de s'enfermer. À double tour. Y renonça.

Elle gagna la cuisine. À pas lents.

Martin avait son sourire habituel. Sain :

— Bonsoir, Loulette.

— Bonsoir.

Il se tourna vers la mère :

— Madame Souleil, je voudrais parler à votre fille… seule.

La mère s'essuya les mains à son tablier. Elle pensa qu'elle n'aurait pas dû le garder. Elle s'essuya à nouveau :

— Oui… Bien sûr… Mais…

Elle hésita :

— Malgré tout… vous ne pouvez pas aller dans sa chambre.

Elle alla dans la sienne.

Reparut :

— Ne soyez pas trop long. Son père va arriver.

Elle disparut.

Martin accentua son sourire.

Tellement que, si l'on ose dire, c'est le sourire qui sembla prendre la parole. Plein d'affection :

— Je suis venu parce que j'ai pensé que tu avais besoin de moi.

Il tira des papiers de sa poche :

— J'ai tes notes.

Il prit un temps :

— Il n'y a pas de quoi s'affoler.

Il les lut toutes. Avec les appréciations des professeurs.

Son sourire ne le quittait pas :

— Rien là-dedans ne signifie : « Va échouer aux concours. »

Au contraire.

Loulette le regardait. Commençait à l'entendre : « Élève distraite » ne signifiait pas élève bornée. « Travail irrégulier » ne voulait pas dire que le travail était mauvais mais que, parfois mauvais, à certains moments il était bon. Conclusion : Loulette pouvait faire du bon travail.

Martin examinait les commentaires des professeurs d'histoire et de géo, de gym et d'hist' nat', de math, de français, d'instruction civique : partout il trouvait que le positif l'emportait sur le négatif, l'espérance sur les condamnations. Une seule affirmation l'inquiétait : « Incapable d'efforts constants. »

— Oui, celle-là m'alarme vraiment... Oh ! pas pour toi : pour le prof !

Le plus sérieusement du monde, il expliqua que pour lui, Martin Chabrol, ayant pu apprécier l'application en toutes choses de mademoiselle Loulette Souleil, c'était le prof la déclarant inapte à l'effort qui devait être considéré comme inapte à le lui faire accomplir. En termes clairs : inapte à exercer son métier.

Loulette, en un autre temps, eût sans doute éclaté de

rire : elle était trop marquée par les minutes qu'elle venait de vivre pour montrer quelque agrément.

Martin n'attendit pas sa réaction. Poursuivant sa démonstration, il prit les deux mains de Loulette dans les siennes :

— Et toi, à partir de ce soir, tu as une mission à accomplir : tu vas lui montrer ce dont tu es capable. Je veux dire : ce qu'il a été incapable de voir.

Il serra les doigts. Les porta à ses lèvres :

— Nous lui montrerons tous les deux. Ensemble.

Il demanda :

— Tu veux ?

Loulette se détourna. Émue par la sincérité de Martin.

— Je veux, mais…

— Mais ?

Il comprit — il avait déjà compris — qu'un tourment brouillait son âme.

Il plaisanta :

— Tu as un amoureux ?

C'était la deuxième fois qu'on lui posait la question.

Elle ne l'entendit pas.

Déjà dans sa réponse :

— C'est… à cause de Bugatti.

Elle pinça les lèvres. Se détourna.

Martin parla très bas. Il imaginait les affres qu'elle avait dû connaître. Au moment de l'accident d'abord. La découverte de son amie inanimée. Par la suite, le souvenir qui devait la poursuivre. La réveiller la nuit. La torturer le jour. L'entraîner hors de la classe, des leçons…

— J'ai souvent pensé à toi. Je voulais venir te voir… je n'ai pas osé.

Pour ne pas arriver à la mauvaise heure, dit-il. À l'un de ces moments où, la blessure quelque peu refermée, son évocation la ranime :

— Je… ne suis pas venu mais…

Sa voix ne fut qu'un murmure :

— Je me disais que… peut-être, tu me savais près de toi.

Toujours, elle retenait ses larmes :

— Il n'y a pas que Bugatti.

Elle raconta tout : madame Deslandes-Wincker, les visites, l'argent, la robe, le malheur que Loulette tentait d'atténuer et puis aujourd'hui… cette suspicion de la mère.

Elle éclata en sanglots. Sa tête sur l'épaule de Martin. Bouleversée :

— Toi seul as confiance en moi.

Cela le ragaillardit lui aussi. Il voulut parler. Il ne fut qu'un chuchotement :

— Le jour où je t'ai vue pour la première fois, j'ai eu confiance en toi.

À peine perceptible :

— Je l'aurai toujours.

Et, plus grave encore :

— Loulette… Je voudrais être près de toi. Toute ma vie. Pour te protéger.

Elle se redressa, mit ses yeux dans ses yeux. Ses mains sur ses tempes.

Elle posa ses lèvres sur ses lèvres. Furtivement. Recommença. Encore. Mieux.

Pour la première fois de sa vie, Loulette Souleil embrassait un garçon.

L'escalier résonna de pas précipités.

Titou ouvrit brusquement la porte :

— Loulette ! Regarde qui est là !

Il se tourna vers l'escalier.

Au bruit, Amélia accourut. Heureuse de revoir « le petit voisin » :

— Luigi !

Loulette en un premier temps ne bougea pas. Découvrant cet adolescent devenu jeune homme. Dans des vêtements un peu fripés. Portant, comme Charles Trenet, une cravate blanche sur une chemise bleue. Comme Tino Rossi : des cheveux plaqués, lustrés, miroitants. Et puis, une moustache fine. Très fine. Semblant être là comme certificat de pilosité. De virilité.

Martin comprit qu'il s'agissait du Roméo dont Loulette jadis rêvait à la fontaine des amours.

Il lui trouva un air avantageux de séducteur pauvre. Dont le plus clair des revenus passait dans l'achat de pots de brillantine.

8

Amélia ne montra pas les notes à Albert.

C'était sans risque : il ne les regardait jamais, se bornant depuis toujours à demander, le moment venu :

— Les gosses… À l'école ? Ça va ?

Amélia répondait par l'affirmative.

Elle fit de même. Elle ne parla pas des robes. Heureuse de ne pas inquiéter son mari. Il avait assez de souci avec sa recherche de travail ; les besognes bouche-trous ; leur accomplissement sur les bords du canal où il chargeait une péniche de charbon ; un voyage à Montrabé où, sur la longue charrette de Baptiste Cujas, il allait chercher du foin. Il lui arriva aussi de charroyer du bois de douves pour Domingo, le tonnelier de l'allée Marengo.

— Je ne lui ai pas fait voir ton bulletin, dit Amélia.

Loulette apprécia cette discrétion.

Elle s'abstint de le dire.

Ses silences étaient devenus fréquents.

Amélia les acceptait mal.

Son observation fut plus une quête qu'un reproche :

— Tu ne me dis rien ?

— Tu voudrais peut-être que je te remercie.

Amélia se détourna. Muette à son tour.

Loulette descendit l'escalier.

Sous les soupçons infamants de leur mère, d'autres

filles se seraient rebellées. Loulette se taisait. L'oiseau blessé souffre en silence. Ne comprenant pas le mal qu'on lui fait. Pourquoi.

C'était un dimanche de bruine.

Sur le mur du chemin de fer, un gros pinceau avait écrit son exigence : « Des avions pour l'Espagne ». Et aussi : « Hitler + Mussolini + Franco = Blum ».

Elle aurait voulu effacer l'inscription. Pour que son père ne la voie pas.

Elle se contenta de lui tourner le dos.

Ses pas la guidèrent vers la fontaine des amours.

Les petites mouillures du ciel n'avaient pas empêché monsieur et madame Philémon de faire leur pèlerinage. Ils étaient là tous les deux, assis sur un banc de fortune, s'abritant sous un même parapluie :

— On ne te voyait plus.

— J'étais en vacances. Et maintenant je suis rentrée en classe.

— Tu vas devenir savante.

Madame Philémon prit un air de grande indifférence. Souriante :

— Nous avons revu le petit de l'Italien… Il est revenu ?

Loulette faillit répondre : « Si vous l'avez revu, c'est sans doute qu'il est revenu. »

Elle retint sa phrase.

Madame Philémon ne cacha pas sa curiosité. Presque complice :

— Autrefois… c'est pour lui que tu venais ici. Pas vrai ?

— Je ne sais pas.

La vieille dame était sûre d'elle :

— Moi, je le sais : c'était pour lui. Et tu vois : il est de retour.

Loulette voulut partir. Gênée par ces indiscrétions.

Madame Philémon la retint :

— Tu n'as pas bu.

Prévenante :

— Rien n'est jamais gagné. Tu ne peux pas venir sans boire. Tu as ta timbale, j'espère ?

Elle ne l'avait pas.

— Alors, bois dans tes mains.

Loulette obéit. À contrecœur.

Madame Philémon l'observait. Confiante :

— Elle est bonne, n'est-ce pas ?

— Elle est froide.

La vieille dame parut surprise :

— Froide ?

— Oui. C'est l'hiver.

— Hiver ou été, l'eau a toujours la même fraîcheur. Bois encore.

Loulette à nouveau trempa ses lèvres :

— Elle est glacée.

Madame Philémon prit un air fataliste :

— Alors c'est que ton amour n'est pas le bon.

Monsieur Philémon éclata de rire. Surprenant Loulette : le vieux bonhomme ne se manifestait jamais, laissant la parole à sa femme.

Il était en joie, prêt, semblait-il, à se taper sur les cuisses :

— Ne l'écoute pas, Loulette.

Il montra la colline :

— Tu sais où est le cimetière, là, derrière la Colonne ?

— Oui.

— Eh bien, si l'eau est froide c'est parce qu'elle descend du cimetière : elle passe entre les os des morts.

Loulette frissonna. Elle essuya ses mains à sa jupe. Son visage était marqué de rancune pour ce patriarche qu'elle avait toujours pris pour un bon grand-père et qui, en une seconde, se transformait en diable édenté, laissant entendre des ricanements d'outre-tombe.

Madame Philémon le gronda doucement.

Loulette partit. Très vite. L'oiseau blessé avait maintenant perdu son nid. Les plumes chaudes s'envolaient une à une. Les espérances. Les certitudes. La confiance de sa mère. Le monde meilleur voulu par son père. Et Bugatti.

Le jeudi, elle arriva à l'école avant l'heure de la leçon. Avant Martin. Il la fit entrer dans sa classe :

— Ici, nous serons bien.

Elle ne le pensa pas : la porte vitrée s'offrait à tous les regards.

Il ouvrit sa serviette. Posa un livre sur sa table. Demanda :

— La géométrie, ça te va ?

Elle répondit :

— Je voudrais t'embrasser.

Il dit :

— Moi aussi.

Elle noua ses bras sur sa nuque.

Il les dénoua. Doucement. Fermement.

Il aurait pu lui donner les leçons chez lui. À l'abri de tous les regards. Il avait choisi la classe pour éviter les tentations. Pour elle aujourd'hui, il n'y avait qu'un impératif : réussir ses examens. Leur préparation était bousculée par des cahots extrascolaires : il n'y avait pas lieu d'y ajouter d'autres perturbations.

Loulette demanda :

— Qui te dit que cela ne serait pas un réconfort ?

Il était sûr de lui : son vrai réconfort, ce serait l'École normale. Le métier d'institutrice. Son réconfort ce serait de gagner sa vie, d'aider ses parents s'ils étaient dans le besoin.

Pendant une heure, Loulette traça des triangles rectangles, des triangles isocèles, elle dessina des parallélogrammes, affirma que le carré de l'hypoténuse est égal à la somme des carrés des deux autres côtés...

Au bout d'une heure, Martin la félicita.

Elle ne répondit pas. Reprit son imperméable à col droit, fermé d'une boucle métallique, sa veste de laine retricotée qu'elle avait posée sur un pupitre.

Il la rattrapa sur le pas de la porte.

— Loulette, si tu réussis, je serai fier de t'avoir aidée. Je te l'ai dit : je voudrais toujours être près de toi.

Elle se colla contre lui :

— Alors ?

À nouveau, il se dégagea :

— Alors, je n'ai pas le droit.

Elle traversa la cour.

Le portail grinça très fort. Loulette pensa au portail du cimetière aux gonds toujours désespérés. À l'eau filtrée par les ossements, avait dit monsieur Philémon. En vieillissant, les hommes deviennent fous. Ils le sont peut-être dans leur jeunesse. Comme Martin : pas le droit ? À quoi ? À la tendresse ? Pas le droit d'en donner ? D'en recevoir ? Elle marchait vite. Elle détestait Martin. Sûrement, à la prochaine leçon, il arriverait avec le livre de morale et instruction civique.

Elle fit déjeuner Titou qui tout de suite partit vers la rue du 10-Avril. Une luge à roulettes confectionnée par les concurrents eux-mêmes dans une caisse d'oranges, un autre bolide fait d'un panier d'osier fixé sur les ressorts d'un ancien landau permettaient chaque jeudi d'établir de nouveaux records de vitesse acrobatique.

Loulette prit le livre. Elle ne comprenait pas tout. Elle sentait que si elle ne comprenait pas certaines choses c'est que d'autres lui étaient inconnues. Des réalités de la vie. Que, pensait-elle, on lui avait cachées. Benoîte, son aînée, son amie, les connaissait. Cela se lisait dans ses commentaires. Elle enfourcha sa bicyclette. Pour parler de Benoîte. Savoir.

Comme devinant ce qu'elle attendait d'elle, Léonor

Deslandes-Wincker, dès qu'elle l'aperçut montant l'allée, se précipita à sa rencontre :

— Loulette, mon enfant ! C'est bien que tu sois venue aujourd'hui ! Tu en as eu l'idée ! C'est si bien !

Pilotée par monsieur Louis, la voiture s'arrêta devant la terrasse.

Loulette alors remarqua que madame Deslandes-Wincker avait mis son manteau noir, son chapeau avec le crêpe descendant le long de son visage, jusqu'à sa poitrine.

C'était l'anniversaire de Benoîte :

— Je vais au cimetière. Nous serons toutes les deux. C'est très bien.

La famille avait un caveau à La Chartreuse, à Bordeaux.

Madame Deslandes-Wincker n'avait pas voulu que sa fille fût inhumée si loin d'elle :

— Je n'ai même pas voulu qu'elle soit à l'Observatoire... Tu sais, là-haut ? C'est la grande sépulture des Toulousains.

Elle oubliait que Loulette habitait tout près. Qu'elle était allée l'y chercher. Loulette ferma les yeux. Frissonnant. Pensant à ces tombes d'où descendaient les eaux froides de la fontaine d'amour.

Ici, les tombes étaient rares. Quelques-unes à l'entrée, tout de suite suivies de grands caveaux exposant leurs richesses en couronnes de perles, en hauts vases de bronze, en plaques de marbre sur lesquelles des lettres dorées disaient le mérite du défunt. Décoré de la Légion d'honneur. Ancien consul. Président fondateur de la banque portant son nom. Morts, les élus de la fortune encore dominaient les terres et les gens : la grande plaine s'étendait à leurs pieds. Travaillée par des paysans minuscules. Bénie par l'église en briques rouges, ses trois cloches déjà dans le ciel.

Madame Deslandes-Wincker s'était mise à genoux

sur le gravier. Ne cessant de tenir ses bras en croix que pour se frapper la poitrine, la voix étranglée :

— Par ma faute... Par ma faute... C'est par ma faute, Seigneur, que tout est arrivé.

Elle joignait ses mains, les tendait devant elle, les levait, implorait.

— C'est par ma faute, Benoîte, que tu es là. J'y viendrai bientôt. Nous serons toutes les deux.

Elle embrassait la croix de fer forgé découpée dans la porte de la sépulture : une petite chapelle ornée de vases, tous fleuris, et d'une dizaine de livres miniatures ouverts sur leurs pages de marbre. Sur toutes ces pages, une même inscription : « À ma fille ».

Apitoyée, par moments presque apeurée par les gestes et les pleurs, Loulette se détourna.

Monsieur Louis se tenait dans l'allée. À quelques mètres de là. Droit. Silencieux.

Madame Deslandes-Wincker, à son tour, se tourna vers lui.

Il comprit. S'avança, tendant un paquet qu'il libéra de son enveloppe.

C'était un livre de marbre, un peu plus grand que les autres. Avec des mots nouveaux : « Bon anniversaire, ma chérie. »

Madame Deslandes-Wincker les lut.

Sa tête tomba sur le bord du petit autel. Et là, son front sur la pierre, elle ne fut plus qu'un long, un très long sanglot.

Loulette était désemparée.

Au bout d'un moment, elle s'approcha. Posa son bras sur les épaules toujours voûtées.

Depuis son entrée dans le cimetière, le chauffeur tenait sa casquette dans sa main. De l'autre main, il prit le bras de madame Deslandes-Wincker. Avec respect. Doucement :

— Venez, madame.

La nuit était tombée.

Dans la voiture, nul ne parla.

— Je suis fatiguée, Loulette. Et il est tard : monsieur Louis va vous reconduire.

— Oh non ! fit Loulette pensant à son père.

Le chauffeur comprit cela :

— Rassurez-vous, mademoiselle : je vous arrêterai avant votre domicile.

Avec habileté, il fixa la bicyclette à l'arrière du véhicule.

Comme ils allaient partir, madame Deslandes-Wincker revint vers eux :

— Loulette, quelle est ta date de naissance ?

— Le 17 avril, madame.

— Bien. Je vais le noter tout de suite. Je te ferai une belle fête.

Madame Mère, levant un rideau de la porte-fenêtre, regardait la scène.

L'auto démarra, s'enfonçant bien vite dans Toulouse ; guidée par des lampadaires incertains, des maisons conservant encore leurs volets ouverts. Malgré la nuit. Dans la lumière chétive d'une cuisine, on apercevait une femme s'affairant, des enfants penchés sur les arcanes d'une addition à trois chiffres.

Seule sur la banquette arrière, Loulette ne voyait rien de cela, n'ayant devant les yeux que madame Deslandes-Wincker s'agenouillant. S'exaltant. Elle pensait qu'elle avait entrepris la tâche la plus lourde du monde : consoler une mère. C'était au-dessus de ses forces. Avec honnêteté, elle reconnut qu'elle la rencontrait aussi pour elle. Pour prolonger son dialogue avec Benoîte. Apprendre. La sachant une amie de sa fille, la confondant parfois avec elle, madame Deslandes-Wincker la prenait au sérieux. C'était bien.

Ayant l'habitude de ne pas dire un mot qu'on ne lui eût demandé, monsieur Louis ronchonnait après ces piétons semblant estimer que la chaussée, plus que les trottoirs, avait été bâtie pour eux.

Il arrêta la voiture devant l'École vétérinaire :

— Voilà. Vous n'aurez pas beaucoup à pédaler.

Il décrocha la bicyclette. La jante avant coincée entre ses jambes, il vérifia que le guidon était toujours à l'équerre avec la roue.

Loulette le remercia.

Elle était déjà assise sur sa selle lorsque, avec quelque pudeur semblait-il, il la rappela :

— Mademoiselle... je voulais vous dire : c'est bien ce que vous faites pour Madame... parce que...

Il tortilla sa visière entre ses doigts :

— Parce que... comme soutien, Madame n'a que vous.

Loulette fit un minuscule signe de la tête : petit émoi qui n'ose pas parler.

Petit embarras aussi : le propos était une incitation à renouveler ses rencontres. Était-ce souhaitable, vraiment ? Pour qui ? Aujourd'hui sa visite avait été inutile.

Elle était énervée.

Sa mère ne l'était pas moins :

— C'est à cette heure-ci que tu arrives ?

Loulette, dans son habitude de mutisme, se dirigea vers sa chambre.

Amélia haussa le ton :

— Tu étais encore chez cette femme ! Ton père t'a pourtant interdit d'y aller ! Qu'est-ce que tu vas y faire ? Hein ? Puisqu'on ne veut pas de son argent, qu'est-ce que tu vas y faire ?

Ce fut imprévisible : Loulette se retourna d'un bloc :

— Je vais chez elle parce qu'elle ne me traite pas de putain !

Tellement inattendu qu'Amélia sembla chanceler. Ce qui n'arrêta pas Loulette :

— Je vais chez elle pour essayer de la consoler. Elle

a perdu sa fille. Tu comprends ce que ça veut dire perdre sa fille ? Non ! Tu ne peux pas comprendre !

Amélia était devenue pâle.

Elle rentra dans la cuisine avec un pas d'automate. Resta prostrée.

Loulette donnait de grands coups dans la porte de sa chambre :

— Rien, tu ne peux comprendre ! Ni ça, ni le reste ! Rien !

Le vacarme dura longtemps.

Dans l'appartement.

Plus encore dans le cœur d'Amélia. De Loulette imaginant maintenant le chagrin de sa mère, se reprochant de l'avoir provoqué, sachant qu'elle n'irait pas la consoler, se disant que si Amélia ne comprenait rien, elle ne savait plus, elle, où était la vérité. Personne peut-être ne le savait. Personne… ou alors… Martin.

Le jeudi, elle partit tôt, décidée à attendre l'heure de sa leçon en tourniquant dans ces rues qui, depuis toujours, étaient les siennes. Beaux-Mollets en était encore à sa première tournée. Des femmes l'attendaient sur le pas de leur porte :

— Rien pour moi, facteur ?

— Rien. Peut-être à la deuxième.

— Ou à la troisième.

La troisième c'était la tournée de l'après-midi. Celle, disait-on, que Beaux-Mollets mettait le plus de temps à accomplir. Pour des raisons de convivialité : à partir de cinq heures, on l'attendait ici ou là pour un verre de quinquina, un petit blanc arrosant une merveille découpée en losange, en triangle ou alors, tire-bouchonnée à chaque bout, en oreillette.

À onze heures, Loulette poussa le portillon de l'école. Il grinça.

Martin, au bureau du maître, aiguisait son crayon :

— Sais-tu ce que je faisais ?

— Je le vois, ce que tu fais.
Martin semblait heureux.
— Je t'imaginais à la place où je suis en ce moment. Face à tes élèves. Intelligente. Appliquée. Sensible. Et... je me disais que cette place est vraiment celle que tu dois occuper.
Loulette l'écoutait, le regardait. Récapitulant tout ce qu'elle avait à lui dire. À lui demander :
— Martin, j'ai besoin de toi.
— Je t'ai dit que je serai toujours là.
Il se leva, alla au milieu de la classe. Il avait laissé sa serviette sur le pupitre d'un élève. Il l'ouvrit :
— Nous allons revoir quelques leçons de chimie. C'est là que tu es le plus faible.
Loulette ne protesta pas.
À cette seconde, à seize ans, elle le comprit : l'être humain est toujours seul !
Elle accepta les considérations sur les propriétés du gaz carbonique comme une fatalité du destin.
L'heure écoulée, elle posa un baiser sur chaque joue de Martin et s'en fut.
La voyant traverser la cour, tête basse, sa marche lente semblant avoir à prendre une décision, il comprit qu'elle lui en voulait. Il pensa : « C'est pour son bien. »
Loulette descendit jusqu'au canal.
Elle le longea. Longtemps. Longuement.
Elle passa le pont, interpellée par le cireur qui, ne croulant pas sous la demande, attendait le chaland l'âme sereine, le cul sur sa boîte à brosses :
— Venez, mademoiselle, pour vous c'est gratis... Pour vous ou plutôt pour votre papa pour lequel je nourris la plus grande estime.
Loulette déclina l'offre. Mais elle conserva comme un baume les paroles de Garcin.
Devant chez elle, « J'ai-des-charges » était en grande conversation avec le dizenier.

Elle eut envie de passer devant lui, de monter dans sa chambre pour ouvrir le tiroir, prendre les billets et les mettre sous son nez en disant : « Tenez ! Payez-vous ! »

Ne pouvant agir ainsi, elle décida de se cacher, se glissa sous le porche du peintre en bâtiment. Là, elle s'arrêta, glacée par ce qu'elle découvrait : son père se cachait, lui aussi.

Recroquevillé derrière la porte multicolore, meurtri d'être ainsi découvert par sa fille, Albert n'osait plus la regarder.

À cette seconde, la décision de Loulette fut prise. Irrémédiablement : elle irait voir madame Deslandes-Wincker aussi souvent qu'elle le pourrait. Elle la consolerait. La bercerait comme hier le faisait Benoîte. Si madame Deslandes-Wincker lui donnait de l'argent, elle l'accepterait : pour ne plus voir, sur le visage de son père, ces traits de honte lui donnant l'image d'un vaincu. Il ne pouvait pas l'être. Il voulait un monde meilleur. Elle devait l'aider à le bâtir. Benoîte l'aurait voulu.

À cette seconde, la décision d'Albert fut prise.

Le lendemain, il enfourcha son vélo, suivit le canal, troqua ses rives pour celles du Touch, traversa la campagne de Cugnaux. À Muret, il trouva facilement la mairie.

Un type, qui était peut-être garde-champêtre, demanda :

— Vous avez rendez-vous ?

Albert se sentit pris en faute.

Le type demanda :

— Qui dois-je annoncer ?

Albert hésita.

Puis :

— Dites : Bébert... de Revel.

À ce nom chantant la naissance du patron, le sbire prit confiance dans sa mission.

À juste titre : quelques secondes après, monsieur Vincent Auriol, maire de Muret, député de Haute-Garonne et présentement ministre des Finances, venait vers le visiteur. La main tendue. Les *r* roulant sur chaque mot. Presque sur chaque syllabe :

— Tu aurais dû me prévenir. J'ai quelqu'un dans mon bureau mais je te prends dans un quart d'heure.

Promesse tenue : un quart d'heure plus tard, sous les regards croisés de Jean Jaurès et de Léon Blum, Albert s'asseyait devant le futur président de la République. Ce que, heureusement, il ne savait pas : enroué de timidité devant un ministre, il aurait été, devant le président, complètement aphone.

Vincent, lui, ne l'était pas. Il parlait de Revel, de Toulouse, de réunions publiques anciennes, de batailles... pas toutes gagnées, hélas : 1920, la grande lessive des cheminots grévistes... Vingt mille licenciés :

— ... Tu avais été du nombre. Je me rappelle très bien.

Tellement bien qu'il en souriait encore :

— Tu avais mis un peu du tien. Si j'ai bonne mémoire, vous aviez déculotté un jaune [1]...

Albert ne niait pas : ils avaient coincé le faux frère derrière la lampisterie, l'avaient déshabillé et puisqu'il voulait être jaune...

— ... Vous l'aviez peinturluré !

Albert était un démocrate : peinturluré, oui, mais ils ne l'avaient pas fait prisonnier...

— ... On avait juste gardé ses vêtements. Il était rentré chez lui comme ça. Libre !

Et puis, ça n'était pas parce qu'il refusait la grève

1. Un briseur de grève. L'appellation était née à Montceau-les-Mines en 1900 où les non-grévistes se rassemblaient dans un café dont les vitres, brisées par les manifestants, avaient été remplacées par du papier jaune.

qu'ils l'avaient coloré, c'est parce qu'il faisait le mouchard pour un gros de la Compagnie. Un administrateur.

Vincent approuva :

— Oui, c'était Deslandes-Wincker qui le soudoyait. Un vrai saligaud celui-là, je l'ai su par la suite.

La foudre tombant aux pieds d'Albert ne l'aurait pas ébranlé davantage :

— … Deslandes-Wincker ?

— Tu le connais ?

— Oui. Non… c'est-à-dire… les administrateurs, les actionnaires, les grands chefs, tout ça c'était loin de nous : on ne savait pas les noms…

Albert sentit en lui une colère à retardement.

Il eut de la peine à expliquer son affaire : Loulette préparait l'École normale. S'il ne trouvait pas de travail pour lui, c'est elle qui devrait en trouver pour elle : arrêter ses cours.

— Il n'en est pas question, trancha Vincent. Ta fille veut être institutrice, elle doit l'être. Donc, ce qui compte, c'est ton problème.

Il réfléchit :

— Nous allons nationaliser les chemins de fer. Tous les réseaux n'en formeront plus qu'un : la S.N.C.F. Tu pourras peut-être retrouver ton emploi. C'est l'affaire de quelques mois.

— Oui, mais…

— Tu n'as pas le temps d'attendre : j'ai compris.

Monsieur le ministre se leva.

Il vint vers Albert. S'assit près de lui. Le sonda :

— Tu es toujours solide ?

— Solide ?

Monsieur le ministre voulait s'assurer que le Bébert qui était devant lui était le Bébert des temps anciens. Convaincu. Dévoué :

— N'aie pas peur : je ne te demanderai pas de

peindre des gars en jaune… ni en rouge ! Mais tu arrives au bon moment : j'ai besoin de toi.

Très vite, il expliqua… qu'il ne… pouvait rien expliquer. Albert devait seulement se tenir à disposition : on devait pouvoir le joindre facilement. Très vite :

— Tu auras le salaire d'un douanier.

Une grande exigence : ne parler de rien à personne. Ni à sa femme, ni à sa fille, ni à un copain. Même le meilleur.

À nouveau, monsieur le ministre se leva.

Il regarda son hôte. Lui mit la main sur l'épaule :

— Bébert, plus je te regarde, plus je suis content que tu sois venu : tu es l'homme qu'il nous faut.

Nulle démarche, nulle rencontre, nul propos n'aurait pu ragaillardir davantage Albert qui, redevenu Bébert, enfourcha sa bicyclette avec la foi d'un jeune militant.

Pressé de rentrer, il pensa gagner du temps en évitant Cugnaux, en faisant un instant la course avec un de ces wagons à conduite indépendante, largement vitrés, que certains appelaient « autorails » mais que, construits par Bugatti, Renault ou Hispano-Suiza, beaucoup d'autres nommaient des « michelines ». Même si, sur leurs roues d'acier, monsieur Michelin n'avait pas accolé le moindre morceau de caoutchouc.

Arrivé à la Croix-de-Pierre, il se dit que Toulouse était une belle ville ; au Pont-Neuf, il estima que la Garonne était une rivière somptueuse ; devant les cafés de la place Wilson, il fut illuminé par les splendeurs de la vie.

C'est en mettant pied à terre devant son logement qu'il se trouva devant une abominable réalité : il ne pouvait faire part de son bonheur à personne. Même pas à Amélia, avait dit Vincent.

Cette pensée l'aida à recomposer la silhouette triste de ses précédents retours au logis.

Pourtant, lorsqu'il ouvrit la porte, il dut réunir tous

ses efforts pour ne pas montrer le visage à nul autre pareil du chômeur qui vient de trouver du travail.

Il passa des jours difficiles. Devant cacher ses espérances. Guettant l'arrivée d'un émissaire qui ne venait jamais.

Ne sachant pas comment on lui ferait parvenir la nouvelle, il surveillait l'arrivée du facteur. Il allait à sa rencontre ; à sa recherche avant l'heure de sa tournée. Amélia, à son travail, ignorait son manège mais, un matin qu'elle était là, elle finit par lui dire :

— Tu sais bien que le dimanche, il passe plus tard.

Il se demanda si elle se doutait de quelque chose. Si elle le soupçonnait. De quoi ?

Loulette aussi se rendit compte qu'il changeait. Fébrile au lieu d'être abattu. Joyeux sans raison. Ce qui, depuis longtemps, ne lui arrivait plus.

Elle allait à la Tolosane. Madame Deslandes-Wincker lui en était reconnaissante. Elle parlait. De plus en plus. De Benoîte, bien sûr, mais aussi d'elles. De la vie. C'étaient de longues conversations d'amitié, de confiance, ponctuées souvent par un petit cadeau. Loulette pensa furtivement que quelques robes ne parvenaient pas de l'armoire de Benoîte. Madame Deslandes-Wincker les achetait. Lorsque, à la visite suivante, elle les passait, madame Deslandes-Wincker disait :

— Celle-là, il n'y a pas longtemps que tu l'as, n'est-ce pas ? Je ne te la connaissais pas.

Elle posait un clip sur la robe, enroulait un collier autour de son cou. Ou alors, fixant deux pendentifs sous ses boucles blondes, elle disait :

— Je crois que cela fait un bel ensemble. Tu embellis, ma chérie.

Loulette se reprochait ses acceptations. Un peu.

Comme une fille sans rien qui, subitement, devant son miroir, devient une fille avec tout.

Pour effacer ses scrupules, elle apprenait avec conscience les leçons que lui donnait Martin. À l'école, ses notes étaient bonnes. En marge de sa dernière rédaction, le professeur avait écrit : « Bon travail témoignant d'un gain de maturité ». Elle était très fière. Pensait que prochainement elle aiderait ses parents.

Un mercredi soir, madame Lajute variait les plaisirs de la T.S.F. : « Ici Rrrradio-Toulouse », disait la voix barytonnante de l'illustre speaker ; « Aquí Radio-Andorra », répondit la speakerine présentant le disque des auditeurs. Avec Berthe Sylva « de la part de Claudette pour sa maman qui est à l'hôpital » :

C'est aujourd'hui dimanche,
Tiens, ma jolie maman,
Voici des roses blanches,
Toi qui les aimes tant.

Loulette, arrêtée par la mélomane, écoutait de l'extérieur, accoudée à la fenêtre.

Elle entendit, venant du bout de la rue, une voix qu'elle connaissait bien :

— Voilà ! Voilà le gorgonzola ! On le sent avant qu'il soit là !

Après avoir erré dans la région, lui aussi à la recherche d'un emploi, Luigi était revenu à Toulouse. Vendeur-livreur chez monsieur Banisetti, le crémier-fromager de la rue Villeneuve, il pilotait en ville et banlieue un lourd vélo noir dont la roue avant était moins haute que la roue arrière ; la fourche plus basse. Cela avait permis d'équiper le cycle d'une lourde caisse dans laquelle Luigi cloisonnait ses fromages :

— Voilà ! Voilà le gorgonzola !

Le disque des auditeurs faisait une place à Jean Tran chant :

Chérie, les jardins nous attendent
Car ils ont besoin d'amoureux.

Luigi reprit l'invitation à son compte :

— Monte sur ma bécane. Nous serons un peu serrés mais tu verras : avec moi c'est bon.

Loulette pensa que l'invitation pouvait lui servir :

— Je dois rentrer mais, si tu veux, viens demain matin. Le jeudi, je prends des cours en ville : tu me voitureras.

Le lendemain, Luigi était là à dix heures et bien qu'il ait, disait-il, « des fromages à livrer très vite faute de les voir partir tout seuls chez les clients », il consentit à passer le pont, à remonter la rue Bayard, sa passagère installée en amazone sur le cadre du vélo.

À onze heures, Loulette sauta à terre devant l'école.

Martin était derrière la fenêtre de la classe. Observant.

Loulette fit une bise sur chaque joue de Luigi, lui lançant en traversant la cour :

— Au revoir ! D'accord pour le ciné !

Luigi ne vit pas du tout de quel cinéma il s'agissait mais comme Loulette avait disparu, il lança joyeusement sa machine :

— Voilà ! Voilà le gorgonzola !

Martin regarda entrer son élève avec un air qu'il eût voulu plus indifférent.

Pendant toute la leçon, il tourniqua son crayon dans ses mains. Prit un livre dont il n'avait pas besoin, un cahier de textes dont on ne voyait pas ce qu'il venait faire en ce cours particulier.

Loulette semblait prendre grand intérêt à l'enseignement du professeur. Intimement réjouie par son agitation : « Vas-y, énerve-toi, c'est ton tour. »

Tellement excédé que, l'heure passée, il demanda à son élève d'apporter son livre de sciences naturelles lors de sa prochaine venue :

— Nous verrons le chapitre de l'hygiène.

Loulette flaira le mauvais coup :

— Pourquoi me dis-tu ça ?

— Tu sens le fromage.

Il avait cru la vexer.

Elle eut de la peine à retenir son sourire.

Sûre d'elle désormais : elle allait demander à Luigi de revenir la déposer devant l'école. Encore. Encore. Peut-être même d'y venir la chercher à la sortie.

Elle rentra à l'appartement guillerette. Sans souci.

Elle s'enferma avec la pensée de travailler.

Elle prit le livre de monsieur Léon Blum. L'ouvrit à la fin : « Les plus pitoyables victimes des mariages actuels sont les femmes qui en ont le plus loyalement accepté les clauses. » En marge, Benoîte avait écrit : « Ma mère, évidemment. » Cela donna à Loulette l'envie de revenir aux pages de la tromperie : « Le sentiment le plus cruel aux hommes trompés, c'est qu'une femme qui était à eux, qui n'avait jamais été qu'à eux, ait appartenu à un autre. » Benoîte, dans son écriture fine, se demandait si sa mère, pitoyable victime, avait su donner ce « sentiment cruel » à son père. Si elle avait appartenu à un autre homme.

Ne pouvant tout écrire sur la page, elle avait collé un papier quadrillé, arraché d'un cahier, sur lequel revenaient des « Je voudrais parler à ma mère ». Et surtout : « Je voudrais qu'elle me parle. Cela la libérerait. Nous serions plus proches. » Et plus loin : « Comme l'histoire de France est faite de personnages parés de titres et de galons, la famille est composée d'hommes et de femmes au cœur caché sous des liens de parenté. Nous ne savons rien d'eux. »

Loulette avait lu souvent ces lignes.

Elle les relut encore, se disant soudain que la meilleure façon de parler à madame Deslandes-Wincker, de la faire parler, était de lui remettre le livre. Elle le lui apporterait : le 17 avril. Pour son anniversaire. Pour un dialogue mère-fille.

On frappa à la porte.

Loulette serait allée ouvrir mais Albert déjà accueillait le visiteur. Un homme qu'elle n'avait jamais rencontré, elle en était sûre.

Elle vit son père mettre un doigt sur sa bouche, à l'intention de l'arrivant.

Ils partirent tous les deux.

Loulette alla à la fenêtre. Le type n'avait pas la dégaine des gens d'ici. Il portait un complet veston, un chapeau de feutre, une cravate. Il accompagnait son pas des enjambées d'un parapluie à aiguille.

L'homme négligea de décliner son identité. Dans le calme du parc Lavit, il se borna à donner les consignes : chaque matin, Albert resterait chez lui. À 14 heures il passerait à une adresse qu'il lui donna et qui, quoi qu'il arrive, devait rester secrète. S'il n'y avait pas de message pour lui, il y passerait à nouveau à 18 heures. Jusqu'à ce qu'on lui fasse connaître sa mission.

Albert se faisait l'effet de jouer dans *Deuxième Bureau*, le film avec Jean Murat que, par extraordinaire, il avait vu voici un an à Toulouse.

Monsieur et madame Philémon s'arrêtèrent devant le petit bassin. Madame Philémon jeta quelques croûtons. Pour l'en remercier, un poisson acrobate jaillit de l'eau. Il effectua un splendide saut périlleux. Un autre en fit autant.

Discrètement, l'inconnu glissa une enveloppe dans la poche d'Albert :

— Il y a un mois de salaire. Dans quelques jours vous en recevrez autant. Avec les instructions, les indemnités de voyage et une carte de gratuité sur les chemins de fer. Vous en savez assez. Je vous quitte. Ne me suivez pas.

Albert resta seul près du bassin.

Madame Philémon continuait son jeu.

Comme les hommes, les canards se battent pour une bouchée de pain.

Loulette abordait toujours la Tolosane avec appréhension. Pas aujourd'hui : elle avait dix-sept ans et elle allait déjeuner dans une maison superbe. Elle serait servie. À la fin du repas, elle remettrait le livre à madame Deslandes-Wincker. Lui en ferait lire quelques lignes : madame Deslandes-Wincker rencontrerait sa fille.

Sur la terrasse, Madame Mère l'attendait. Immobile dragon.

Elle lui tendit la main. Semblant guetter dans les yeux de l'arrivante l'effet produit par ce geste exceptionnel :

— Bonjour, charmante demoiselle. J'ai tenu à être la première à vous présenter mes vœux. C'est un grand bonheur d'avoir votre âge.

Elle s'arrêta devant la porte. S'effaça :

— Entrez. Ma belle-fille vous attend.

Il est vrai que madame Deslandes-Wincker était dans le grand salon. Sa robe noire parée de bijoux. Un peu guindée. Paralysée par une contrariété dont Loulette devina vite la raison :

— Figurez-vous que notre chère Léonor avait fait dresser deux couverts. Elle s'était imaginé que je n'accepterais pas de déjeuner avec vous. Rassurez-vous, ma petite : je n'ai aucun mépris pour les pauvres. Au contraire.

Elle indiqua la salle à manger :

— Je vous ai même fait un cadeau.

Elle montrait, sur l'assiette de l'invitée, un paquet souple, un vêtement sans doute, enveloppé de papier kraft.

Loulette l'ouvrit. C'était un tablier de toile bleu qu'on attache à la ceinture avec une bavette se maintenant par le cou.

— Je ne savais pas quoi vous offrir et puis, je me suis dit : « Si ça se trouve, cette petite n'a même pas un tablier pour faire la vaisselle. »

Elle souriait, semblant heureuse de son idée.

Loulette remercia. Contrainte. Ne sachant pas démêler les intentions de la vieille dame. Elle se sentait petite souris devant un éléphant.

Madame Mère était en pleine verve :

— Ma chère Léonor... que vous aimez beaucoup je crois... voulait servir du foie gras. Je m'y suis opposée. Disant : « Si cette petite n'en a pas l'habitude, nous allons la gêner. » J'ai bien fait, n'est-ce pas ?

Non, Loulette n'avait pas l'habitude. Ni du foie gras ni de ces propos, de cette réception dont elle ne savait que penser. Heureusement, le repas ne fut pas long. Prétendant ne pas pouvoir manger beaucoup, Madame Mère quitta la table avant l'arrivée du dessert : une pomme.

Léonor n'avait pas desserré les dents.

Elle entraîna Loulette dans son « chez-soi ». Elle lui présentait des excuses. Elle répétait : « Je voulais tellement te faire fête ! » et « Je suis nulle, j'ai honte, je suis malheureuse. » Elle disait qu'elle était écrasée. Par tout. Par tous.

Sans oser regarder Loulette, elle lui passa au doigt une bague qui devait être en or. Avec une pierre fine. Loulette ne savait pas que c'était une aigue-marine. Elle voulut donner le livre mais, devant le malaise de madame Deslandes-Wincker, elle hésitait. Ayant peur de l'aggraver. Gênée maintenant d'avoir lu les notes de Bugatti avant elle. D'avoir connu avant la mère les interrogations de la fille.

Elle se décida.

Perçut le tressaillement. Le tremblement des lèvres. Les yeux fixaient la brochure :

— C'est Benoîte qui...

— Oui. C'était dans la voiture. Auparavant, elle m'en avait parlé et...

Madame Deslandes-Wincker n'écoutait plus.

Du mariage était paru au moment de la naissance de Marie-Rolande. En ce temps, monsieur Léon Blum n'était pas homme politique. La jeune Léonor Deslandes-Wincker n'avait jamais entendu parler de lui. C'est le titre qui avait attiré son attention. Et *Le Figaro*. Il jugeait l'ouvrage « hardi, courageux, généreux ». L'auteur était présenté comme « un ardent défenseur de l'institution ».

— J'avais compris très vite que mon union était fragile. Aussi, j'étais entrée dans une librairie.

Madame Deslandes-Wincker se souvenait des premières phrases : « Le mariage n'est ni un poison ni une panacée. C'est un aliment sain qu'il faut assimiler à son heure. »

Elle n'en avait pas lu davantage : Madame Mère lui avait montré un journal affirmant que monsieur Léon Blum voulait « développer chez les jeunes filles l'instinct prostitutionnel » ; un autre condamnait une publication « qu'il ne faudrait toucher qu'avec des pincettes » : « Zola, dans ses pires déjections, n'a pas atteint le degré de pourriture de ce Juif. »

— J'avais honte de moi.

Madame Mère avait confisqué l'ouvrage. Longtemps, il était resté dans une petite bibliothèque fermant à clé.

— Benoîte avait pu s'en emparer, elle me l'a raconté, dit Loulette.

— Elle était plus forte que moi.

Léonor Deslandes-Wincker serrait le livre sur sa poitrine. Ouvert. Puis elle l'écartait. Regardait l'écriture de sa fille. Lisait.

Elle pleurait et riait en même temps.

— Elle m'aimait ! Comme elle m'aimait !

Elle lisait encore. Observait Loulette :

— Elle aurait voulu savoir. Et... je ne savais pas parler.

Elle tournait les pages, s'adressait à sa fille :

— Oh ! Benoîte ! Pourquoi ne m'as-tu pas dit un mot ? J'aurais répondu à toutes tes questions. Nous n'aurions fait qu'une âme.

Un paragraphe était souligné à l'encre rouge : « La même nuit où tant de filles qui souhaiteraient passionnément l'approche de l'homme en sont privées, tant de femmes vont être condamnées à le subir sans plaisir et sans choix. »

La peau de Léonor Deslandes-Wincker montrait les frissons des aversions anciennes. Des dégoûts. Venus de la trahison.

Suivie de la contrainte.

— J'ai subi sans plaisir et sans choix.

Parce qu'elle répondait à sa fille, sa voix devint presque solennelle :

— Oui, un jour, j'ai voulu savoir si le plaisir existait.

Elle prit un temps. Avoua ne pas avoir eu de réponse. Les lois qui condamnent les jeunes filles à la virginité obligent les jeunes femmes à la fidélité : la faute paralyse les élans.

Il n'est pas de plaisir sans liberté.

La liberté ne s'accommode pas de reproches :

— J'ai vécu sous les reproches des autres et sous les miens. Dans la crainte de vous rendre malheureuses. De ma conduite.

Léonor Deslandes-Wincker était émue par son enfant qui, sans une confidence, avait tout deviné. Émerveillée : ayant reçu l'ancestrale éducation du silence, Benoîte avait osé questionner. Au moins le papier.

Elle regarda Loulette.

— Tu aurais dû me faire lire ce livre beaucoup plus tôt.

Loulette en fut interdite :

— Mais… madame, je ne pouvais pas. Je…

Elle n'osa pas rappeler l'accident.

— Oui, je sais, ce n'est pas facile de parler aux parents, admit madame Deslandes-Wincker.

Ça n'était pas l'heure du porto.

Elle s'en servit pourtant.

Loulette remarqua que le verre tremblait dans sa main et surtout que madame Deslandes-Wincker buvait sans attendre d'avoir reposé la carafe :

— Mais justement… si tu me l'avais fait lire, tu m'aurais aidée à me confier… Tu te serais moins tourmentée.

Elle était excitée par la conversation, toutes ces découvertes. Les questions et les souvenirs l'assaillirent.

Soudain, elle poussa un cri.

À l'encre rouge encore, Benoîte avait écrit : « Mère m'a dit que si je la quittais, elle se suiciderait. »

Madame Deslandes-Wincker se jeta sur Loulette.

— Oui, c'est vrai, je l'ai dit, ma chérie. Mais je t'en demande pardon. Je l'ai dit mais je ne me suiciderai pas. D'ailleurs, tu ne me quitteras pas.

Elle serrait Loulette de toutes ses forces :

— Ta sœur est partie et elle a eu raison. Mais toi, tu ne peux pas partir. Tu ne peux pas me quitter.

Elle l'embrassait. La berçait. La caressait :

— Ma petite fille, ma petite Benoîte… Nous nous entendons trop bien toutes les deux… Si tu partais, je n'aurais pas besoin de me suicider : j'en mourrais... Tu le sais que j'en mourrais ?

Elle serra plus fort encore. Plus follement. Éperdue :

— Ma petite fille... Jure que tu ne me quitteras jamais... Jure.

Loulette se dégagea.

Elle partit.

L'orage grondait. Plein sud. Venant d'Andorre. L'un de ces orages qui semblent jeter sur la ville toute la colère des montagnes.

Loulette prit son vélo.

Il semblait ne pas vouloir avancer. Retenu par la pluie. Effrayé par les éclairs qui, une seconde, transformaient les rues et les pavés, les maisons en cité fantôme.

Loulette, les jambes rompues par une trop longue conversation, se répétait : « Jamais plus je n'irai. »

Le tonnerre semblait anéantir sa voix. L'anéantir elle-même.

Elle tournait autour du Grand-Rond, du musée des Augustins, elle passait la Garonne au Pont-Neuf, la repassait au pont Saint-Pierre : elle attendait la nuit. Amélia allait encore se lancer dans ses récriminations. Loulette savait que ce soir elle ne lui répondrait pas.

C'est Albert qui l'accueillit :

— Inutile de me mentir : je sais d'où tu viens !

Il était tellement furieux qu'elle faillit ne pas entrer. Apeurée par une colère qu'elle ne lui connaissait pas.

Il montrait Amélia près de la fenêtre. N'osant pas regarder sa fille. Partagée entre la satisfaction d'avoir mis le père en face de ses devoirs et la crainte de l'un de ces affrontements familiaux qui, peut-être parce qu'ils étaient rares, la déchiraient.

— Je sais que cette dame a eu du malheur mais moi je te dis que si tu veux soutenir une mère, tu n'as qu'à soutenir la tienne au lieu de lui faire de la peine !

Dans l'attente de Loulette, il avait accumulé des phrases et des vexations, des reproches, des exemples de conduite.

— Parce que, non contente de soutenir les dames patronnesses, tu ne parles plus à ta mère, il paraît.

Il accusait :

— Elle n'est plus assez bien pour toi, sans doute ? Il te faut des robes, des bijoux.

Loulette crispa sa main sur la bague.

Albert parla ainsi pendant de longues minutes. Exaspéré.

Il fit l'éloge d'Amélia ne rechignant jamais à la tâche, ne protestant jamais contre les sacrifices que lui imposaient ses luttes à lui, pour tous. Toujours payées de déboires.

Il explosa à nouveau :

— Tu sais qui c'est, ces gens que tu veux bichonner ? Hein ? Tu le sais ?

Il cria :

— Ce sont les gens qui font que je suis chômeur !

Loulette le regarda.

Il haussa encore le ton :

— Oui ! Ton monsieur Deslandes-Wincker, c'est l'homme qui m'a fait renvoyer des chemins de fer ! Moi et beaucoup d'autres ! Voilà qui tu aides !

Loulette glissa :

— Ce n'est pas lui que j'aide.

— C'est sa femme, je sais ! Mais si elle est sa femme c'est qu'elle ne vaut pas mieux que lui !

Comment Loulette aurait-elle pu dire tout ce qu'elle savait ? Albert, d'ailleurs, ne lui en laissait pas le temps. Il disait que les gros pouvaient avoir des amitiés d'un jour mais que, chez eux, aucun contrat ni aucun sentiment n'étaient durables s'ils n'étaient bâtis sur le fric.

Loulette pensa qu'il parlait comme Benoîte.

Elle se tut.

Albert entra dans ce silence. Surpris peut-être d'avoir été si violent.

Au bout de longues minutes, Amélia dit :

— Je vais mettre le couvert.

Albert l'arrêta d'un geste. Doucement :

— Nous allons le mettre tous les deux. Loulette et moi.

Loulette ouvrit la porte du buffet.

Albert la rattrapa.

Posa ses mains sur ses épaules :

— Je t'ai parlé rudement, mais il le fallait : entre ces gens-là et nous, rien n'est possible. Ils nous méprisent et quoi que nous fassions, ils nous méprisent toujours, il faut que tu le saches.

Il prit un ton de grande conciliation.

Et surtout de grande affection :

— Alors... jure-moi que tu ne reverras jamais cette dame et tout est oublié.

Loulette sentit les mains qui, sur ses épaules, appuyaient plus fort.

— Jure, Loulette... Jure.

À cet instant, Loulette lâcha la première assiette qu'elle venait d'attraper.

L'assiette se brisa sur le parquet.

9

Loulette décida de ne plus penser qu'aux études.

Martin l'en félicita :

— Un dernier coup de collier pendant ce trimestre et tu arrives sous la banderole… avec les honneurs.

Loulette s'y voyait. Recevant l'accolade du professeur.

Restait que, entre théorèmes d'algèbre et conquête des colonies françaises, entre Lavoisier et Maupassant, le malheur de madame Deslandes-Wincker parfois reparaissait. Avec les traits tirés de son visage, les soubresauts de la peau, le drame montré par des yeux incertains : semblant ne pas comprendre l'acharnement du sort.

Martin comprit cela :

— Veux-tu que j'aille lui parler ?

Loulette refusa. Péremptoire. Elle imaginait Madame Mère sur la terrasse, toisant l'arrivant, laissant tomber à son égard un mot désobligeant. Ou même madame Deslandes-Wincker tenant devant Martin des propos sans suite. Faisant des allusions qu'il ne comprendrait pas. Au livre dont il ignorait l'existence. À Benoîte. Aux questions qu'elle posait.

— C'est toi qui juges, admit-il, mais si tu veux, j'y vais.

Elle remercia. Touchée.

Il redevint professeur :

— Maintenant, on travaille.

Il lui avait demandé d'écrire trois ou quatre pages sur *Madame Bovary* : « Paru voici quatre-vingts ans, le roman de Flaubert est-il toujours actuel ? Vous sentez-vous proche d'Emma ? Comment la jugez-vous ? »

Loulette tendit sa copie.

Martin lut. Relut.

Il ne pouvait pas croire ce qu'il découvrait.

Loulette écrivait : « La déception dans le mariage est ce qui menace les femmes aux rêves purs. » Et encore : « Plutôt que de dire "Emma trompe son mari", il serait plus équitable de constater qu'elle a été trompée par lui : par son mariage avec lui »... Martin ne connaissait pas Léonor Deslandes-Wincker : sans cela, il aurait vu son ombre infortunée se profilant dans ces lignes. Il ne connaissait pas le livre de Léon Blum. Sinon, il aurait reconnu la phrase ici à l'encre violette : « L'acte sexuel n'est jamais accompli volontairement par la femme sans un acquiescement sentimental. »

Il leva la tête. Observa Loulette. Son visage :

— Je te prenais pour une petite fille : ce sont les propos d'une femme.

Loulette jugea belle l'occasion de se poser :

— J'ai dix-sept ans.

Cela signifiait : j'ai vécu.

Martin était incrédule. Indécis. Il se demandait : que sait on à dix-sept ans ? Que fait-on ?... Quand on est une fille ?

Une fois encore, il voulut revenir à la tâche :

— Reprenons.

Mais il ne reprit pas.

Il ne parlait pas. Contenant une colère. Sa rancune contre Loulette. Contre lui. Contre ce Luigi à l'air imbécile : un chanteur vénitien qui aurait perdu sa gondole !

Il ne pouvait pas laisser tomber Loulette dans les bras d'un pareil m'as-tu-vu.

Il fallait tout de suite organiser l'avenir :

— Cet été pour les vacances...

— Je ne sais pas si j'irai, coupa Loulette.

Martin cette fois fut abasourdi : vingt fois, ensemble, ils avaient parlé de Biscarrosse, d'y revenir...

Elle expliqua. Avec naturel :

— Il faut d'abord que j'en parle à Luigi.

Il eut la sensation de recevoir un coup de poing dans l'estomac.

Pour masquer son désarroi, il renouvela son offre d'aller chez les Deslandes-Wincker.

Loulette le quittant se demandait pourquoi elle agissait ainsi.

Pour rire, évidemment. Les filles avant le mariage doivent s'amuser. Mener leur vie de garçon.

Luigi était au portail. Assis sur son cycle à fromages.

Apprenant que Loulette n'irait plus à la Tolosane, il entra dans une grande indignation :

— Une femme qui te file tout le pognon que tu veux : tu ne veux plus aller la voir ?

Il y avait, dans ses yeux, toute la stupéfaction du monde :

— Mais... t'es dingo ou quoi ?

Il passa le pont avec la vélocité de Le Grevès, maître sprinter de l'équipe de France.

Il regardait à droite, à gauche. Il aurait voulu prendre à témoin le tonnelier qui, chez Domingo, tapait sur son cercle ; la vieille Alphonsine parlant à ses oiseaux ; Jeanne Aibeyroles plaçant son fer à repasser près de sa joue pour en vérifier la chaleur. Il aurait voulu entraîner tous les passants avec lui :

— Tu te rends compte qu'une occase comme celle-là, t'en trouveras plus jamais ?

Loulette le regarda. Comme si elle le voyait pour la première fois.

Il crut l'avoir convaincue :

— Va la trouver ta poire duchesse ! Crois-moi : plus tard, tu me remercieras.

À cet instant, Loulette pensa qu'il n'y aurait pas de plus tard. Le petit voisin en trois ans avait bien changé. Jeunes, les filles devaient faire facilement fausse route. Honte à ceux qui les condamnaient à garder cette route-là. Parce qu'elle est la première.

— Au Trianon, on joue *Les Bas-Fonds*, dit Luigi : avec Gabin. Paraît que Louis Jouvet est magique. Si tu veux, à six heures je t'emmène. Ça fait permanent. Il y a un orchestre.

— On ira plus tard.

— C'est pas plus tard qu'il le joue : c'est maintenant.

— Vas-y tout seul.

Luigi haussa les épaules :

— Si j'y vais tout seul, qui c'est qui va payer l'entrée ?

Loulette ne s'arrêta pas à cette logique : elle lui donna rendez-vous le jeudi suivant.

Il se rebiffa :

— Jeudi, tu te débrouilleras sans moi.

— Qu'est-ce qui te prend ?

La réponse fut nette :

— Pas de cinéma : pas de transport !

Il appuya sur les pédales :

— Voilà ! Voilà le gorgonzola !

Deux minutes après, il était de retour :

— Bon. Je viendrai jeudi. Mais vraiment... Tout le fric que tu nous fais perdre ! C'est du gâchis !

Devant ce désespoir, Loulette ne put que sourire.

Ce pauvre Luigi ne se rendait même pas compte

qu'elle n'avait aucun besoin de lui : elle avait une bicyclette.

Sur le pont, « J'ai-des-charges » ayant refusé de faire décrotter ses souliers, le cireur le regardait partir en fredonnant :

Quand tu seras dans la purée,
Reviens vers moi.
J'te ferai des côtelettes panées
Comme celles d'un roi !

Le propriétaire n'entendait pas.

Il n'avait pas vu Loulette.

Elle passa l'après-midi chez elle. Cent fois tentée d'aller à la Tolosane. Cent fois repoussant son envie.

Elle attendit son père avec la pensée de lui dire :

« Je t'ai obéi. »

À l'heure du dîner, il n'était pas là.

— Papa est parti, dit sobrement Amélia.

— Parti ? Où ?

— Je ne sais pas. Il a trouvé du travail.

Loulette, aux anges, ne s'expliquait pas ces secrets :

— Il n'a pas dit où il allait ?

— Il a pris le train... de Bordeaux, je crois. Il sera là dans trois ou quatre jours. Ou cinq.

Entrant en coup de vent, Titou ne s'inquiéta pas du mystère. Dont il perçut tout de suite le bon côté : le père allait gagner de l'argent. Sur les allées Jean-Jaurès, les premiers camions des forains étaient déjà arrivés.

Albert avait rencontré Edmond en face de la gare Saint-Jean. Au Raisin blanc. Comme convenu, il tenait *Le Figaro* à la main. C'était moins suspect que *L'Humanité*. Ou *Le Populaire*.

Ils avaient descendu les quais à pied. Bu un demi à côté de la porte des Salinières.

Le patron leur avait apporté des bigorneaux. Bien poivrés. Avec, pour les extraire de leur niche, des épingles plantées sur un bouchon. Il leur avait donné l'adresse d'un troquet qui leur ferait des anguillons. Le vin blanc ne pouvait pas leur faire de mal : il venait d'en face. Sur les coteaux.

Maintenant, Bordeaux dormait. Allongé sous un ciel d'étoiles vives qui, depuis les quais, semblaient se refléter sur les lampadaires de la rive droite, du pont de Pierre, une lucarne encore allumée au plus haut d'un immeuble, sur la place des Quinconces.

Les grues et les dockers travaillaient en silence, vidant un paquebot impassible pour offrir ses entrailles à des wagons de chemin de fer.

Albert regardait les hommes monter la passerelle, les mains vides. Ils descendaient porteurs de caisses et de sacs. Repartaient.

Près de lui, Edmond lui répéta que sa mission commencerait aux arrêts où, sans être vu de personne, même pas des cheminots, il devrait vérifier qu'aucun inconnu ne s'approche du convoi. Dont tous les wagons, les fourgons, le chargement porteraient des sceaux de plomb.

Des douaniers les placèrent.

Le train s'ébranla avec des grincements déchirants. Lourdement, il longea la Garonne, passant sous la passerelle métallique ornée d'un énorme : « Des canons pour l'Espagne ». Lorsqu'il tourna pour traverser le quai, les roues gémirent plus fort encore. La locomotive adressa au ciel bleu des nuages poussifs, noirs, que le ciel, maître de la nuit, désagrégea sans efforts.

En gare Saint-Jean, Albert, selon son expression, « fit péter l'œil ». Edmond fit de même.

Il en fut ainsi encore à Valence-d'Agen. Entre-temps,

le train traversait les gares en grand timide : sans s'arrêter.

Le jour se leva.

Le soleil de mai égayait les vergers et les champs. Une route blanche où se traînait un attelage de bœufs. L'une des deux bêtes portait un sac de foin entre les cornes.

Une grange proclamait : « *Muerte a Franco !* »

En arrivant à Matabiau, Edmond dit :

— C'est là qu'il faut faire attention. À la manœuvre et aussi aux intrus. Nous avons des soupçons. Vous êtes de Toulouse. Vous avez été cheminot. Cela doit vous faciliter la tâche.

Albert acquiesça.

La locomotive se détacha, tirant trois wagons. Au quai de chargement, l'homme d'équipe en accrocha un autre. La loco revint se placer sur sa voie d'arrivée, plaçant ses quatre wagons en tête du train. Puis elle repartit, tirant deux wagons de plus, c'est-à-dire six wagons auxquels, sur la voie de chargement, on en ajouta un septième qui, lui aussi, avec les six autres, vint prendre sa place dans le convoi. Pendant ce temps, une petite loco avait intercalé un fourgon à l'arrière du train : en antépénultième position.

Après avoir complété le feu que lui laissait le collègue par une soixantaine de briquettes, la Vapeur s'assit sur le coffre à huile du tendeur. Il s'épongea le front :

— C'est la première fois que je vois une manœuvre de ce genre !

— Tu as eu tort de voir : on t'a dit que tu n'étais pas là pour ça.

La Vapeur s'obstina :

— Intercaler des wagons en quatrième, en septième, et en douzième position alors qu'ils ont tous même destination…

L'équipe précédente n'avait pas oublié de placer la

trotteuse de café derrière les prises de vapeur. Cela permit au mécanicien de changer la conversation :

— Ça va. Il est chaud.

— Chaud et bien chauffé, approuva Ernest. Les copains ont dû faire un convoi pour Négrita.

C'était indéniable : le quart sentait plus le rhum que l'arabica.

Le long de la voie, un disque pivota, montrant son carré violet de sortie de gare.

Le train démarra. Lentement. Comme faisant un gros effort.

Ernest constata :

— De toute façon, ce qu'on traîne, c'est pas de la plume.

Cela énerva son copain :

— Je te répète qu'on voit rien, on n'entend rien ! Et c'est pas le chef d'exploitation qui nous l'a dit : c'est Piédagnel. C'est lui qui nous a filés sur cette putain. On l'a accepté ? Bon alors maintenant, on la boucle.

Piédagnel, c'était un copain. L'un des rares, dans les bureaux, à être syndiqués. Quant à la putain… c'était leur locomotive de ce jour : ainsi nommée par la profession parce que, loin d'être fidèle à une même équipe comme leur prestigieuse Pacific, celle-là… tout le monde montait dessus.

Edmond et Albert voyageaient dans un fourgon spécialement aménagé pour eux. Avec deux banquettes sur lesquelles ils pouvaient dormir.

— À Port-Bou, je dois aller à la douane donner les chiffres. Vous observez et vous ne bougez pas. Un douanier viendra vers vous.

Il demanda :

— Quels chiffres avez-vous relevés ?

— 4.7.12, répondit Albert.

Edmond avait les mêmes. Il approuva.

À Narbonne, ils firent de l'eau.

À la frontière, Edmond se montra rassurant :

— Tout est prévu. Les douaniers sont sûrs. Du moins ceux dont nous avons besoin.

Ils l'étaient.

Sous l'œil du contrôleur de la Commission de non-intervention, le chef fit ouvrir « au hasard » les wagons 4, 7 et 12. Il y trouva les produits annoncés sur tous les wagons : du lait condensé, des conserves, du chocolat, des produits pharmaceutiques.

Il écrivit sur son rapport : « Chargement conforme aux déclarations. Rien à signaler. »

Le train s'ébranla vers la République d'Espagne.

Sur le chemin du retour, Edmond lâcha quelques confidences :

— Les armes arrivent de l'U.R.S.S. Le bateau les décharge à Dunkerque. À Marseille. Ou ailleurs. Mais si nous le savons repéré par les sbires de la non-intervention, alors nous le détournons sur Brest ou Bordeaux. Pour les trains c'est la même chose. Les douanes dépendent du ministère des Finances, c'est-à-dire de Vincent Auriol. Cela nous aide beaucoup pour les vérifications aux frontières. Les douaniers ouvrent les wagons que nous avons choisi de faire ouvrir.

Il raconta qu'à l'arsenal de Toulouse, la commission avait vérifié un train entier.

Il était en admiration devant l'organisation. Le travail : décharger puis planquer les armes et les munitions d'un train ; trouver une marchandise neutre en remplacement ; en charger tous les wagons…

— … C'est gigantesque.

On arrivait à Matabiau.

En vue de missions prochaines, Edmond indiqua un numéro de téléphone, un nom à prononcer.

Le train s'arrêta.

Ils descendirent. Edmond fit quelques pas. Hésitant.

Comme ayant attendu la dernière minute pour faire la plus lourde confidence :

— En cas de gros pépin — de catastrophe pour ainsi dire — vous appelez le ministère et vous demandez monsieur Cusin. Gaston Cusin. Si vous ne pouvez pas le joindre, vous appelez le ministère de l'Air : monsieur Moulin. C'est le chef de cabinet de Pierre Cot... Jean Moulin, vous vous souviendrez ?

Il tendit sa main :

— N'oubliez pas ces noms mais n'oubliez pas non plus que vous ne devez les donner à personne. Sous aucun prétexte.

Le chef de gare soufflait dans son sifflet.

L'homme d'équipe agita son drapeau.

Sur le marchepied, Edmond dit encore :

— Oui, c'est une organisation fabuleuse. Malheureusement, ce que nous pouvons faire passer aux républicains est une goutte d'eau par rapport aux fournitures des nazis. Leurs armes entrent librement en Espagne... et en France aussi.

Edmond était soucieux :

— Vous allez avoir du boulot.

Le train s'en allait, laissant sur le quai Albert Souleil. Inquiet. Revigoré. Admiratif. Sentant en lui toutes les forces de sa jeunesse. Pour son combat de toujours.

Titou courut vers lui. Il se pendit à son cou.

Loulette l'embrassa. En grande fille.

Habillés « en propre », coiffés l'un d'un large béret basque, l'autre d'une casquette de loup de mer, Piston et la Vapeur, leur caisse à la main, étaient descendus du dernier wagon. Celui où se trouve le compartiment du collègue contrôleur.

Depuis la frontière, le chauffeur remâchait son amertume :

— Ils nous prennent pour des cons ! C'est sûr, on nous prend pour des cons !

Depuis douze ans, associés dans le même travail, les mêmes luttes, ils étaient unis comme cochons (« jamais une dispute entre nous ! ») et voilà que, depuis huit mois, ils s'insultaient, ils se menaçaient, ils étaient prêts à se taper :

— Tout ça parce qu'on raconte à l'un qu'on n'aide pas l'Espagne à cause de l'Angleterre, à l'autre à cause de l'U.R.S.S. et tout d'un coup, on s'aperçoit de quoi ? Que Blum fait passer les Pyrénées en douce aux armes envoyées par Staline ! C'est énorme, non ?

Un souvenir lui revint. Il s'arrêta de marcher :

— Et l'autre jour, si je t'avais embroché avec le tisonnier, hein ? Si je t'avais embroché ?

— Rassure-toi : je t'aurais assommé avec la pelle à charbon ! répondit Gustave, placide.

Ernest haussa les épaules.

Il aperçut Albert. En deux enjambées, il fut sur lui. En deux mots, il lui raconta la frontière, la manœuvre, la douane ; tout ce secret :

— Hein ? Sincèrement, qu'est-ce que tu en penses ?

Loulette et Titou tendaient l'oreille.

Albert voulut clore la conversation :

— Comment veux-tu que je pense quelque chose ? Je ne suis au courant de rien.

Le chauffeur ne s'avoua pas battu :

— D'accord, mais si tu étais au courant… qu'est-ce que tu en penserais ?

Titou ne lâchait pas la main d'Albert.

— Il en penserait que tu ferais mieux de fermer ton ouah-ouah ! trancha Gustave.

— Oui. Je crois bien que c'est ça que j'en penserais ! acquiesça Albert.

Titou demanda :

— C'est en quoi que tu es représentant, papa ?

— En produits alimentaires.

Loulette le regarda bizarrement.

Albert pensa qu'elle ne le croyait peut-être pas tout à fait. À cet âge, les filles ont de l'intuition.

Qu'avait-elle perçu dans l'indiscrétion d'Ernest ?

Pendant quelques jours, il l'observa : rien dans ses gestes, ses paroles, sur son visage ne put le renseigner.

Sauf, au retour de sa deuxième mission, une question :

— Tu as bien vendu tes pâtes alimentaires ?

Ce soir-là, il attendit qu'elle fût couchée. Et Titou. Et Amélia.

Il poussa la porte de sa chambre.

— Tu peux entrer, je ne dors pas, murmura Loulette.

C'était comme si elle avait deviné sa venue.

Il s'agenouilla près du lit. Comme jadis il l'avait fait si souvent.

Il parla doucement. Mais il ne fit pas rouler la citrouille devenue carrosse de Cendrillon ; il ne fit pas voleter dans la nuit le baiser allant réveiller la Belle au Bois dormant. L'aventure, ce soir, était l'histoire vraie d'une petite fille qui avait grandi. D'un père qui n'avait pas su l'y aider. Pas su lui donner assez. Occupé qu'il était à donner aux autres. Et qui continuait aujourd'hui. Parce que, aujourd'hui, il ne s'agissait pas seulement de donner du bonheur, il s'agissait d'empêcher le malheur. Qui cernait la France. Et qui bientôt la pénétrerait.

Loulette chuchota :

— C'est pour ça que tu fais des voyages ?

— Oui. C'est pour ça.

La nuit était totale. Le silence.

— Maman le sait ?

— Non.

Albert parlait d'Amélia avec une véritable admiration. Depuis vingt ans, ses absences qu'il lui avait imposées pour réunions et meetings, manifs, collages, distribution, les risques qu'il avait pris, les licenciements et le chômage qui en résultaient lui avaient donné sa large part d'inquiétude. Il ne voulait pas, aujourd'hui, agrandir la portion.

Il prit un temps :

— Loulette, je t'ai confié tout cela parce que... je vais avoir besoin de toi.

Loulette, à ces mots, arrêta de respirer. Il lui expliqua que, lors de son prochain déplacement, chaque soir après l'école elle devrait passer à l'adresse qu'il allait lui remettre. S'il y avait un message, elle le prendrait ; si elle en avait la possibilité, elle le lui communiquerait ; dans le cas contraire, elle dirait qu'il était absent, donnerait la date de son retour.

Emplie de fierté, Loulette était un peu déçue : elle aurait voulu, d'un coup, abattre Hitler, détruire ses parades au pas de l'oie, ses drapeaux à croix gammée pointant leur menace vers tous les points cardinaux :

Albert demanda :

— Tu veux bien ?

Pour toute réponse, Loulette se blottit contre lui, serrant ses mains, ses poignets jusqu'à s'en faire mal.

Ils restèrent ainsi. Loulette ivre de la confiance qu'on lui montrait ; Albert conscient soudain des risques qu'il allait lui faire courir. Et le premier d'entre eux : transformer une adolescente en combattante. Peut-être à vie. Parce qu'il n'est pas facile, lorsqu'on s'est engagé dans la lutte contre la barbarie, de dire aux compagnons : « Continuez sans moi. » Pas facile de ne pas avoir peur en voyant combien votre solitaire engagement a fait se lever d'ennemis devant vous. Albert le savait depuis longtemps : le combat contre Hitler n'avait pas pour seuls ennemis les partisans de la tyrannie. Étaient du nombre ceux qui redoutaient le communisme, la perte de leurs libertés. Ceux qui, dans un régime de force, espéraient trouver un profit, un emploi, un commandement, la réussite qui jusqu'alors les avait fuis ; ceux qui haïssent le peuple sans raison ; et ceux qui le haïssent pour une grande raison : dans les êtres déshérités, ils voient les vaincus qu'ils auraient été si la naissance ne leur avait donné la victoire, toutes facilités de l'obtenir.

Loulette murmura :

— Je suis avec toi.

Albert demanda :

— Parce que j'ai raison ou parce que je suis ton père ?

Elle le serra plus fort encore :

— Parce que tu as raison d'être mon père.

Ce sont des phrases qu'on emporte avec soi. Sans crainte de jamais les oublier. Surtout pas dans le train : Albert ce soir serait à Sète. Le roulement du wagon lui répétait qu'il avait bien agi. Loulette serait fière de servir. Cela effacerait les mauvais moments qu'il avait eus avec elle. Il lui avait dit les mérites d'Amélia. Cela aussi recollerait les morceaux.

Il ne se trompait pas : lorsque le jeudi matin, Loulette entendit sa mère se préparer, elle se leva. Disposée à se priver d'une heure de lit pour lui parler de ses études. Lui dire la confiance de Martin dans sa réussite.

Elle descendit l'escalier avec elle. L'accompagna jusqu'à l'École vétérinaire.

Les marchands des quatre-saisons déjà s'installaient derrière leur charreton :

— L'artichaut vient de Macau ! criait l'une.

Une autre, courbée, se tenant les reins, exhibait ses salades :

— Regardez-moi ça : à cinq heures ce matin, elles étaient encore dans le jardin.

Elle montrait son corps horizontal, formant équerre avec ses jambes :

— Voyez : je n'ai pas eu le temps de me relever.

Loulette reprit le chemin de sa maison. Ne se pressant pas. Suivant le tombereau des ordures, tiré par Bookmaker ; un canasson efflanqué que tout le monde connaissait. Et qui connaissait tout le monde : devant chaque porte, il s'arrêtait. Sans commandement. Sans récrimination. Ayant compris depuis longtemps qu'il ne gagnerait jamais le Grand Prix de Longchamp.

Loulette sursauta : la Mercedes des Deslandes-Wincker était devant chez elle.

Loulette pensa faire demi-tour. Attendre Luigi un peu plus loin. Partir directement à l'école de Martin. C'était impossible : elle n'avait pas ses livres, son cahier, le devoir qu'elle avait préparé.

Madame Deslandes-Wincker était peut-être chez un voisin ?

Elle monta l'escalier tout doucement, se serrant contre la rampe. S'efforçant de voir le haut de la cage.

Un visage se pencha au-dessus d'elle :

— Vous êtes Loulette ?

Elle ne put qu'avancer.

C'était une jeune femme. Mode. Pas trop : un peu 1925. Chapeau cloche, col de fourrure rousse sur veste pied-de-poule, très serrée à la taille. D'où s'échappait une jupe charleston. Des jambes hautes sur souliers à aiguilles :

— Je suis Marie-Rolande Deslandes-Wincker. Je viens vous chercher.

Loulette fit un petit refus de la tête. Craintif.

— Vous ne pouvez pas refuser.

Avec un débit qui semblait pressé par l'inquiétude, Marie-Rolande Deslandes-Wincker expliqua que sa mère avait eu plusieurs malaises. De longs moments d'accablement suivis de crises d'hystérie :

— Je vais l'emmener à Paris. Pendant quelque temps, je la garderai. Ou plutôt : je la ferai garder. Et… si ça ne va pas…

Elle se détourna.

Son profil montrait, entre les cils, une larme.

— Il faut qu'elle vous voie. Sans ça, elle vous croit... elle...

À nouveau, elle eut un geste qui ne finit pas. Une voix falote.

Elle promit que l'entrevue ne serait pas longue. D'ailleurs, il ne le fallait pas :

— Je vous ramènerai pour votre cours. Vous serez à l'heure.

Loulette prit place dans la voiture.

Titou, échevelé, la vit partir depuis la fenêtre.

Usant nerveusement de l'avertisseur, Marie-Rolande traversa la ville en trombe. Tenant à peine compte du sergent de ville dont le bâton blanc lui interdisait de passer :

— Mon père est revenu du Tonkin.

Loulette ne sut pas si la jeune femme voyait en ce retour une cause à la maladie de sa mère.

La voiture s'arrêta devant la terrasse, marquant son empreinte dans le gravier.

Madame Mère était à son poste. Cerbère sans défaillance. Presque sans visage. Avec seulement deux yeux dont on comprenait qu'ils n'abdiquaient jamais.

Elle suivit les deux arrivantes dans le petit boudoir.

Loulette, sur le pas de la porte, s'arrêta : en moins de deux mois, Léonor Deslandes-Wincker avait perdu sa poitrine, ses hanches, la rondeur de ses poignets. Jusqu'à sa physionomie.

Assise dans un fauteuil, elle promenait une main tremblante sur la couverture qui recouvrait ses jambes.

Madame Mère regarda Loulette :

— Voilà votre œuvre.

Loulette ne risquait pas de répondre. De bouger. Jusqu'au moment où Léonor Deslandes-Wincker tendit ses bras :

— Ma petite fille.

Pour prévenir toute confusion, Marie-Rolande dit :
— C'est Loulette, mère.
— Oui, c'est Loulette... ma petite fille, approuva madame Deslandes-Wincker.
Elle la prit contre elle, la caressa :
— Je reconnais tes cheveux.
Madame Mère sortit.
Marie-Rolande n'était pas tranquille.
Elle avait tellement envie de rassurer sa mère que, désignant Loulette, elle dit :
— Vous voyez qu'elle est...
Elle s'arrêta, consciente de partir sur la mauvaise voie.
Termina :
— En bonne santé.
Loulette, à genoux devant madame Deslandes-Wincker, sa tête étouffée de tendresse, ne pensait plus qu'à Albert. Elle était là alors qu'il lui faisait confiance. Obéissant, apportant son soutien à ceux qu'il appelait ses « ennemis de classe ». Elle se répétait ses propos sur ces possédants égoïstes, haïssant les humbles. Ceux qui n'étaient pas « de leur monde ». Tellement habitués à mépriser les faibles que, considérant le comportement de Madame Mère, de monsieur Deslandes-Wincker, elle se demanda s'ils n'étaient pas capables de tuer les plus déficients des leurs. Comme Hitler voulant supprimer les chétifs, les malades, les handicapés pour parfaire la race à laquelle il croyait appartenir : la race des seigneurs. Des tueurs. Elle eut, devant les yeux, l'image de Benoîte. Aimant sa mère au point de la lui faire aimer, elle aussi...
Loulette embrassa madame Deslandes-Wincker.
Ses yeux, à ce moment, rencontrèrent les yeux de Marie-Rolande. Son regard reflétait le bien que faisait Loulette. Le bien qu'elle pensait d'elle. Un merci.
Elle s'approcha :

— Mère, vous êtes bien ?

Une camionnette était entrée dans le parc. Dirigée par monsieur Louis, elle s'était arrêtée devant le garage, le cul contre la porte.

Léonor Deslandes-Wincker regardait les roses, les géraniums.

Sa voix pâle semblait venir des fleurs. Aux teintes fragiles. Aux pétales tremblants.

— Voici l'été. Bientôt, nous partirons pour Le Moulleau.

Elle se tourna vers Loulette :

— À propos… as-tu retrouvé ton maillot ?

Loulette baissa la tête.

Marie-Rolande s'assombrit.

— Tu sais très bien que l'an dernier, tu n'avais pas retrouvé ton maillot bleu…

Dans le silence, elle conclut :

— Je demanderai à Marthe de le chercher. Il ne peut pas être loin.

On avait levé la bâche arrière de la camionnette et, de l'intérieur, un homme remettait à un autre des objets bizarres, longitudinaux, peut-être des cannes à pêche, recouverts de toile de jute.

L'homme qui les recevait les prenait par brassées de cinq ou six qu'il portait dans le garage. Il ressortait, tendait à nouveau ses bras vers la camionnette.

Descendant en trombe de son bureau, monsieur Deslandes-Wincker se précipita dans le parc, hurlant :

— Je vous avais dit de m'attendre ! Vous ne voyez pas qu'il y a du monde ? Abruti ! Fou ! Assassin ! Vous êtes un bon à rien, je vous l'ai toujours dit ! Un larbin de naissance qui croit connaître la mécanique ! Tout juste bon à gonfler un vélo !

Les insultes pleuvaient sur monsieur Louis qui,

tenant sa casquette à la main, les recevait au garde-à-vous : dans son impeccable livrée blanche.

Déchaîné, vociférant, monsieur Deslandes-Wincker montrait la maison, sa mère, sa fille et cette étrangère surtout qui, avec les autres, levait le rideau pour mieux voir.

— Qu'est-ce que vous voulez ? Nous faire pincer ? Qu'on aille en prison ? Tous ! Vous comme nous !

Le chauffeur, blême, balbutia deux mots que l'on ne perçut pas.

Monsieur Deslandes-Wincker hurla de plus belle, lui ordonnant de tout rentrer au plus vite, de fermer la porte et de disparaître, lui, les deux autres et la camionnette qu'il n'avait que trop vue.

Loulette ne comprenait rien à ce qui se passait.

Léonor Deslandes-Wincker soupira :

— Des armes. Encore !

Marie-Rolande sursauta :

— Mère !

Madame Deslandes-Wincker la regarda avec reproche :

— Tu ne penses pas que ta sœur va dénoncer son père, non ?

Elle attira Loulette à elle :

— Hein, ma petite fille… Tu sais bien que si tu parlais, les gendarmes nous emmèneraient… ton père… moi. Ils nous emmèneraient tous.

Elle prit Marie-Rolande par la main :

— Vous êtes raisonnables… toutes les deux… Vous avez toujours été raisonnables. Vous ne voulez pas que j'aille en prison…

Croyait-elle vraiment qu'on l'enfermerait elle aussi ? Était-elle capable d'inventer ? Pour parer au danger ? Sauver l'homme qui la faisait tellement souffrir ?

Elle posa ses yeux sur des ciels incertains.

Elle s'enferma dans un silence dont on ne savait rien.

Loulette et Marie-Rolande sortirent doucement.

La voiture roula moins vite qu'à l'aller. Semblant comprendre que la conductrice avait des choses à dire. Il lui fallait le temps.

Marie-Rolande rassemblait ses mots. Mal. Ne sachant par lequel commencer :

— Loulette… ce que vous venez de voir est terrible.

Loulette le pensait.

Son attitude n'était pas encourageante.

Marie-Rolande se décida. Elle remercia Loulette pour ce qu'elle avait fait. Spontanément. Avec tant de générosité. C'est ce qui donnait à mademoiselle Deslandes-Wincker l'envie de lui parler comme à un membre de la famille :

— D'ailleurs, vous êtes un peu de la famille, n'est-ce pas ?

Loulette ne répondit pas.

Elle pensait aux armes surprises. À monsieur Deslandes-Wincker insultant le chauffeur.

Marie-Rolande désapprouvait la conduite de son père. Envers le personnel, envers tous les siens. Elle désapprouvait ses idées :

— Dès son arrivée au pouvoir, Hitler a ouvert des camps de concentration, tout le monde le sait : Juifs, Tziganes, communistes, socialistes, catholiques, syndicalistes, homosexuels, tout le monde y passe !

Elle semblait sincèrement révoltée. Contre les nazis et contre ceux qui les servaient.

Pourtant, elle suppliait Loulette de ne parler à personne de ce qu'elle avait vu. Non pour sauver son père mais sa mère :

— Il est très dur avec elle mais s'il n'était pas là, elle n'existerait plus… Incapable désormais d'assurer son existence, la gérance des affaires, de la fortune, la marche de la maison.

C'était la grande mode des avertisseurs entraînés par

la roue de la bicyclette. Une pression du doigt sur le timbre suffisait : l'appareil s'accolait à la jante et hop ! entraîné par elle, il lançait son dring-dring !... Fier de posséder cet engin de haute technicité, un gamin défiait toutes les règles de la circulation. Et même de l'équilibre. Marie-Rolande faillit l'accrocher. Elle eut plus peur que lui :

— Imprudent !

— Capitaliste !

Elle retrouva sa voix douce pour demander :

— Vous me promettez d'être discrète ?

Loulette regardait devant elle.

Elle frissonnait.

La vie sans cesse lui demandait des promesses, des serments. Des engagements. Contradictoires.

Elle pensait à son père.

Elle devait lui dire à lui ce qu'elle avait vu à la Tolosane. Là était son devoir. Elle pensait à madame Deslandes-Wincker dont les mains et la raison tremblaient. Elle pensait à Benoîte. Pour la dernière fois accrochée à son volant.

Marie-Rolande crut deviner ses pensées. D'une main, elle ouvrit son sac :

— Je n'ai pas beaucoup d'argent mais j'en ai un peu et...

Loulette sentit en elle une violence :

— Heureusement que vous en avez : vous voulez tout payer !

Elle ordonna :

— Arrêtez-moi là.

— Mais non ! Je vous reconduis chez vous.

— Je suis arrivée. Arrêtez.

Le ton était sans appel.

La voiture obéit.

Loulette ouvrit la portière.

Marie-Rolande mit la main sur son bras :

— Pour ce que je vous ai demandé…

Loulette descendit. S'en alla. Sans répondre.

Tout à coup, elle n'aurait pas su expliquer pourquoi, elle revint sur ses pas. À la voiture. Aussi brusque dans ses paroles que dans ses mouvements :

— Mon père aussi fait des choses dangereuses : je ne le dénonce pas.

Elle éleva la voix :

— Mais il ne me paie pas pour que je me taise.

Et, très fort. Un peu perdue :

— Dans ma famille, ça ne se fait pas.

Alors, elle partit vraiment. Courant le long des allées. Butant dans un passant. Repartant avant de s'arrêter entre deux cloisons de tôle, de bois, de toiles ; gagnée par une chaude odeur de nougat.

La foire commençait ses séances de l'après-midi. Annoncées par un roulement de tambour, une cloche agitée par la caissière, un orchestre de cuivres, la verve d'un bonimenteur promettant, à l'intérieur, les danses voilées de la Loïe Fuller.

Loulette sentait sa mâchoire trembler. Son cœur ne battait plus. Bloqué par l'angoisse.

Son père lui faisait confiance et elle était allée révéler à cette fille connue le matin que ce père aussi se mettait en danger. Pourquoi ? Pour prendre une attitude ? Voulait-elle donner une leçon à ces gens qui passaient leur temps à en donner ? Albert luttait contre Hitler. Pourquoi l'avoir révélé à ceux qui le servaient ?

Elle fit quelques pas.

À grands coups de grosse caisse, l'Arène sportive demandait des amateurs pour lutter contre la brochette de musculeux qui, à l'appel de leur nom, faisaient gonfler leurs biceps.

On en était à Brisetout, champion de Suisse, « l'homme qui casse ses adversaires comme vous et moi cassons un verre ».

Un marin leva la main.

Monsieur Cassidi, patron de la baraque, se tourna vers lui :

— J'admire votre courage, jeune homme, mais je vois votre uniforme ; avez-vous l'autorisation de l'Amirauté ?

— Je m'en passerai, répondit le mataf.

Monsieur Cassidi montra un air dubitatif :

— Nous prenons un gros risque, tous les deux.

— Aucun risque : je dérouille votre gros lard et vous me donnez la prime.

Le marché fut conclu pour un combat à la gréco-romaine.

Le marin attrapa le gant qu'on lui lançait. En habitué.

Monsieur Cassidi présentait son dernier combattant : un catcheur énorme, drapé de rouge, portant monocle et promenant sur la foule le regard le plus arrogant qui se pût inventer :

— … Pour la première fois sur cette foire : Ulrich von Kronenfeld, deux fois champion d'Allemagne.

Von Kronenfeld s'avança vers le bord de l'estrade. Il tendit le bras, sa main bien à plat au-dessus du public et, faisant demi-tour, il laissa voir sur le dos de sa cape rouge une large croix gammée.

— À mort !

— Tuez le boche !

— À la porte, les fascistes !

La foule vociférait cependant que trois ou quatre candidats montraient leur soif d'en découdre :

— À moi, le Prussien !

— Je veux me le faire !

— Laissez-le-moi : les nazis, je les bouffe.

Des huées montaient du public. La haine imprégnait des voix et des visages ; de ces haines sincères et fortes qui s'extériorisent en l'absence du danger. D'autres spectateurs s'amusaient. Aussi stupides. Loulette tourna le dos à l'estrade, à monsieur Cassidi, aux badauds qui entraient dans l'Arène en menaçant l'Allemand : elle se retrouva plaquée contre Martin, serrée contre lui, éloignée à jamais des cuivres et des tambours, des promeneurs et du marchand de ballons, du jongleur et de l'automate, de Marfa la Corse faisant claquer son fouet.

Martin n'avait pas besoin d'explications : ne la voyant pas paraître, il était allé chez les Souleil. Titou lui avait dit avoir vu partir sa sœur dans la voiture des Deslandes-Wincker. Martin en avait éprouvé une grande satisfaction : ça n'était pas pour Luigi qu'elle avait manqué le cours. Il se garda d'en parler.

Maintenant, elle était là, accrochée à lui. Répétant :

— Dis-moi ce que je dois faire. Dis-le-moi.

C'était des paroles de confiance.

Elle pleurait.

— Je suis trop petite.

Pour le prouver, elle blottissait sa tête sur son épaule :

— Trop petite sans toi. Dis-moi ce que je dois faire. Je te raconterai tout. Parle. Parle-moi.

Ils s'embrassaient tous les deux au milieu des allées. Ne bougeant pas. Les passants les regardaient. Certains disaient que la jeunesse aujourd'hui ne savait plus se tenir.

Il posa ses mains contre ses tempes, écarta son visage de sa poitrine, la regarda dans les yeux. Avec, dans ses yeux à lui, un attendrissement immense :

— C'est vrai que tu es petite.

Il la prit par la main :

— Viens.

Elle le suivit. Sans savoir.

Il monta dans un manège. L'installa sur un cochon qui monte et qui descend. Enfourchant lui-même le petit âne gris. Celui qui remue la tête quand on tire sur les rênes.

Le spectacle séduisit un étudiant de l'École vétérinaire.

Il se mit à chanter :

Ah ! Viens ! Viens ma Nénette
Faire un tour sur les chevaux de bois !

Les autres étudiants, dans leur blouse blanche, le suivirent :

Ça fait tourner la tête
Comme si on avait la gueule de bois !

Les chevaux et les cochons, l'âne, la girafe dont la tête étonnée dépassait le toit du manège s'élancèrent dans une ronde folle, poursuivis par les autos rouges et bleues, les motos rutilantes, la voiture des pompiers pilotée par des conducteurs enthousiastes n'ayant pas l'âge du permis de conduire.

Ils firent deux tours. Descendirent.

Martin, voyant que ces jeux chassaient les tourments, entraîna Loulette. À nouveau main dans la main. Courant.

Les apprentis vétérinaires les suivirent :

Si tu te casses une jambette,
On te fera mettre une belle jambe de bois !

Ils montèrent même avec eux. Ou plutôt : contre eux. Les uns et les autres serrés dans leur auto tamponneuse. Loulette et Martin cherchaient à éviter les chocs ; les vétos cherchaient à les provoquer. À poursuivre ce garçon et cette fille dont ils voyaient bien qu'ils étaient amoureux.

Ils les quittèrent lorsque le couple entra au labyrinthe où Loulette rit tellement en butant son nez contre les panneaux qu'elle ne retrouva plus la sortie. Martin dut aller la chercher et, désormais lui faisant confiance, elle prit une grande décision : ils verraient les puces savantes et l'homme poisson, la volière magique et la femme la plus lourde du monde ; ils monteraient au grand huit et sur les balançoires d'enfants, ils mangeraient des gaufres et des beignets, des nougats et des caramels ; ils joueraient à la loterie et au billard japonais, ils visiteraient tous les stands afin de dépenser tout l'argent restant des générosités de madame Deslandes-Wincker : du passé, faisons table rase.

Et nid d'amour.

Car, bien sûr, entre deux attractions, ils montaient sur la chenille, s'amusaient d'être ainsi secoués, l'un contre l'autre, heureux lorsque la gigantesque peau de la chenille les mettait à l'abri des regards.

L'émoi se mêlait aux rires.

— Je t'aime, dit Loulette.

— Je t'ai toujours aimée, répondit Martin.

La toile s'envola. S'abaissa. S'envola.

À l'entrée du train fantôme, un pick-up déchaîné demandait :

Qu'est-ce qu'on attend pour faire la fête ?
Qu'est-ce qu'on attend pour être heureux ?

10

La fête fut réelle lorsque, avenue de Muret, Loulette apprit, sur le mur de l'École normale, qu'elle était reçue.

Elle fut plus apparente encore gare Matabiau avec le va-et-vient grandissant des candidats au voyage. Nul ne doutait plus de la réalité des congés payés. Des billets Lagrange :

— Cette année tu peux l'utiliser les jours d'affluence !

Les expérimentés de l'an dernier donnaient des conseils aux néophytes. Ils indiquaient une pension de famille à Menton, un coin très poissonneux à Montpon-sur-l'Isle, un paysan qui acceptait les tentes de camping « à condition qu'on lui achète le lait ».

Comme tout le monde, Amélia commença à faire des projets.

Comme beaucoup d'autres, elle n'avait jamais eu de vacances :

— À part toi, Loulette, l'an dernier, personne dans la famille n'est jamais parti.

Albert n'osait pas lui dire qu'il devrait rester là. En cas d'alerte.

Lorsqu'il se décida, elle montra sa surprise :

— Les représentants et les placiers ont droit au repos… comme tout le monde. Non ?

Il argua de son embauche trop récente pour lui donner des droits.

Amélia se tut. Comme toujours.

Lorsque quelques jours plus tard, Albert rentra de l'un de ses déplacements, Titou lui aussi marqua son étonnement :

— Tu me rapportais toujours du chocolat Poulain. La dernière fois, c'était du Cémoi et aujourd'hui c'est du chocolat Louit. Tu représentes plusieurs marques ?

À part soi, Albert se dit qu'un agent secret ne prenait jamais assez de précautions.

Il était soucieux, Albert.

Loulette comprit qu'il était allé en mission en Espagne. Il disait que les aviateurs hitlériens se désintéressaient des combats aériens modèle 14-18 : ils pilonnaient les villes pour semer la terreur et décourager les soldats de la République. Albert parfois parlait seul. Entre ses dents, un jour il prononça le nom de Guernica. Juste ce nom que Loulette ne connaissait pas. Avec, à ce moment, des yeux en ruine. En révolte. En peur. Et deux mots qui en disaient long :

— Ils s'entraînent.

« Ils », c'étaient les Messerschmitt anéantissant les maisons et les berceaux, les idées et les monuments. « Ils », c'étaient les Stuka descendant en piquet sur les convois civils et militaires. « Ils » : c'était l'avenir de l'Europe.

Albert le voyait.

À Marengo, au « Dépôt », dans les gares qu'il traversait, il voyait aussi ceux qui voulaient ne pas voir. Ou qui peut-être ne voyaient pas. Les plus nombreux.

Des compartiments, s'échappait le perpétuel *Tout va très bien, madame la Marquise*. Albert, qui, hier, chantait avec les autres, se disait aujourd'hui que la farce était une tragédie : ce valet proclamant « Tout va très bien » alors que les écuries, le château étaient en flammes pourrait bien ressembler aux Français ne voyant pas venir l'incendie.

Lorsque, en famille, il accompagna Loulette à Matabiau, un accordéoniste se saisit de l'instrument qu'il portait sur son dos et, montant sur un banc, en virtuose, il se mit à accompagner, à diriger les chanteurs. Galvanisés, un homme et une femme posèrent leurs valises sur le quai pour virevolter le plus endiablé des paso doble. Au-dessus des vitres baissées, les figures joyeuses formaient une guirlande joviale. D'où partaient de frénétiques « Olé ! ».

Regardant son père à la dérobée, Loulette sut ce qu'il pensait.

Amélia le comprit aussi.

Elle prit son bras. Chuchota :

— Tu ne seras jamais heureux.

Il aurait pu l'être pourtant. De ce bonheur longtemps espéré, vécu l'an dernier lorsque, échappés pour la première fois de leurs usines et de leurs bureaux, des mines et des magasins, ses frères avaient découvert que la vie était une réalité.

Ils la savouraient encore aujourd'hui, ne sachant pas que la vie toujours est menacée. Que des êtres humains vivent de la vie des autres. De leur mort. Sans jamais lâcher leur proie.

Dans son compartiment, Loulette était assise dans le sens de la marche : les chagrins étaient dans son dos. Le train allait vers Martin.

À Langon, il était sur le quai. Droit. Beau. Tenant un bouquet derrière lui :

— Un homme est toujours ridicule avec ça à la main mais… elles bordaient le fossé… je n'ai pas résisté.

C'étaient des marguerites à la tige ferme, à la corolle épanouie : en pleine prospérité.

Monsieur Chabrol avait eu besoin de son side-car.

Martin montra, appuyé au quai de chargement, un tandem rutilant. Alcyon : la marque de Georges Speicher, champion du monde, vainqueur du Tour.

Dès qu'elle appuya sur les pédales, Loulette se sentit heureuse. Les vacances commençaient vraiment. À l'air libre. Elle enleva son foulard de percale blanche. À pois bleus. L'accrocha à son guidon fixe. Cela faisait un fanion.

Les pins défilaient à leurs côtés. La bruyère les suivait. Modeste. Mauve. Persévérante.

Martin demanda :

— Tu n'as pas trop chaud ?

Elle répondit en chantant :

En avant, jeunesse de France !
Faisons se lever le jour !

Il pédala plus fort.

Rien ne rend plus heureux que l'effort partagé avec celle, celui, qu'on aime. Que le vent glissant sur votre visage pour vous en récompenser.

À Biscarrosse, Martin dit :

— Nous avons le temps de passer par l'Océan.

Loulette comprit qu'il voulait retrouver l'itinéraire de l'année dernière. Elle accepta. Mais lorsqu'ils s'engagèrent sur la route de la plage, elle se ravisa :

— Non !

À la brusquerie du refus, il comprit. Il ralentit. Mais continua à pédaler. Doucement. Comme pour laisser à Loulette le temps de s'apaiser. Il parla au rythme du pédalage :

— Un jour ou l'autre, tu devras repasser par là. Mieux vaut que ce soit tout de suite.

Elle ne répondit pas mais il sentit que, à nouveau, elle appuyait sur les pédales.

Lorsqu'ils arrivèrent au lieu de l'accident, sans dire un mot, il s'arrêta.

Loulette descendit.

L'arbre gardait la trace du choc. L'écorce blessée, ouverte, pleurait encore. Des larmes lourdes.

Loulette resta là. Sans geste. Sans mot.

Martin se demanda si elle priait. Si elle avait un dieu. Si l'âme de Benoîte lui apparaissait au-dessus des pins s'élançant vers l'infini.

Lorsqu'elle revint près de lui, il dit simplement :

— Il faut que tu oublies… Tout.

Il insista :

— Absolument tout.

Elle ne répondit pas.

Ou plutôt, elle répondit un peu plus tard. Lorsque, comme au premier soir, l'an dernier, ils se retrouvèrent sur la dune, face à cet océan usant inutilement ses vagues contre la terre alors que, dans le lointain, sa masse immuable est, chaque soir, capable d'engloutir le soleil :

— J'oublierai tout… Près de toi.

Comme au premier soir, l'an dernier, elle était devant lui, sentant dans son dos la chaleur de la randonnée à tandem. La chaleur de l'homme près de la femme.

Contrairement au premier soir, l'an dernier, Martin ne la repoussa pas : posant ses deux mains sur sa poitrine, il l'attira à lui. Plus près. Encore plus près. Alors, elle, posant ses mains sur ses mains à lui, appuya plus fort encore. Pour lui dire que ses seins lui appartenaient. Son corps.

Bientôt, ils furent unis par ces baisers qui, il y a peu, chez Loulette étaient une curiosité et qui, aujourd'hui, étaient un long, un chaud plaisir. Profond.

Elle eut envie de les renouveler.

Monsieur Chabrol le perçut-il ? Dès les premiers

temps de leur arrivée, profitant de ce que Loulette et Martin étaient près de lui, il dit :

— J'espère que vous saurez vous tenir.

Loulette était encore assez enfant pour obéir ! Mais elle était trop amoureuse, trop heureuse d'être amoureuse pour s'empêcher de glisser ses doigts sur la nuque de Martin lorsque, à table, elle passait derrière lui ; pour ne pas lui prendre la main lorsque, avec les autres, ils marchaient dans la forêt.

Auprès de ma blonde,
Il fait bon, fait bon, fait bon.

Elle se mit à chanter :

Auprès de mon homme
Il fait bon dormir.

Il y eut des rires dans le défilé.

Martin était mi-choqué, mi-amusé. Il se voulut réprobateur :

— Tu sais où nous sommes ?

— Oui. Nous sommes en vie ! Dans les pins et les fougères. Libres !

Tête levée vers le ciel, de toute la force de sa jeunesse, elle respira à pleins poumons. Plein rire. Plein bonheur.

Elle partit sur un pied. Sur deux. En un imaginaire jeu de marelle.

Elle revint à ses côtés.

Bien accueillie :

— Je te préfère comme ça.

— L'an prochain, j'apporterai ma corde à sauter !

Le soir, une nouvelle posa son sac à dos devant la galerie :

— Salut, les copains !

— Salut, la copine !

— Mon nom est Maguy. Et lui, c'est Rodrigue.

Elle montrait un grand gars brun, portant sa guitare en bandoulière.

Monsieur Chabrol leur souhaita la bienvenue. Expliquant, à son habitude, que les ajistes tenaient dans leur comportement l'avenir de l'institution. Les jeux et les chants étaient la juste récompense du travail mais la morale ne devait pas souffrir de leur pratique :

— Une auberge de jeunesse est…

— Un couvent ! mâchonna Loulette.

Suffisamment fort pour que Martin l'entendît.

Le résultat fut atteint : il se tourna vers elle. Surpris. Elle était rayonnante !

Comme pour dégager sa responsabilité, elle chuchota :

— C'est Bugatti qui le disait.

Il fronça les sourcils. Surpris. Presque incrédule. Il aurait voulu une confirmation mais il ne pouvait pas poursuivre l'aparté. Encore moins entamer une conversation pendant le dîner.

À la veillée, faisant cascader les cordes de sa guitare, Rodrigue annonça avec un contentement visible :

— Une chanson spécialement composée par Georges Auric pour les auberges de la jeunesse : *La Corvée d'eau.*

Dans le seau de toile,
Brille le soleil à midi.
La nuit, la nuit
Brillent les étoiles.

Les jeunes étaient émus. Ravis. Fiers que des musiciens d'importance écrivent pour eux.

Martin se pencha vers Loulette :

— Benoîte appelait l'auberge un couvent ?

Droite, impassible, absorbée par l'artiste, Loulette répondit entre ses dents :

— Un couvent, oui. Et elle appelait ton papa le moine… ou alors le père supérieur.

Cela la fit glousser.

Elle était lancée :

— Et toi, tu étais le moinillon !

Il ne s'attendait pas à ça.

Il se tut. Elle aussi mais, au moment où il se dirigeait vers le dortoir, elle lui barra le passage. Discrètement. Avec le plus grand naturel :

— C'est pour ça que la nuit de son départ, elle t'avait demandé de la rejoindre. Elle voulait voir si tu viendrais… Tu t'en souviens ?

Elle ne lui laissa pas le temps de répondre et, son visage conservant son imperturbable gaieté, d'un coup elle planta ses ongles dans sa main.

Il faillit crier.

Elle disparut. Se coucha. Énervée. Étonnée de l'être : elle croyait s'être amusée.

— J'éteins, prévint Juliette, la Limougeaude, dont le lit se trouvait près du commutateur.

L'air de l'Océan endormait rapidement certaines filles. Il en agitait d'autres.

Loulette, dans le noir, pensa à Benoîte. Depuis qu'elle était ici, elle y pensait chaque soir. À ce qu'elle lui avait appris. Elle aurait voulu l'avoir près d'elle. Parler.

Sa pensée glissa vers madame Deslandes-Wincker. Avait-elle fait suffisamment pour elle ? Elle pensa aux armes.

Sur la dune, elle avait dit à Martin : « J'oublierai tout. Près de toi. » Il n'était jamais près d'elle.

Le matin, faisant office de vaguemestre, Bada annonça :

— Loulette Souleil. Pour toi.

Elle prit la lettre. La lut tout de suite.

Amélia n'aimait pas écrire. C'est Albert qui donnait des nouvelles de la famille. Et faisait ses recommandations : « Amuse-toi. Il sera bien assez tôt pour toi, pour toute la jeunesse, de vivre les mauvaises heures qui nous attendent. Pour ma part, je vends toujours mes chocolats. Ça n'est pas facile car, nous en sommes sûrs maintenant, il y a du chocolat qui rentre en France en fraude. Par les Pyrénées et ailleurs. »

Loulette perçut le message. C'était la première fois que son père se livrait autant. Le fardeau de la fille s'alourdit des inquiétudes du père. Où le poser ? Auprès de qui ? Elle comprit qu'elle n'oublierait rien. Et que, comme elle l'avait déjà pensé, l'être humain est toujours seul.

Elle prit le gros encrier. Le porte-plume dont tout le monde se servait. La plume s'en ressentait. Elle accrochait le papier.

« Mon cher papa… »

Martin annonça :

— Nous allons à la Coopérative des Résineux. Nous visiterons la distillerie. Départ dans cinq minutes.

Il s'approcha de la table :

— Loulette, tu termineras ta lettre plus tard.

— Non. C'est urgent.

Elle laissa tomber une information :

— C'est pour Luigi.

Martin flaira l'attrape. Loulette attendait son agacement. Sa colère. Peut-être sa tristesse. Il s'égaya. Ironique :

— Ça n'est pas un moinillon, lui ?

— Ah ! Non ! Pas du tout !… Heureusement !

Elle cacheta sa lettre :

— Je regrette qu'il ne soit pas venu.

Elle sortit. Se reprochant sa cruauté.

Les autres étaient déjà partis.

Ils les rejoignirent sur le chemin où, tout en marchant près de son attelage, l'Eugène confessait son erreur :

— J'ai appris à mener les mules avec un *bros*[1] aux roues ferrées. Il y a quatre ans, quand les pneus sont arrivés, je n'ai pas cru que ça prendrait.

Il craignait les crevaisons. Il n'avait pas été le seul :

— C'était idiot. Avec un caoutchouc de cette épaisseur, on ne crève pas, on roule plus vite : on gagne du temps. Et les bêtes peinent moins.

Comme pour lui donner raison, les mules allaient d'un pas alerte, sûres de leur force sous leur couverture frangée à larges mailles, faisant danser leurs pompons.

Au bourg, ils prirent la route de Sanguinet, surpris de découvrir, devant la distillerie à haute cheminée, un terrain sur lequel une main gigantesque aurait posé des ventouses. Sauf que, ici, les grandes traces rondes laissées par les ventouses n'étaient pas rouges : elles avaient la blancheur ocrée de la colophane séchant au soleil.

Aidé par un ouvrier chaussé, malgré la saison, de gros sabots, l'Eugène fit rouler ses trois barriques sur deux rails de bois appuyés à l'arrière de la charrette.

— La résine contient soixante-dix pour cent de colophane, vingt pour cent d'essence de térébenthine et dix pour cent d'eau. C'est cette eau que nous éliminons en premier, expliqua le responsable de l'alambic.

Loulette chuchota :

— Ce n'est pas qu'un couvent : c'est l'école aussi. C'est ça qui est bien !

Depuis le départ de l'auberge, Martin n'avait pas desserré les dents :

— Un jour, tu seras bien contente de pouvoir expliquer tout ça à tes élèves.

1. Charrette haute, bien adaptée au transport et au transbordement du bois.

Appliquée, sans un sourire, son visage et sa voix marqués par la plus grande sincérité, Loulette émit un vœu :

— J'espère que ce sera au programme !

Il aurait dû entrer dans le jeu. Plaisanter. Il en était incapable. Dominé par une idée qui, toute la journée, les jours suivants, obscurcit son front.

Désormais acquis à la cause de l'auberge, l'Eugène avait autorisé la petite troupe à ramasser de quoi allumer, tenir le feu. L'un ouvrait le sac ; l'autre y jetait les pignes. D'autres couples faisaient de même avec les galipes.

Martin se disait qu'il était ridicule. De soupçonner. De souffrir. De ne pas savoir. C'était vrai qu'il avait aimé Loulette dès qu'il l'avait vue. Elle était une petite fille. Elle ne l'était plus. Cela se voyait à son corsage, à ses yeux. Lorsque, de dos devant lui, elle se baissait, son short se levait sur sa peau brune ; sur ce que, au-dessus des cuisses, les naturistes appellent le sourire.

Il se lança :

— Je voulais te parler de Luigi.

Elle l'arrêta :

— Écoute, Martin : il est inutile de te faire du mal. Inutile de me questionner : je ne te répondrai pas.

— Est-ce que tu aimes Luigi ?

Elle répéta :

— Je ne te répondrai pas.

Il s'obstina. Blessé. Maladroit. Amoureux :

— Est-ce que vous avez…

Elle soupira. Prit un temps. Lui demanda de bien l'écouter. Pour des paroles qu'elle connaissait par cœur :

— « On se fait communément les idées les plus fausses sur l'âge de la nubilité des filles. Les anciennes coutumes, dont le Code s'est inspiré et qui font communément commencer à quinze ans leur capacité matrimoniale, me semblent beaucoup plus proches de la vérité moyenne. »

Il la regarda avec des yeux ronds :

— Qu'est-ce que tu me rabâches là ? Ce n'est pas toi qui parles : c'est un texte que tu as appris !

Un peu vexée d'être découverte, elle eut envie de dire que, effectivement, ces phrases étaient extraites d'un livre que lui, instituteur, devrait connaître. Elle se contenta de hausser les épaules en poursuivant ses informations :

— « Non seulement la plupart des filles sont parfaitement aptes, dès cet âge, à goûter à l'amour mais il n'y a guère de période où elles soient mieux disposées à en jouir que cet extrême commencement, et plus tard l'extrême fin de leur jeunesse. »

Martin n'insista pas. Se demandant plus que jamais s'il avait affaire à une fille en cachette devenue femme ou à une gosse voulant le mystifier. L'image de Loulette dans les bras de Luigi qui le faisait souffrir se mêla à l'image d'une Loulette devant le tableau noir : appliquée à réciter « La laitière et le pot au lait ». Peut-être même « Le petit chaperon rouge ».

Ils chargèrent les sacs légers sur la charrette. Plusieurs jeunes s'assirent dessus et pendant que l'Eugène parlait de la foire aux mules de Labouheyre comme de la plus belle festivité de l'année, Martin murmura :

— Ce soir, quand tout le monde sera couché, je sortirai.

Loulette maîtrisa l'émotion que, à ces mots, elle éprouva.

Avec l'indifférence d'une grande personne, s'obligeant à regarder un corbeau posé en maître sur un tas de billons, elle répondit :

— Je t'attendrai sur la petite plage. À l'endroit où le pêcheur amarre son bateau.

À minuit, elle était là, allongée. Sage.

Du moins Martin, arrivant, le crut-il.

S'approchant, il constata que ce corps sur le sable était fait d'un corsage et d'un soutien-gorge, d'un short et d'un slip. D'un foulard blanc, à pois bleus, qu'il connaissait bien.

Une seconde, il resta sans bouger. Il n'était pas choqué. Il n'était pas heureux. Il ne s'interrogeait pas : il était un autre. Entrant dans un monde nouveau. Peut-être une vie nouvelle. Peut-être irréelle.

Il posa ses vêtements.

Loulette lança :

— Tu voulais m'apprendre à nager…

Tout paraissait naturel. Sa voix. L'invitation. Les eaux et les bois. Le sable et la nuit. La lune, discrète. Et cette phrase en lui qu'il entendait. Elle gonflait sa poitrine, tout son corps : « C'est la fille que j'aime. »

Elle se pendit à son cou. Ils s'embrassèrent. Il posa son pouce au-dessus de son sexe, ses autres doigts entre ses cuisses. Serra. De la partie prisonnière, elle donna, dans sa main, des coups successifs. Forts. Des acceptations. Poussées par des reins actifs. Ils roulèrent dans l'eau. Mêlant leurs rires aux clapotis des vaguelettes contre la barque du pêcheur. Ils se relevèrent. Tombèrent, roulèrent encore. Leurs lèvres toujours unies. Ils se retrouvèrent sur le sable. Elle prit son foulard. Épongea le visage de Martin. Le sien. Son corps. Il la caressait. D'un doigt habile. Tournant. Guettant son plaisir. Il vint. En un ronronnement. Il se plaça sur elle. Continuant sa caresse et contemplant son visage. Elle ne le quittait pas des yeux. Semblant dire : « Je ne suis plus une enfant » ou encore « Je suis à ma place. Sous ta force. » Jambes écartées. Entre lesquelles il se plaça. Il la pénétra. Alors, elle poussa un grand cri. Pour une douleur aiguë. Insupportable. Qu'elle aurait voulu supporter.

Il cria, lui aussi :

— Tu es folle ! Tu es complètement folle !

Il l'avait quittée. Ne la touchait plus. Allongé près d'elle. Furicux de son attitude alors que, l'attirant à elle, elle ne cessait de répéter :

— C'est toi. Tu le comprends : il fallait que ce soit toi. Tu le comprends : j'ai besoin de toi. J'aurai toujours besoin de toi.

Ils restèrent ainsi. Longtemps.

Puis ils revinrent au lac.

Des gouttes de sang se perdirent dans les vaguelettes argentées. Martin fit relever Loulette. Il prit de l'eau dans ses mains, la versa sur sa tête. Baptême de femme.

Elle répéta :

— J'ai besoin de toi.

À nouveau, ils s'allongèrent.

Dans l'eau. Les yeux fermés. Et pourtant voyant le ciel de nuit. Le ciel d'été.

— Il fallait que ce soit toi.

Martin se demanda si comme dans sa nuit avec Benoîte, son père n'avait pas entendu du bruit.

Lorsqu'il venait à l'auberge, lorsque la petite troupe passait devant sa cabane, son regard tout de suite se posait sur eux. L'un et l'autre faisaient semblant de ne pas s'en apercevoir et lorsque, partant vers la forêt, les copains attaquaient *Au-devant de la vie* ou *Malbrough s'en va-t-en guerre*, Loulette chantait plus fort que tout le monde.

Un matin, le facteur avait une lettre pour elle. Pas une lettre de ses parents : une lettre que ses parents avaient fait suivre.

Elle la mit sous les yeux de Martin.

Plus exactement : elle les mit. Car il y avait, dans l'enveloppe, deux feuilles. Avec deux écritures :

« Depuis notre entrevue, Mère est à Paris où je m'occupe d'elle et la fais suivre par un médecin de mes amis. Ses soins sont bénéfiques et je crois que le simple éloignement de la Tolosane est pour beaucoup dans l'amélioration de sa santé. C'est pourquoi je n'envisage pas le retour de Mère à Toulouse. En revanche, je la conduirai au Moulleau fin août car, selon le médecin, un été sans voir le Bassin risquerait de lui faire penser qu'elle est coupée de tout ce qui était sa vie.

Mademoiselle Loulette, je tiens à vous remercier de ce que vous avez fait pour elle et à vous exprimer ma plus profonde gratitude pour la discrétion que vous avez montrée. Je pense avec effroi aux conséquences que vos bavardages auraient eu pour notre famille et combien ils auraient contrarié l'amélioration de la santé de celle que vous avez tellement aidée. Un grand merci donc et, etc. »

La deuxième lettre, très brève, était de madame Deslandes-Wincker.

« Ma petite fille,

Rassurez-vous : la confusion qui régnait dans mon esprit s'estompe peu à peu et si je vous appelle une dernière fois "Ma petite fille", c'est pour vous montrer l'affection véritable, immense, que je vous porte. Nous ne nous reverrons plus sans doute mais je veux vous dire que notre éloignement n'atténuera jamais cette affection. Continuez, petit oiseau, à faire ce pour quoi vous êtes faite : volez dans le ciel pur et surtout n'en descendez jamais. »

Martin regarda Loulette. Elle était émue, il le voyait. Il l'était aussi. Pour une grande raison :

— Un moineau apprenant à battre des ailes dans l'air frais du printemps : c'est ainsi que je t'ai vue, dès le premier jour.

Ils avaient marché. Seuls. Vers ce qu'on appelle la Lette des joncs. Furtivement, il la serra contre lui.

Elle ne chercha pas à prolonger l'étreinte. Tellement à lui que désormais, elle voulait faire siens son comportement, son ambition de bien servir l'auberge. Sa réputation.

Martin demanda :

— Mademoiselle Deslandes-Wincker te parle de ta discrétion… C'est à quel sujet ?

Loulette montra un large sourire :

— Si je te le disais, ça ne serait plus de la discrétion.

Pour cette réponse, il l'embrassa.

Un baiser qui s'échange. Se prolonge. Roule. Derrière les hautes fougères. Les genêts odorants. Le houx rébarbatif. Un baiser qui parcourt la peau. Sur tout le corps. Dessous. Martin caressait Loulette avec la douceur que, dans la nuit, il n'avait pas eue. Semblant dire : « C'était un accident. » Ou encore : « Je ne savais pas. Ça sera ainsi désormais. Léger et profond. » Il l'embrassa où il l'avait blessée. Elle en fut surprise. Paralysée. Trop gênée pour prendre du plaisir. Il la pénétra avec une petite peur. Qu'elle ressentait aussi. Plus heureux d'être l'un à l'autre qu'enfiévrés l'un par l'autre. Comme si l'épanouissement était dans ce geste inconsciemment attendu, aujourd'hui accompli, sans autre bien-être que de se trouver là, tous les deux, leurs nudités se côtoyant dans le parfum d'un sous-bois devenu chambre d'amour.

Lorsqu'ils revinrent à l'auberge, monsieur Chabrol heureusement s'était absenté.

Une camionnette que l'on n'avait jamais vue avançait lentement sur les aiguilles de pin. Pilotée par un homme que l'on ne connaissait pas. Mais c'est une femme qui, la première, en descendit :

— Bonjour !

En deux mots, elle expliqua que pour soutenir monsieur Jean Zay, ministre de l'Éducation, dans son combat en faveur du livre, monsieur Léo Lagrange venait de créer une Association pour le développement de la lecture publique.

Le chauffeur ouvrit à deux battants les portes arrière de la fourgonnette.

— Venez voir, dit la dame.

L'intérieur était meublé de rayonnages remplis, couverts de livres :

— C'est une expérience que, pour commencer, nous avons faite en Seine-et-Marne. Le succès a été foudroyant. Nous la poursuivons dans les Landes.

Bientôt, des autos-bibliothèques sillonneraient toute la France. Laissant dans chaque village des ouvrages. Les lecteurs les gardaient jusqu'au retour de la voiture :

— J'ai pensé que, en vacances, cela pourrait intéresser certains d'entre vous.

Il n'en fallait pas plus pour déchaîner l'enthousiasme de Carette :

— Putain de putain ! Ce Léo ! Il nous prend au sérieux ! Je t'assure !

À l'intention des jeunots qui n'avaient pas eu le privilège de connaître ces heures, il évoqua la soirée où, autour du feu de camp, il avait côtoyé un ministre :

— Il me tutoyait ! Assis avec nous… comme si on était des copains de régiment… Tous, même les filles ! Et Madeleine !

Voulant embellir l'aventure, Juliette rappela que, à Biscarrosse, ils avaient vu Mermoz aussi.

— Le pauvre ! Lui, on ne le verra plus [1], murmura Christiane Blondin.

Carette la considéra d'un œil suspect. Il entraîna Martin un peu à l'écart :

1. Parti de Dakar le 6 décembre 1936, Mermoz disparut avant d'atteindre Rio.

— Dis donc… tu ne sais pas ce que m'ont dit les copains à la boîte ?

— Non.

— Ton Mermoz… il était un peu fasciste, non ?

Martin prit un ton mesuré :

— Fasciste, je ne sais pas mais… il était avec de La Rocque, ça oui. C'était son vice-président.

— Ça alors !

Carette secouait la tête. Il n'en revenait pas :

— Quand je pense qu'il est venu me serrer la main !

Il était presque scandalisé.

Martin retenait une petite envie de rire.

Le chauffeur avait sorti de la voiture un phonographe à pavillon dont maintenant il tournait la manivelle : la voix de monsieur Georges Thill, de l'Opéra, monta jusqu'à la cime des pins. Plus haut, peut-être. Comblant l'âme de Carette. Devenu mélomane l'an dernier. Par une nuit d'été :

— Putain ! Ça, c'est des vacances !

Sa joie devint de l'ivresse lorsque la dame annonça que, dans une dizaine de jours, venant chercher les livres, elle organiserait une séance de cinéma. Plus encore lorsque, au soir venu, on tendit entre deux chênes un écran argenté, entouré de bleu.

Quelques garçons du village arrivèrent sur leur bicyclette, invités par les ajistes près desquels ils s'assirent à terre. N'osant pas leur parler. Intimidés. Surtout par les filles.

Charlot, le vagabond devenant policeman, rapprocha, heureusement, les spectateurs. Tout le monde riait devant les ruses du petit homme aux petites épaules, à la petite moustache. Cette année encore, Florence avait apporté son violoncelle. Faisant virevolter son archet pour soutenir la poursuite des malfaiteurs, elle savait, dans la seconde suivante, émouvoir l'auditoire dans son accompagnement d'une rue londonienne montrant ses taudis.

Oubliant Chaplin, Carette n'avait d'yeux, d'oreilles, que pour la musicienne :

— Quelle artiste !... Quelle artiste !

Le fils de l'agent voyer voulut-il refroidir cet enthousiasme ? Il observa :

— À Biscarrosse, on a le cinéma parlant.

Cela ne ternit pas le succès de la soirée. Terminée par le joyeux *Charlot soldat* : dans la paix des Landes, Chaplin le farceur montrait la cruauté des guerres.

Loulette riait lorsque, pour échapper au danger, il prenait la position d'un arbre. Mais son rire cessait devant les fusils.

C'était maintenant un réflexe : dès qu'elle voyait des armes, elle pensait aux armes qu'elle avait vues. Que les Français un jour découvriraient braquées sur eux. Par d'autres Français.

Elle pensait à son père.

Elle se reprochait de ne pas faire son devoir.

La vie augmentait. Blum avait dû quitter le gouvernement. Maurras était libéré.

Cette nuit-là, elle eut de la peine à trouver le sommeil : par les interstices des volets, un orage brusque, démesuré, lançait ses éclairs dans la maison. La forêt enrageait. La mer aussi sans doute que l'on n'entendait plus tant la pluie sur les tuiles, l'eau tombant du toit, le tonnerre menaçant bêtes et gens écrasaient de leur tohubohu les frôlements qui, habituellement, berçaient les dortoirs.

— Ça se lèvera vers midi, diagnostiqua monsieur Chabrol en regardant le ciel du matin.

Les jeunes remirent à plus tard la promenade à Cazaux, la demande qu'ils y feraient de visiter la base militaire. Au moins en partie.

Il pleuvait toujours lorsqu'un bus lourdaud se présenta au bout du chemin. Un petit bus au pare-brise vertical, au capot court, large : il faisait penser au nez d'un boxeur.

Les voyageurs descendirent qui, tenant au-dessus de leur tête l'un son blouson, l'autre un magazine, coururent jusqu'à la galerie :

— Bonjour, les amis, pouvons-nous prendre placc ?

Au langage, on le comprit : ces gens n'étaient pas des habitués.

À l'accent, on le comprit : ils n'étaient pas français.

— Nous sommes allemands.

On se regarda. On les regarda.

Les Allemands pour certains, pour beaucoup, c'étaient les boches dont la famille parlait avec des révoltes dans la voix. Pour d'autres, pour les mêmes, c'était Hitler, ses discours hystériques devant des bataillons fanatisés. On les voyait aux actualités du cinéma. Hitler qui, l'été dernier à Berlin, avait quitté le stade olympique avant la remise des récompenses pour ne pas serrer la main de Jesse Owens, le Noir quadruple champion, et à ses camarades…

— Raison de plus pour ne pas faire comme lui, grommela Martin.

Il tendit la main aux arrivants :

— Bienvenue mais… nous sommes « complet ».

— Nous n'avons pas besoin de toit : nous avons nos tentes.

Une fille blonde qui portait un short à bretelles vertes sur un corsage orange précisa :

— Ce que nous cherchons, c'est conversation. Le temps de vacances avec jeunes Français.

Loulettc la trouva jolie.

Carette se rengorgea :

— Ils cherchent ma conversation ! Ça ne m'étonne pas.

Bada, dont le père était mort dans les combats de la

Marne, se souvint à temps que, sur l'un des panneaux accrochés à l'intérieur par monsieur Chabrol, on lisait, sous la signature de Marc Sangnier : « La beauté de nos auberges c'est qu'elles seront des auberges humaines ouvertes à tous les pays. »

On autorisa donc les nouveaux arrivants à planter leurs toiles.

Pour tout dire, on les aida à s'installer.

L'après-midi, on les emmena à la plage.

Le soir, ils sortirent de leur car cabossé des provisions achetées au village.

Ils parlaient presque tous le français.

— Nous parlons tous… presque le français, rectifia Klaus qui avait de l'humour et intervenait dans les traductions difficiles.

Au mur, il avisa une phrase de Léo Lagrange. La transmit en allemand à ses camarades : « S'il plaît à certains, en défilant au pas cadencé, de nous rappeler que les hommes ont des pieds, nous nous excusons auprès d'eux de penser que les hommes ont aussi un cerveau et une raison. »

Les compagnons sourirent. Applaudirent :

— C'est pour le cerveau et la raison que nous sommes ici.

La conversation s'engagea. À table. Et surtout autour du feu au parfum de résine.

— Nous nous sommes rencontrés à la faculté, dit Ludwig.

— Nous ne sommes pas un groupe organisé, précisa Berthie, la blondinette aux bretelles vertes.

Ils n'avaient pas les mêmes attaches. Ludwig était fils de pasteur. Berthie était catholique. Klaus, fils de communiste, était athée. Ruth portait sur sa peau une brune mélancolie :

— Ce qui nous rassemble c'est que nous détestons Hitler.

Loulette jeta un regard rapide vers Martin. Son œil était allumé par la petite flamme du partisan découvrant des amis.

Sa satisfaction fut de courte durée :

— Nous sommes peu nombreux dans ce cas.

Carette ne pouvait pas le croire. Bien sûr, il y avait en France des fils de chiens capables de tendre les bras à quarante-cinq degrés pour faire les intéressants devant les portraits d'Hitler ou de Mussolini, mais il était persuadé que, l'heure venue, les jeunes qui levaient le poing sauraient l'abaisser pour écraser le nez de ces faces de rats.

— Chez nous, ceux qui levaient le poing n'ont pas eu le temps de l'abaisser, fit Berthie.

Lorsque, trois années auparavant, Hitler avait pris le pouvoir, les matraques, les revolvers et les pistolets, les fusils, les poignards étaient sortis de partout, armant des milices qui s'emparèrent de la rue, des administrations, des prisons, des tribunaux.

Loulette ressentit une petite angoisse :

— Les nazis possédaient des armes avant de prendre le pouvoir ?

Les jeunes acquiescèrent, surpris par cette question. À leurs yeux, un peu naïve : depuis dix ans, les Sections d'assaut paradaient en uniforme vert, casque d'acier, mousqueton sur l'épaule.

Martin rassembla toute sa pudeur pour demander si les Allemands avaient peur.

Il obtint une réponse à plusieurs voix :

— Il y a des trembleurs, c'est sûr.

— Ils savent aussi que toute action est vouée à l'échec.

— Pour lutter contre les armes, il faut des armes.

Avec un peu de suffisance, peut-être un peu de mépris, Ludwig affirma que nombre de ses compatriotes étaient satisfaits : Hitler leur promettait la gloire militaire, et, pour dix mille ans, le règne de l'Allemagne sur tous les autres pays.

Il ne fallait pas oublier que, en 1933, vingt pour cent de la population était au chômage :

— Quinze millions d'Allemands n'avaient pour vivre que leur allocation : cinquante et un marks par mois.

Depuis longtemps, Loulette n'écoutait plus. Obsédée : les nazis s'étaient armés et maintenant nul ne pouvait plus rien contre eux.

À peine entendit-elle Carette demander avec ironie si Hitler comptait remonter la situation économique alors qu'il n'arrivait même pas à remonter la mèche de son front !

Klaus était plus sombre : Hitler résorbait le chômage, c'était indéniable. Seulement… il le résorbait avec des commandes d'État. Et les commandes d'État aboutissent dans les arsenaux :

— Votre grand Victor Hugo dit que les guerres, qu'elles soient civiles, patriotiques, de religion, n'ont qu'une cause : l'armée.

Le garçon estimait qu'il y avait du vrai mais que plus que l'armée, la cause des guerres était l'armement. Et l'Allemagne bientôt aurait beaucoup d'armement. Il faudrait s'en servir.

Il regarda tout le monde :

— Est-ce ce que nous voulons ? Nous retrouver face à face, l'un avec un fusil, l'autre derrière une mitrailleuse ?

Le silence qui accueillit la question était une éloquente réponse : jeunes Allemands et jeunes Français voulaient vivre. Respirer. Chanter.

Ils chantèrent. Des complaintes et des lieds, *Des lied der Moorsoldaten* et *Alouette, gentille alouette.* Et encore *Le Temps des cerises* dont Klaus, Ruth et Ludwig connaissaient les paroles.

Florence annonça une suite pour violoncelle de Jean-Sébastien Bach :

— En hommage à l'art allemand.

Carette était plus ému que jamais. Par la musique et par l'union. Des âmes. Des pensées.

La fraternité pousse vite dans les jardins paisibles.

Elle poussa pendant trois jours.

Avec toujours un Français posant une question sur l'Allemagne, un Allemand posant une question sur la France. Un Carette s'énervant :

— Merde ! Y en a marre ! C'est pas pour se faire peur qu'on est venus en vacances !

Courant vers l'Océan, il se jetait dans le premier rouleau, nageait, lançait de joyeux : « Ohé ! Du bateau ! » à l'intention d'une mer ne montrant pas le moindre canoë. Suivi de Klaus criant : « Vive la paix ! » à l'intention de l'univers.

Et aussitôt, Klaus revenait vers Martin :

— C'est pour cela que nous sommes venus en vacances en France. Pour dire aux Français : « Il ne faut rien céder à Hitler. Toutes les concessions le renforcent. »

Carette approuvait :

— Je vais le dire au président de la République. Il m'écoutera : c'est un homme raisonnable !

À l'unanimité, on décida de raccompagner les visiteurs jusqu'à Arcachon. On reviendrait par la côte. Ou par la forêt. Depuis le Pilat.

À six heures le matin, tout le monde prit place dans le car. Il était petit : il devint minuscule. On s'assit à trois sur les sièges à deux places. Des filles se posèrent sur les genoux des garçons. Au-dessus des vitres, des mouchoirs firent des adieux à l'eau, aux pins, au village où, déjà, le maréchal-ferrant battait son fer.

Pour chasser les images lugubres, Berthie rapporta le canular de Weiss-Ferdl, un chansonnier munichois anti-nazi qui, au cours de son numéro au Platzl, racontait un fait absolument étonnant : dans la Ludwigstrasse, stationnait la plus luxueuse voiture du monde et… il n'y avait pas un seul nazi à l'intérieur !

Les gens pouffaient de rire mais Weiss-Ferdl avait fait quinze jours de prison.

Cela ne l'avait pas calmé. Reprenant son tour au cabaret, il disait : « Je me suis trompé : dans la luxueuse voiture, il y avait une personne, un gros, un très gros nazi. »

Cette fois, Weiss-Ferdl avait fait deux mois de prison.

L'aventure était cocasse mais la fin était lugubre : à sa troisième arrestation, le chansonnier avait pris sa carte du parti nazi.

— Il y a beaucoup d'Allemands qui succombent, conclut Ruth.

Loulette n'avait pas besoin de cela pour prendre sa décision. Maintenant, elle le savait : en arrivant à Toulouse, elle dénoncerait monsieur Deslandes-Wincker. Si elle n'avait pas le courage d'aller seule dans un commissariat, elle emmènerait son père. Dès ce soir, elle en parlerait à Martin.

À Arcachon, on fit un pique-nique sur la plage. Devant le boulevard de la Promenade.

Portant ses kilos et ses ans avec difficulté, une matrone pronostiqua qu'il faudrait encore ramasser les papiers gras.

Tout au long de la jetée, des bâches vertes, marron, protégeaient le commerce des parqueurs vendant leurs huîtres. Des passants en achetaient. D'autres, moins fortunés, prétendaient ne pas les digérer.

La petite bande remonta dans le car qui, cahotant, prit le boulevard de la Plage, le boulevard de l'Océan…

Arrivés au Pilat, les Allemands, prétextant un long chemin à faire, ne voulurent pas s'arrêter. Ils le comprenaient et ceux qu'ils appelaient leurs copains de France le comprenaient aussi : quelque chose finissait. Devant l'inconnu : leur rencontre de sable et de vagues, de pins et de fougères, serait peut-être un jour un affrontement de fer et de feu.

Lorsque Ludwig embrassa Loulette, elle sentit que ses lèvres s'égaraient, glissaient. Furtives. Inattendues. Loulette frissonna. Surprise. De l'audace. Surprise de frissonner. De n'être pas fâchée.

Le bus s'en alla, bringuebalant plus que jamais : trop frêle pour sa grande mission.

Il convenait de laver les idées noires : les ajistes en une minute se débarrassèrent de leurs vêtements. Ils coururent à l'eau. L'écume bondit sur les corps plongeant. Avec les rires. Les cris. Le bonheur de vivre.

Loulette sortit la première. Mal remise de cette visite. Du baiser de Ludwig. Qui peut-être voulait être un message. Mais surtout obsédée par ces nazis à main armée.

Des appels la surprirent :

— Loulette ! C'est toi qui es là !

Elle se retourna.

Loin là-bas, une dame pointait son doigt vers elle :

— Ah ! Tu l'as retrouvé !

Léonor Deslandes-Wincker expliquait :

— Ton maillot ! Tu disais que tu l'avais perdu !... Tu l'as retrouvé ! Je suis bien contente !

Loulette eut peur.

Madame Deslandes-Wincker avançait à grands pas :

— Je l'ai toujours aimé, ce maillot bleu.

Marie-Rolande, qui n'avait pas dû la voir partir, tentait maintenant de la rattraper :

— Mère !... Mère, attendez-moi ! Vous vous trompez !

La prière était inutile : mobilisant ses pauvres forces, madame Deslandes-Wincker accentuait sa vitesse. Comme un nageur menacé de noyade allant vers la bouée. Loulette voyait la fatigue des traits. Voulant sourire. Aimer :

— Benoîte ! Ma petite fille.

Loulette tourna le dos. Détala. Vite. Plus vite. Courant sur ce sable humide comme si, par bordure d'Océan, elle devait aller au loin, au bout : aux Pyrénées.

Marie-Rolande avait rejoint sa mère. Elle la maintenait contre elle. La maîtrisait. Puis, maudissant le maillot bleu, elle murmura des mots tendres, des reproches qui n'en étaient pas. Destinés seulement à ramener la malade à la juste appréciation des réalités.

Loulette ne se retournait pas. Fuyant le passé qui ne pouvait plus être sa vie.

Martin la poursuivait.

Elle ne le savait pas.

Elle monta la longue dune, n'ayant qu'une idée : échapper à toutes les menaces. Toutes les folies.

Elle était au sommet lorsque Martin la rattrapa. Elle s'abattit sur le sable. Il voyait son visage, transpirant, apeuré. Son cœur tapait. S'emballait. L'étouffait.

Elle finit par chuchoter :

— Je ne veux plus penser qu'à toi.

Il en fut bouleversé.

Il la caressa. D'une main douce. Assez forte pourtant pour contenir sa fièvre. La calmer. Avec application. Maîtrise. Lentement. Peu à peu, la main de secouriste devint une main d'amant. Il prit entre ses doigts le bout de son sein, le roula, le saisit entre ses lèvres. C'est elle qui offrit l'autre sein à sa bouche chaude. Les baisers couvrirent tout son corps, ses jambes, sa toison blonde. Longuement. Et encore c'est elle qui s'offrit. L'appela. Le guida.

Les goélands et les mouettes tournaient au-dessus d'eux. Des alouettes de mer semblèrent naître des eaux, se levant par milliers au-dessus des vagues hautes. Loulette mêla ses plaintes douces aux battements de plumes, à la satisfaction mélodieuse d'une grive ayant trouvé des arbouses. Elle poussa un cri. Il n'était pas, comme au bord du lac, le cri de la déchirure faisant d'une enfant une fille mais le cantique involontaire d'une femme surprise par le bonheur.

Ils restèrent ainsi.

Nus sous le soleil les quittant.

Indifférents à l'heure qui passait.

Ils ne parlaient pas.

Loulette pensait aux phrases du livre que, hier, elle ne comprenait pas. Au plaisir profond qui est plus que le plaisir.

À nouveau, Martin la caressait.

La dune haute dominait l'Océan.

Loulette et Martin étaient maîtres du monde. Puisqu'ils étaient maîtres de leur amour.

Embrassant sa poitrine et ainsi, cachant ses yeux, Martin chuchota :

— Veux-tu qu'on se marie ?

Elle se tut.

Il répéta sa question.

De ses deux mains, elle releva la tête de Martin.

D'un sourire, elle le remercia. Émue.

Puis, elle murmura :

— Non.

Elle replaça la tête de Martin sur sa gorge, entre ses seins.

De toutes ses forces, elle embrassait ses cheveux.

Elle ne parla pas des armes à Martin. Ni ce jour-là ni plus tard.

À Toulouse, elle ne dit rien à son père.

La vision de madame Deslandes-Wincker courant sur la plage, échevelée, le visage rayonnant et halluciné, s'accompagnait désormais des paroles de Marie-Rolande lui demandant le silence. Pour sa mère. « Incapable seule d'assurer sa vie. » Loulette chassait son angoisse, en préparant la rentrée, en rejoignant Martin dans ce qu'il appelait son « hall du Capitole » : une chambre de dix mètres carrés disposant d'un lit à vaste édredon, d'une armoire servant partiellement de bibliothèque, d'une table de jardin à laquelle un tapis de suédine donnait le statut de bureau. Les défaillances de la tapisserie disparaissaient sous un portrait de Jaurès et deux dessins à la plume, œuvres d'un Toulousain anonyme : le cloître des Jacobins et la nef de l'église Saint-Sernin. Cela était suffisant pour abriter la tendresse, ce goût de l'amour montant chaque jour dans le corps de Loulette.

Elle avait une autre occupation.

Au Dépôt, à côté de l'appel coloré de Miró « Aidez l'Espagne » qu'il avait placardé l'an dernier, Gustave venait de poser la dernière affiche du syndicat : « Au peuple de France ! Pour sauver les enfants d'Espagne, aidez le Comité d'accueil. »

Des cheminots ouvraient leur porte.

Loulette était chargée de les visiter, de voir les manques, de trouver d'autres portes. En dehors de la gare.

À Matabiau, Martin et elle recevaient les gosses. Bruns. Frêles. Se demandant pourquoi on les expédiait dans des pays et des bras inconnus. Certains ne le savaient que trop. Portant une blessure au bras. Ou, plus grave : dans le cœur. Avec, dans les yeux, un reflet de destruction. De cruauté. De panique.

L'affiche était aussi à l'École normale et, dans son discours de bienvenue, la directrice indiqua que, pour un enseignant, il y avait honneur à soutenir tous les enfants du monde ; à veiller sur leur instruction. Elle invita ces demoiselles à apprendre la langue de Cervantès :

— On peut penser que, d'ici quelque temps, la France, Toulouse en particulier, aura besoin d'instituteurs, d'institutrices parlant l'espagnol.

Ces paroles créèrent l'adhésion du plus grand nombre. Cela facilita les premiers rapports entre ces élèves qui ne se connaissaient pas.

Loulette ainsi se trouva une amie. Les amitiés s'accommodent des différences de pensée mais les amitiés les plus fortes se bâtissent sur de mêmes élans.

Geneviève portait au cou une croix en or. Elle se réjouissait de ce que l'Église, soutenant Franco au nom de la foi, fût aujourd'hui démentie par de fortes personnalités catholiques : Georges Duhamel, François Mauriac, Claude Bourdet, Georges Bernanos, Jacques Maritain, bien d'autres n'acceptaient pas les massacres franquistes perpétrés au nom du Christ. Ils les dénonçaient. Les stigmatisaient. En appelaient au jugement des âmes chrétiennes.

Loulette fut réconfortée par cette rencontre. Elle en avait besoin.

Le dortoir froid n'avait rien à voir avec le dortoir de l'auberge dont les cloisons conservaient l'odeur chaude de la résine.

À Biscarrosse, les filles punaisaient au-dessus de leur lit la photo d'Henri Garat, de Tyrone Power. Ici, les murs blancs sentaient la discipline. La solitude des nuits s'infiltrait dans le sommeil.

La solitude des jours fut très vite bousculée par le travail. Écrasant. Parfois surprenant. La première leçon de philosophie désarçonna Loulette : sur quatre pages, le livre commentait une pensée d'un monsieur Auguste Comte — dont jusque-là elle ignorait l'existence — affirmant qu'on ne pouvait pas à la fois passer dans la rue et se regarder passer depuis la fenêtre. Elle crut à un canular. Une lapalissade glissée dans le programme à titre humoristique. En littérature, dans *Siegfried et le Limousin*, monsieur Jean Giraudoux, avec tous ses personnages, lui parut bien confus. Elle retint pourtant que, à l'instar de Siegfried, nul être sur cette terre ne savait exactement d'où il venait. Qui sait si elle n'avait pas dans ses veines un peu de sang allemand ? Si Ludwig ne possédait pas un peu de sang français ? Ludwig ou Klaus, bien sûr. Ou Berthie.

Elle sortait de l'École un dimanche sur deux.

Le samedi soir, Martin venait l'attendre.

Ils ne s'embrassaient pas. Partaient sans se donner le bras. Le dévergondage n'était pas bien noté.

Ce soir-là, une silhouette se dégagea de l'ombre.

Martin ne l'avait vue qu'une fois : à la fin des vacances, sur la plage du Pilat.

Il la reconnut tout de suite : Marie-Rolande.

Il vit le déplaisir, une petite peur se peindre sur le visage de Loulette.

Il tenta d'empêcher l'entrevue.

La jeune femme les rassura :

— C'est la dernière fois que je viens vers vous.

Elle avait pensé écrire. Avait opté pour cette rencontre.

Elle ne pouvait pas passer la nouvelle sous silence :

— Mère est décédée.

Martin soutint Loulette.

On comprenait que Marie-Rolande ne voulait pas rester longtemps. Elle avait de la peine à parler.

À Paris, madame Deslandes-Wincker avait dit : « Je voudrais revoir le Bassin à l'automne. » Marie-Rolande s'y était opposée. Madame Deslandes-Wincker avait insisté. Le médecin avait recommandé de lui éviter les contrariétés…

— … Nous sommes parties toutes les deux. Dès le premier jour, Mère sembla reprendre des couleurs. Elle voulut aller à La Teste où elle avait, disait-elle, de bons souvenirs.

Marie-Rolande raconta cette promenade au port où les cabanes de planches semblent pousser sur un sol pavé de coquilles d'huîtres. La mère et la fille avaient poussé jusqu'à Andernos où madame Deslandes-Wincker avait, en 1915, bu le thé avec Sarah Bernhardt.

— Au retour, elle m'a demandé le volant. J'en ai été surprise mais tout de suite j'ai constaté qu'elle était en plein équilibre. C'est pourquoi le lendemain, je n'ai pas été trop inquiète lorsque je l'ai vue prendre l'auto. Seule.

La jeune femme se tut. Longuement.

Elle parvint à dire :

— On l'a retrouvée à Biscarrosse... sur la route de la plage. Elle était dans la voiture... juste à l'endroit où... où Benoîte...

Elle ne put pas terminer.

Cela n'était pas nécessaire.

Elle parvint à murmurer :

— C'était il y a une semaine... Le 1er novembre.

Loulette eut envie de s'avancer vers elle. De l'embrasser.

Marie-Rolande, absente, ne s'en rendit pas compte. Elle sortit de son sac une enveloppe blanche. Gonflée.

Elle la tendit :

— J'ai trouvé cela dans sa chambre, le soir. C'est à votre nom : vous ne pouvez pas refuser.

À quelques pas de là, elle se retourna :

— Je vous remercie pour tout.

Elle insista :

— Pour tout.

Elle disparut.

Loulette ne bougeait plus.

Sa tête tournait. Devant une phrase : « Si tu me quittais, je me tuerais. »

À qui s'adressait-elle ? À Benoîte ? À elle ?

Sans se soucier des yeux qui, depuis l'école, pouvaient s'arrêter sur eux, Martin la prit dans ses bras.

L'église aux trois cloches veillait dans le brouillard. Sur les tombes et sur les tombeaux, le petit cimetière conservait les chrysanthèmes déposés quelques jours auparavant.

La minuscule chapelle s'était enrichie de marbres aux lettres d'or : « À mère », « À ma chère belle-fille », « À mon épouse bien-aimée ».

Loulette resta longtemps.

« Si tu me quittais, je me tuerais. »

La phrase, comme les chrysanthèmes, s'étiolerait-elle un jour ?

Devant les yeux de Loulette, la grande plaine ne répondait pas. Comme les paysages, l'avenir se perd devant l'inconnu.

Loulette reprit sa bicyclette.

Elle se laissa glisser vers Toulouse. La descente terminée, elle pédala. Très fort. Sachant qu'elle ne s'arrêterait pas.

Sauf devant le commissariat.

Elle appuya son vélo à la pierre.

Elle entra :

— Je sais où il y a des armes. Je les ai vues.

L'agent se demanda s'il devait prendre au sérieux cette jeune personne : bien frêle pour découvrir des complots.

Néanmoins, il l'introduisit chez le commissaire. Qui, au nom de la Tolosane, n'eut pas de peine à la croire :

— On nous a déjà informés. Nous avons fait le nécessaire.

Loulette était abasourdie.

— Mais qui vous a…

— Vous pensez bien que je ne vais pas vous donner le nom de mon informateur.

Loulette se retira. Dans la plus grande perplexité : qui avait pu la devancer ? Son père l'aurait fait volontiers. Mais il ne le savait pas. Elle se demanda si, dans leurs conversations, elle n'avait pas trop parlé.

Albert n'était pas là pour lui répondre.

— Toujours dans ses chocolats ! résuma Titou.

Le ton était bizarre.

— Ne te mêle pas de ça, conseilla Amélia.

« Elle se doute de quelque chose ou alors papa l'a mise dans le secret », pensa Loulette.

Venue chercher une petite Conchita Ibañez au Dépôt pour la conduire chez une maman provisoire au Mirail, elle rencontra Gustave. Il lui montra un journal des Basses-Pyrénées : la ligue des contribuables dénonçait l'argent du citoyen honteusement dépensé dans l'accueil des réfugiés et de leurs enfants.

Des grèves menaçaient. Le climat était lourd.

L'orage éclata le mercredi 17 novembre. Violent. Venu du côté où peu de gens l'attendaient : « Complot contre la sûreté de l'État », titraient les journaux. Et encore : « Plusieurs dépôts d'armes découverts ». Et, les jours suivants et pendant des semaines, des photos de caves, de garages, de villas de banlieue transformés en arsenaux. Avec partout des fusils-mitrailleurs allemands Schmeisser, des Beretta italiens. À Paris dans la seule cache du boulevard de Picpus : six mitrailleuses, cent vingt mille cartouches, huit cents grenades chargées, soit sept tonnes de matériel.

À l'École normale, Geneviève aborda Loulette :

— Tu as vu à Toulouse : la police a trouvé des armes à l'hôpital Purpan. Et chez un type qui a un nom à tiroirs dans le sud de la ville.

Avec les armes, il y avait des tracts, des brochures « C'est Pétain qu'il nous faut » avec la couverture encadrée de tricolore ; deux cents brassards rouges, marqués C.G.T. pour équiper les faux manifestants : les casseurs, les provocateurs.

— C'est dégoûtant, tu ne trouves pas ?

— Si. Si, je trouve, finit par répondre Loulette qui à la vérité était loin : se demandant toujours qui, avant elle, avait pu aller au commissariat...

Le professeur de philo donna, pour la composition du trimestre : « La dénonciation est-elle un devoir ? »

Hantée par le souvenir de madame Deslandes-Winc-ker, de Marie-Rolande la suppliant d'être discrète et, sur leur wagon transformé en tribune, d'Albert et Martin prenant à partie les fascistes assassins, Loulette obtint la meilleure note. Elle prit goût à la philo.

Le programme d'histoire comportait la révolution de 1848. Le professeur insista sur la nécessité de prému-nir le suffrage universel contre les coups d'État.

Loulette prit goût à l'histoire.

À la place de l'étude, un soir, madame la Directrice assura une conférence sur « La République, héritage des meilleurs ».

Loulette prit goût à la lecture, à Voltaire, à Diderot...

Loulette prit goût aux études.

Elle comprit que le savoir était le grand rempart contre les armes. Que contre les dépôts d'armes, il y avait partout en France des écoles qui étaient des dépôts de savoir.

Aux vacances de Noël, Martin la trouva métamor-phosée. Débarrassée des inquiétudes et des peurs, des chagrins, des indécisions qui, hier encore, marquaient son visage.

L'après-midi, elle le rejoignait dans son « hall du Capitole ». Ou alors, venant entraîner les gymnastes, il lui faisait la surprise d'une visite à Marengo.

Ils étaient seuls dans l'appartement lorsque, retour de mission, Albert entra à l'improviste.

Ils n'étaient pas dévêtus mais leur embarras ne laissait pas de doute sur leurs divertissements.

Albert posa sur eux un regard surpris. Presque douloureux : ce garçon, ce camarade qui était instituteur… sa fille, sa propre fille, qui voulait l'être…

Martin ne voulut pas de méprise :

— Albert… entre Loulette et moi… c'est du sérieux.

La surprise grandit :

— Vous voulez vous marier ?

— Oui, répondit Martin.

— Non, répondit Loulette.

Les deux hommes se regardèrent. Ne comprenant pas.

Le lendemain, après l'amour, Martin demanda :

— Tu ne veux pas te marier ?

Loulette chuchota :

— Je veux être institutrice. Voir la vie. Pour, plus tard, l'enseigner à mes élèves.

Sans qu'il sût bien pourquoi, elle ajouta :

— Des filles.

Elle embrassa ses lèvres. Descendit sur son menton. S'enfonça dans son cou :

— Dans trois ans, je sortirai de l'École normale. Tu me reposeras la question. Il est possible que je réponde oui. Je ne sais pas.

Elle éclata de rire.

Il l'adorait.

Il l'avait aimée dès le premier jour.

Épilogue

Lorsque Loulette sortit de l'École normale, Martin ne posa pas la question.

En ces premiers jours d'été 1940, il marchait vers la froidure de cinq longues années de baraquements, de barbelés, de miradors; de jours sans nouvelles et de nuits sans amour. Cinq années de cauchemars faits de rêves de liberté.

C'est aux premiers jours de l'été aussi que la liberté devint réalité.

Le 25 juin 1945, le convoi de prisonniers entra en gare Matabiau.

Titou était là. Ne regardant plus les trains partant vers le midi : attendant ce train qui venait du nord. Il avait, à ses côtés, une Conchita qui venait du sud.

Martin descendit. Sous-lieutenant sans cravate. Harassé par mille huit cents jours de jeunesse perdue.

Loulette s'avança.

Elle s'arrêta devant lui. À un mètre.

Il s'arrêta aussi.

Ils ne bougeaient plus.

Rendus muets par la distance. Qui les avait si longtemps séparés.

Elle demanda :

— As-tu une question à me poser ?

Il répondit :

— Oui.

Elle tremblait.

Sa voix étranglée lui permit de murmurer :

— J'ai la même réponse à te faire.

Ils s'élancèrent l'un vers l'autre.

Ils s'étreignirent.

Ils pleurèrent.

De gros sanglots.

Albert et Amélia se détournèrent. Cachant leur bonheur en larmes. Avec Titou qui faisait semblant de siffloter. Et Conchita qui attendait.

Le mariage eut lieu au printemps.

En octobre 46, le couple prit ses fonctions à Bouloc, un village dans le nord du département.

Il y passa les fêtes de fin d'année. En famille.

Écoutant la T.S.F., Albert bondit :

— Vincent vient d'être élu président de la République !... Tu te rends compte ? Vincent !

Non, les autres ne se rendaient pas compte. Ils ne pouvaient pas : Albert n'avait jamais rien raconté. Ni des armes pour l'Espagne. Ni, plus tard, des armes contre Hitler : quand on a l'habitude...

Les vacances venues, Loulette et Martin partirent pour Biscarrosse.

On crut que Carette, les accueillant, allait s'évanouir :

— Putain de bonheur, vous voilà !... Putain que je suis heureux ! Ça, c'est de la joie, mes camarades !

Il se tenait debout sur une jambe. Un peu raide. Montrant une longue cicatrice près du tibia.

Il pointa un doigt en direction de Florence :

— Tu connais ma femme ? J'ai son violoncelle dans ma torpédo.

La « torpédo » était une camionnette délabrée marquée Garage Jean-Sébastien Bach, quai de Bacalan à Bordeaux :

— J'ai quitté Paris pour épouser une artiste. Professeur au Conservatoire, s'il vous plaît ! Et soliste avec ça ! Elle ne peut plus se passer de moi : quand elle donne un concert, c'est moi qui lui tourne les pages !

Il débordait de joie. Il avait baptisé son garage tout seul.

Il éclata de rire :

— Les clients m'appellent monsieur Bach ! Ceux qui veulent faire intime me demandent : « Comment ça va, Sébastien ! »

Il était hilare. Montrait Juliette. « Enceinte jusqu'aux yeux », disait-il :

— Vrai, la Limousine, je n'aurai jamais cru ça de toi !

Le mari, Étienne, souriait. Sachant que, bien vite, il entrerait dans la famille.

— Et les Blondin… Christiane et Robert… vous avez des nouvelles ?

Quelqu'un en avait : Carette, évidemment.

Il baissa la voix. Rectifia :

— Enfin… j'ai des nouvelles… d'elle parce que lui… en 40, il y est resté. Sur la Loire.

Une vraie tristesse marqua son visage :

— Il y en a un autre qui y est resté.

Plus qu'une tristesse. Pour un prénom. Trois lettres :

— Léo.

À l'intention des néophytes, il précisa :

— Léo Lagrange… Le ministre… Le nôtre. « Le ministre de la Jeunesse », comme nous disions. « Le ministre de la Fainéantise », comme disaient ceux d'en face.

Il prenait tout le monde à témoin :

— Vous voyez, les amis, je ne suis pourtant pas très sensible…

Loulette réprima une petite envie de rire.

Carette ne le vit pas. Tout à son idée : quand il avait

appris la nouvelle, il avait pleuré. Depuis qu'il habitait Bordeaux, deux ou trois fois le dimanche, il avait pris sa camionnette pour aller à Bourg-sur-Gironde. Pour rien : pour voir où Léo était né.

Il murmura :

— Dans le fond, on a eu de la chance.

Martin le regarda :

— Tu trouves ?

— Je sais : tu as tiré cinq ans là-bas, moi j'ai pris une balle dans la guibole mais quand même, on a connu ça... ensemble.

Il montrait l'auberge, le lac. Et surtout ses souvenirs. Avec les marches et les corvées. Les veillées, le gramophone « La Voix de son Maître », le « j'ai rien à moi mais tu peux le prendre », l'espoir de bonheur. Qui est le grand bonheur du monde.

Il réfléchissait :

— Tu comprends, des hommes de progrès qui veulent être ministres, on en trouvera toujours. Nous, on a eu des ministres qui voulaient le progrès des hommes.

Florence estima qu'il avait assez joué les anciens combattants :

— Il n'est pas trop tard pour aller à l'Océan. On va tous faire trempette.

La chanson partit toute seule :

Debout ma blonde, chantons au vent
Debout, amis !
Il va vers le soleil levant
Notre pays !

Le soleil ne se levait pas : il plongeait. Se cachait derrière les pins.

Un nouveau s'approcha de Loulette. Il avait un bel accent de Toulouse :

— Mon père m'a souvent parlé de toi.

— Je le connais ?

Le garçon était brun. Content d'être là, semblait-il :

— C'était monsieur Louis. Le chauffeur des Deslandes-Wincker.

Loulette le regarda. Elle l'imagina avec une casquette, une livrée.

Le garçon parla entre ses dents :

— C'est mon père qui a dénoncé le Deslandes-Wincker. Il n'y a pas longtemps que je le sais : la semaine dernière.

Nous sommes la jeunesse ardente
Qui veut escalader le ciel.

— Il m'a dit : « Tu vois, mon petit, l'homme supporte la misère très longtemps. Toute sa vie. Mais ce qu'il ne peut pas supporter indéfiniment, c'est l'humiliation. »

Loulette crut entendre parler Albert.

Elle rattrapa les autres. Avec Martin. Très fort :

Sachons protéger notre pain
Nous bâtirons des lendemains
Qui chantent.

Titou les regardait. Souriant. Presque attendri.

Il dit à Conchita :

— Ma sœur et mon beau-frère, ils chantent toujours des vieilles chansons.

Achevé d'imprimer sur les presses de

BUSSIÈRE

GROUPE CPI

à Saint-Amand-Montrond (Cher)
en mai 2006

POCKET - 12, avenue d'Italie - 75627 Paris Cedex 13

— N° d'imp. : 60833. —
Dépôt légal : juin 2002.
Suite du premier tirage : mai 2006.

Imprimé en France